Jan Paweł II papież

UZDROWICIEL
Jan Paweł II

Andreas Englisch

UZDROWICIEL
Jan Paweł II

Tytuł oryginału
DER WUNDERPAPST
JOHANNES PAUL II

© 2011 by Andreas Englisch
(www.andreasenglisch.de)
represented by AVA international GmbH, Germany
(www.ava-international.de)
Originally published 2011 by C. Bertelmann Verlag, Munich,
in der Verlagsgruppe Random House GmbH

Wkładka zdjęciowa © Andreas Englisch

© Wydawnictwo WAM, 2012

Redakcja
Ewa Zamorska-Przyłuska

Współpraca
Zofia Palowska

Przekład
Paulina Filippi-Lechowska

Wydawnictwo WAM ■ Księża Jezuici
Kraków 2012

tel. 12 62 93 200 • faks 12 42 95 003
e-mail: wam@wydawnictwowam.pl
www.wydawnictwowam.pl

DZIAŁ HANDLOWY
tel. 12 62 93 254-255 • faks 12 62 93 496
e-mail: handel@wydawnictwowam.pl

KSIĘGARNIA WYSYŁKOWA
tel. 12 62 93 260, 12 62 93 446-447
faks 12 62 93 261
e.wydawnictwowam.pl

Druk i oprawa
Drukarnia SKLENIARZ • Kraków

Spis treści

Synowi Leonardowi i żonie Kerstin

Watykan, Biuro Prasowe Stolicy Apostolskiej. Spotkanie z rzecznikiem prasowym Joaquínem Navarro-Vallsem, luty 1999 roku.

Joaquín wziął mnie na bok.

– Posłuchaj, Andreas, papież nie chce, abyś opowiadał lub pisał o tym, co tu widziałeś. O tych wszystkich rzeczach, jakie niektórzy nazywają nadprzyrodzonymi i jakie miały miejsce w obecności Jana Pawła II.

– Rozumiem – odpowiedziałem i zapewniłem: – Obiecuję, że nie pisnę ani słowa, dopóki On żyje ani kilka lat po Jego śmierci.

Dotrzymywałem obietnicy. Aż do teraz.

I odmienił oblicze świata

WATYKAN, PLAC ŚW. PIOTRA, 8 KWIETNIA 2005 ROKU, PIĄ-
TEK. Cyprysowa trumna z ciałem papieża Jana Pawła II
stała dokładnie w tym samym miejscu, z którego przez
ponad dwadzieścia lat Karol Wojtyła przemawiał do wiernych. Obok trumny siedział na krześle Mistrz Ceremonii
Piero Marini, jak gdyby Zmarły miał skierować do niego
jeszcze ostatnią prośbę: by poprawić mu ornat, potrzymać
mikrofon albo podać szklankę z wodą, aby głos nie odmówił mu posłuszeństwa. Tego dnia arcybiskup Marini zrezygnował z przywileju asystowania Dziekanowi Kolegium
Kardynalskiego Josephowi Ratzingerowi podczas mszy
pogrzebowej Karola Wojtyły, sprawowanej na oczach całego świata. Owo zaszczytne zadanie przejął jego zastępca
Enrico Viganò, a on sam tymczasem usiadł obok trumny,
jak gdyby weszło mu w krew, że zarówno za życia, jak i po
śmierci ma czuwać nad papieżem.

Piero Marini przez osiemnaście lat wygładzał każdą
zmarszczkę na nieskończenie długim czerwonym dywa-
nie, po którym na miejsce sprawowania mszy miał przejść
Jan Paweł II. Sprawdzał każdy stopień schodów, by nie
stanowił przeszkody dla papieża, który dawał z siebie
wszystko aż do ostatnich chwil. Teraz od czasu do czasu
spoglądał na trumnę z ciałem „Maratończyka", przemie-

rzającego całe życie w służbie Boga „zabieganego Ojca",
jak gdyby chciał się upewnić, że wiejący tego ranka na placu św. Piotra zimny wiatr Karolowi Wojtyle nie zaszkodzi.
Siedział u jego boku tak samo jak w roku 1987 w Miami,
kiedy podczas mszy nadciągnął tropikalny huragan, który
potem pozrywał dachy z wielu domów. Wtedy udało mu
się nakłonić papieża, by przerwał liturgię, i zanim huragan
spustoszył miejsce, w którym była sprawowana, zdążyli się
w porę schronić. Towarzyszył mu podczas tysięcy nabożeństw, więc i teraz siedział u jego boku, jak gdyby to nie
był koniec, jak gdyby życie Karola Wojtyły wcale się nie
zakończyło.

Nie tylko on miał tego dnia podobne odczucia, wielu
ludzi nie mogło bowiem jeszcze do końca pojąć, że długa wędrówka Karola Wojtyły rzeczywiście dobiegła kresu.
I ja również. Odkąd zaczęły się jego poważne problemy ze
zdrowiem, gdy zdiagnozowano u niego chorobę Parkinsona, za każdym razem wieszczono papieżowi rychłą śmierć.
A mimo to on dalej po prostu robił swoje. Media co rusz
zapowiadały, że kolejna pielgrzymka będzie zapewne jego
ostatnią, a mimo to on podróżował nadal. W razie potrzeby jechał na wózku inwalidzkim lub był wnoszony. Aby
wsiąść na pokład samolotu, pozwalał wwieźć się na pod-
nośniku niczym bagaż czy paczka. Nic nie było go w stanie powstrzymać.

Nawet kiedy stan jego zdrowia wydawał się beznadziej-
ny, jak wówczas gdy wykryto u niego nowotwór jelita grubego, on znów zdołał stanąć na nogi. Tym razem jednak
to już naprawdę był koniec. Siedziałem na trybunie dla

prasy, a cały świat żegnał się z Karolem Wojtyłą. Nigdy jeszcze na pogrzeb jednego człowieka nie przybyło tyle głów państw, tylu królów i prezydentów. Człowieka, który wszak przyszedł na świat w rodzinie ubogiego podoficera armii austriackiej, w Wadowicach niedaleko Krakowa. Żadna angielska królowa, żaden amerykański prezydent ani żaden sowiecki dyktator nie zgromadzili na swoim pogrzebie takich tłumów, które po raz ostatni pragnęły oddać mu cześć.

Wówczas na placu św. Piotra siedział obok mój przyjaciel Francesco, który swoją posturą przypomina niedźwiedzia. Zawsze ma na sobie czarne spodnie z niezliczonymi kieszeniami i kurtkę, jakiej mogliby z powodzeniem używać nawet komandosi. Jest fotografem, targa z sobą zawsze jakieś czterdzieści kilogramów sprzętu i nie raz zdarzyło mu się bić o najlepsze ujęcie. Jest bardzo wysoki, więc kiedy stojąc w tłumie innych fotografów przed obiektem, którym zazwyczaj był papież, zdarzało mu się z plecakiem na ramionach gwałtownie obrócić do tyłu, cała reszta kolegów leżała na ziemi. Kiedyś helikopter, którym lecieliśmy wraz z orszakiem papieskim, omal się nie rozbił – od tego czasu spotykamy się w Rzymie regularnie i za każdym razem wznosimy toast za życie.

Wśród wiernych zgromadzonych na placu św. Piotra pojawił się nagle plakat z żądaniem „Santo subito!", czyli „Ogłoście go natychmiast świętym!". Wskazując ręką na ten napis, powiedziałem do Francesca:

– No to nawarzył sobie piwa. Teraz jeszcze ogłoszą go świętym.

Gdyby ten dzień nie był tak smutny, pewnie obaj wybuchnęlibyśmy śmiechem, teraz jednak nasze oczy napełniły się łzami. Zrobią z Wojtyły świętego – to byłby chyba największy żart Watykanu. Akurat z Karola Wojtyły.

– A pamiętasz – odezwał się Francesco – jacy wykończeni siedzieliśmy w samolocie, wracając z jego pielgrzymek? A przecież nawet w połowie nie pracowaliśmy tak ciężko jak on. I jak wtedy śpiewaliśmy: *„Take off the cross, Boss, it's over"* („Zdejmij już krzyż, szefie. Fajrant").

– Tak, pamiętam – odparłem. – Piliśmy i paliliśmy w samolocie Jego Świątobliwości, a on czasem brał do ręki mikrofon i wołał do nas ze śmiechem: „Hej, wy tam z tyłu, koniec zabawy".

Rewolucja Karola Wojtyły

Każdy, kto słyszał o niekończącym się sporze Karola Wojtyły z Kurią Rzymską, czyli organem kościelnej władzy wykonawczej, wie, że przez długie lata skarżyła się ona na niedostateczną świętość papieża. Do momentu wyboru Wojtyły w roku 1978 Watykan postrzegał bowiem papieży jako dostojne, doskonałe, przypominające elfy istoty, bardziej duchowe, eteryczne niż cielesne, ukazujące się zwykłym śmiertelnikom tylko z rzadka i, niczym anioły, zastygłe w swojej majestatycznej doskonałości. W konfrontacji z taką właśnie wizją Karol Wojtyła jako papież przypominał raczej umorusanego zawodnika rugby. Kardynałowie z Kurii darli włosy z głów. Od samego początku spięcia wydawały się nieuniknione.

Zgodnie ze zwyczajem, po swoim wyborze na papieża Karol Wojtyła podjął u siebie kardynałów. Było przyjęte, że podczas audiencji papież siedzi, zaś kardynałowie przed nim klęczą. Jednak ów człowiek z Wadowic ani myślał trzymać się protokołu, a swoją decyzję uzasadnił, zaznaczając, że kardynałowie są przecież jego braćmi. Zmusił ich, żeby wstali i uścisnęli go, zamiast przed nim klęczeć (fot. 5). Niedługo potem doszło do kolejnego spięcia. Tym razem chodziło o lektykę, *sedia gestatoria*. Używali jej od tysiąca pięciuset lat wszyscy papieże, nawet poprzednik Wojtyły Jan Paweł I. Jednak Wojtyła, pomimo gromkich protestów Kurii, pozbył się owego antycznego mebla. Zamiast być noszonym ponad głowami wiernych, wolał do nich podejść, porozmawiać, pobłogosławić, a nawet przytulić. Tego jeszcze nie było. A potem, podczas owego legendarnego już lotu do Japonii, papież Jan Paweł II, serdecznie pozdrawiając po drodze innych gości i dziennikarzy, przeszedł do toalety. Od tamtej pory dla papieża została zarezerwowana łazienka w przedniej części samolotu. *Pontifex*, głowa Kościoła udająca się na oczach wszystkich za potrzebą – taki widok był dla większości kardynałów skandalem nie do zaakceptowania.

Aby lepiej to zrozumieć, przyjrzyjmy się choćby samochodom papieża Piusa XI. Znajdowała się w nich specjalna obrotowa tabliczka, za pośrednictwem której papież przekazywał kierowcy informację, dokąd ma jechać, w prawo czy w lewo, kiedy ma się zatrzymać lub zaparkować. Jeżeli na przykład na tabliczce pojawiało się: *a casa*, kierowca wiedział, że papież musi wracać do domu. Ten nader skomplikowany mechanizm miał na celu niedopuszczenie do bezpośredniej rozmowy papieża z szoferem. Byłoby to nie do pomyślenia, podobnie jak sytuacja, w której to szofer ośmieliłby się odezwać do Jego Świątobliwości.

Człowiek w pełni wolny

Postawa Karola Wojtyły jako papieża nie była ani kolejną fazą ewolucji papiestwa, ani też nowym jej rozdziałem. To był burzliwy, wręcz rewolucyjny przełom. Tego jeszcze nie było – żaden papież nie był dotąd „na wyciągnięcie ręki", żadna z głów Kościoła nie demonstrowała, że jest takim samym człowiekiem jak wszyscy inni. Kiedyś podczas pobytu w Castel Gandolfo w tak zwanej Sali Szwajcarów czekali na Jana Pawła II wysocy dygnitarze. On tymczasem spacerował po parku i przyglądał się grającemu w piłkę małemu chłopcu, synowi ogrodnika. Sekretarze machali do niego, próbując gestami przekazać, że goście czekają i Jego Świątobliwość powinien już wracać. Ale papież stanowczo pokręcił głową, jak gdyby chciał im odpowiedzieć: „Przykro mi, nie mam czasu, teraz muszę pograć w piłkę". I wymienił z malcem parę podań, wprawdzie tylko przez chwilę, jednak na tyle długą, by dać do zrozumienia, że to dziecko jest teraz dla niego dużo ważniejsze niż jakikolwiek termin. Papieski fotograf Arturo Mari zrobił wtedy parę przepięknych zdjęć (fot. 1).

Według przekonań watykańskich notabli Ojciec Święty nie powinien robić podobnych rzeczy i do tej pory tak było. Grozą wśród kardynałów z Kurii powiało też wówczas, gdy papież został przez jakiegoś intruza sfotografowany w basenie tylko w kąpielówkach. Zdawało się, że to sprawka samego diabła, ale Karol Wojtyła skomentował to ze spokojem: „No, jestem tylko ciekaw, która gazeta to opublikuje". Nie sposób policzyć jego uchybień wobec obowiązującej dotąd w Watykanie wizji nieskazitelnej osoby papieża. Na przykład 14 maja 1999 roku nie mógł się powstrzymać i ku przerażeniu kardynałów z Kurii ucałował Koran. Nie miał też nic przeciwko temu, by dzieci urzędników z Castel Gandolfo bawiły się w chowanego, kryjąc się pod jego płaszczem (fot. 3). Karol Wojtyła był człowiekiem z krwi i kości, a tym, co go wyróżniało, była umiejętność kochania.

Pamiętam lot do Rio de Janeiro w październiku 1997 roku. Kilka dni wcześniej papież wziął udział w Spotkaniu Młodzieży w Bolonii, podczas którego wystąpił Bob Dylan, a on śpiewał razem z nim. Siedząc teraz w samolocie, powiedział:

– Dziś to ja będę zadawał pytania.

Spojrzeliśmy po sobie zdziwieni. Czyżby miał nam coś za złe? Czy ostatnim razem zapytaliśmy go o coś, co mu się nie spodobało? On jednak zaraz dodał:

– Ja też śpiewałem w Bolonii.

– Wszyscy słyszeliśmy – potwierdziliśmy. Papież zaś zapytał:

– No więc chciałbym się dowiedzieć, jak wypadłem?

Wybuchnęliśmy śmiechem, a mój nieżyjący już przyjaciel i kolega po fachu Orazio Petrosillo powiedział:

– Nie wiedzieliśmy do tej pory, że Wasza Świątobliwość zna przeboje pop.

Jednak przez wszystkie te lata najgorszą zmorą watykańskiej Kurii była fundamentalna zasada Karola Wojtyły, by nie uchylać się przed żadną ryzykowną sytuacją. Papież, który uchodzi za wcielenie doskonałości, nie popełnia przecież błędów. Aby uniknąć błędów, należało jednak unikać wszelkiego rodzaju sytuacji umożliwiających ich wystąpienie. Każdą z niezliczonych papieskich podróży poprzedzała ta sama dyskusja. Czy podróż papieża nie zostanie wykorzystana do złych celów, czy nie zostanie potraktowana instrumentalnie? Czy naprawdę nie naraża się na niebezpieczeństwo, kiedy jako pierwszy papież w historii przekracza próg synagogi lub kościoła ewangelickiego albo modli się w meczecie? A może wynikną z tego problemy? Czy fakt, że w tamtą pamiętną Środę Popielcową 2000 roku poprosił o przebaczenie wszystkich złych uczynków wyrządzonych ludziom w imieniu Kościoła katolickiego, nie mógł wzbudzić protestów, a zarazem narazić go na niebezpieczeństwo? A czy nie było nazbyt ryzykowne, stojąc przed Ścianą Płaczu w Jerozolimie, przyznać się do istnienia odwiecznej nienawiści pomiędzy chrześcijanami a żydami i zapewnić, że już nigdy w imieniu Kościoła nie dojdzie do aktów przemocy wobec Żydów? Czy wszystkie te posunięcia nie godziły w godność papieża? Karol Wojtyła machał tylko ręką:

– Każdą z moich pielgrzymek traktuje się instrumentalnie – mówił. – Biorę to na siebie.

Ksiądz Stanisław Dziwisz, wieloletni sekretarz Jana Pawła II, późniejszy arcybiskup krakowski i kardynał, kiedy dochodziło do spięć, mawiał zawsze o swoim zwierzchniku: „Karol Wojtyła jest wolnym człowiekiem, człowiekiem przeniknietym wolnością". Karol Wojtyła nie bał się ani Kurii, ani tego, że świat drwił sobie z jego wiary, a jego poglądy określał jako niedzisiejsze. Dalej robił swoje i nikt nie był mu w stanie zabronić okazywania miłości wszystkim ludziom na całej ziemi.

Kiedy Jan Paweł II zmarł, jego długoletni rzecznik Joaquín Navarro-Valls powiedział nam – wszystkim, którzy przez dziesięciolecia pracowaliśmy dla papieża – że zaprowadzi nas do trumny z Jego ciałem. W tym właśnie dniu zadzwoniła do mnie koleżanka żydowskiego pochodzenia, która pracowała dla jednej z amerykańskich stacji telewizyjnych:

– Zaprowadzą nas do niego, może poszedłbyś razem ze mną? Nie dam rady pójść tam sama.

Poszliśmy więc razem, trzymając się za ręce. Oboje płakaliśmy.

– Ale ty jesteś przecież żydówką.

– Tak – zaszlochała – ale Karol Wojtyła był wyjątkowy, był prawdziwym mężem Bożym. – Otarła łzy. – Co on z nami zrobił? – I sama zaraz odpowiedziała: – Myślę, że nas odmienił.

Dziś wiem, że miała rację.

Wtedy powiedziałem tylko:

– Tam na placu miałem wrażenie, że chcą go ogłosić świętym.

Na co odpowiedziała z uśmiechem:
– No to musi teraz odpokutować za Tucciego.
Ja również się uśmiechnąłem.

Narzędzie Boga

Roberto Tucci – szef Radia Watykańskiego w latach 1985– 2001, jezuita z Neapolu, który przez wiele lat zajmował się organizacją papieskich podróży. Członek papieskiego orszaku, który bardzo przypominał Karola Wojtyłę. Człowiek nadzwyczaj skromny, który niechętnie przyjmował podziękowania i równie niechętnie pokazywał się publicznie. Człowiek, który ciężko pracował i potrafił wiele znieść. Był tym, który miał najtrudniejsze zadanie, czyli przygotowanie kolejnych pielgrzymek. Kiedy wszystko przebiegało tak jak trzeba, nikt nie pamiętał o Tuccim. Za to kiedy coś poszło nie tak, winą zawsze obarczano właśnie jego. Ale to mu odpowiadało, bo nie lubił, kiedy go chwalono. Roberto Tucci przychodził do nas, dziennikarzy, zawsze dopiero wtedy, gdy zrobił już wszystko, co do niego należało, kiedy już nic nie mogło pójść nie tak, kiedy Karol Wojtyła stał już przy ołtarzu, tłumy wiwatowały na jego cześć i zaczynało się nabożeństwo. A więc dopiero kiedy wszystko było na swoim miejscu i nie było już nic do poprawienia w ostatniej chwili, kiedy naprawdę wszystko było gotowe do przyjęcia papieża w Afryce, Ameryce czy jeszcze gdzie indziej, Roberto Tucci przysiadał się wreszcie do nas i razem z nami palił papierosy marki Belga. Przez całe swoje życie stał w cieniu i dokładnie takie było jego założenie. Cały blask miał bowiem otaczać papieża. Kiedy Karol Wojtyła postanowił nadać mu godność kardynała, bronił się rękami i nogami. Nie pragnął żadnych pochwał, pracował na chwałę Boga. Basta. Pod tym względem Roberto Tucci i papież Jan Paweł II byli do siebie bardzo, bardzo podobni. Za żadne skarby nie chcieli się wywyższać; Karol Wojtyła niezmordowanie powtarzał, że jest jedynie narzędziem w rękach Boga. Obaj wzdragali się przed osobistymi wyróżnieniami. W encyklice *Ut unum sint* Jan Paweł II pisał, że on sam nie chce być ważny, bowiem papież swoją posługą powinien przede wszystkim przyczyniać się do jedności wszystkich chrześcijan. Zaś Roberto Tucci nie chciał być żadnym księciem Kościoła, postrzegał siebie raczej, tak jak Wojtyła, jako prostego robotnika. Mimo to 21 lutego 2001 roku papież uczynił precedens, bo wyniósł do rangi kardynała szeregowego kapłana. W ten sposób Roberto Tucci został za czasów Jana Pawła II jednym z niewielu kardynałów, którzy nie uzyskali wcześniej święceń biskupich.

Po raz pierwszy zobaczyłem tego papieża na własne oczy jesienią 1987 roku. Obiecałem mojej matce, że przywiozę jej różaniec pobłogosławiony przez Ojca Świętego, pojechałem więc vespą po raz pierwszy na spotkanie do auli Pawła VI. Jan Paweł II poruszał się jeszcze wówczas sprężystym krokiem człowieka przyzwyczajonego do pokonywania pieszo nawet sporych odległości. Ledwie pojawił się w sali, rozległy się okrzyki. „*John Paul Two, we love you*", skandowały masy, a on wziął do ręki mikrofon i odpowiedział: „*John Paul Two loves you*", na co rozległy się oklaski. Kiedy nadszedł moment błogosławieństwa, prowadzący spotkanie zapowiedział, że można teraz wypakować różańce i inne przedmioty, które wierni przynieśli z sobą. Pomyślałem wtedy: „Co za nonsens! Czyli gdybym nie wyjął różańca z torby, nie uzyskałby błogosławieństwa?". Patrzyłem później, jak po skończonej audiencji Karol Wojtyła szedł pośród tłumu, ściskając setki wyciągniętych dłoni. Z zakłopotaniem przyjmował wyrazy czci, kiedy ludzie rzucali się przed nim na kolana. Podnosił ich, a każdy jego gest zdawał się mówić: „Przecież nie jestem kimś nadzwyczajnym". Tak, zupełnie inaczej wyobrażałem sobie tego papieża. Nad łóżkiem mojej babci aż do jej śmierci wisiała fotografia Piusa XII; papież siedział sztywno na swoim tronie, błogosławiąc coś niewidocznego na zdjęciu. Wyglądał jak posąg i w najmniejszym stopniu nie przypominał tego człowieka, idącego teraz przez aulę audiencyjną. Napierały na niego tłumy, tymczasem jemu najwyraźniej wcale to nie przeszkadzało, szedł dalej, ściskając dłonie i błogosławiąc wiernych. Przypominał mi raczej prostego proboszcza, który niezbyt dobrze czuje się w roli papieża. Nic w jego postawie nie wskazywało, że nadejdzie taki dzień, w którym będziemy czcić Wojtyłę jako niezwykłego papieża i jako świętego. W roku 1987 w Berlinie stał jeszcze mur, polska Solidarność nie obaliła jeszcze reżimu komunistycznego. Nic nie wskazywało, że dni władców sowieckiego imperium są już policzone.

Mieszkańcy Rzymu przyjmowali wtedy raczej ze zdumieniem fakt, że Watykanem rządzi papież z Polski, nie mogło być też mowy o jakichś szczególnych przejawach uwielbienia z ich strony. Wręcz przeciwnie, podczas moich pierwszych nieśmiałych rozmów w Watykanie, kiedy tylko pojawiał się temat Wojtyły, uderzała mnie ich irytacja. Większość biskupów i kardynałów miała mu za złe, że nieustannie jest w podróży. Przez pierwsze kilka tygodni wciąż słyszałem ten sam argument: święty Paweł był apostołem pielgrzymującym, natomiast święty Piotr, papież, powinien być na miejscu, w Rzymie. Jednak Karol Wojtyła najwyraźniej nie przejmował się krytycznymi uwagami kardynałów. Dostojnicy kościelni nie mogli nade wszystko znieść jego dominacji, narzekali, że nie jest dość kolegialny. Papież sam decydował o wszystkim. Karol Wojtyła stał się gwiazdą medialną, ulubieńcem telewizji, więc pozostali biskupi poczuli się odsunięci na dalszy plan. Szczególnie działał na nerwy pracownikom Sekretariatu Stanu – choć przyznawali to jedynie po cichu, czuli się przez niego pozbawieni realnej władzy. To tu powstawały przeraźliwie rozwlekłe raporty na temat sytuacji w poszczególnych krajach, nieszczędzące zaleceń, jakiego typu relacje należy utrzymywać z głowami państw. Oczywiście miały one swój sens tylko pod warunkiem, że papież nie ruszał się z Rzymu. Tymczasem Karol Wojtyła prędzej czy później leciał do któregoś z tych krajów, znanego sekretarzom jedynie z korespondencji, osobiście spotkał się z rządzącymi, sam negocjował to, co należało wynegocjować, a tym samym piętrzące się w kancelarii stosy raportów stawały się zbędne.

Tak więc nawet przy najlepszych chęciach trudno byłoby mi stwierdzić, że w Watykanie darzono Wojtyłę szczególną miłością i szacunkiem. Ja sam trwałem nadal przy swojej wizji papieża: ultrakonserwatywnego, żądnego władzy kościelnego hierarchy, chcącego narzucać reszcie ludzkości, jak ma żyć. Z mojej perspektywy jego nakaz, by zachować czystość aż do ślubu, wydawał się równie idiotyczny co jego poglądy na temat homoseksualizmu. W dzieciństwie byłem wprawdzie pobożnym chłopczykiem, który ochoczo służył do mszy, jednak jako młody reporter, po pięciu latach studiów w Hamburgu, miałem mu do zarzucenia to wszystko, co zarzucali mu wówczas młodzi katolicy – fundamentalną niechęć do ludzkiej cielesności, oderwane od życia przekonania, których przykładem był zakaz używania prezerwatyw, skutkujący raczej zwiększaniem niż zmniejszaniem nędzy na świecie. Uważałem papieża za nieprzejednanego moralistę, który nie dostrzegał współczesnych tendencji w rozwoju społeczeństwa i wolał raczej znów przywrócić stosunki rodem ze średniowiecza. Z takim właśnie wyobrażeniem rozpocząłem swoją pracę w Watykanie.

Do moich obowiązków należało między innymi towarzyszenie papieżowi podczas podróży. Myślałem wtedy, że będzie to zajęcie krótkoterminowe, planowałem bowiem, że zatrzymam się we Włoszech najwyżej na kilka miesięcy. Jeździłem więc za nim. Rozmawiałem z ludźmi, którzy spotykali go, kiedy na przykład udało mu się wymknąć za bramy Watykanu, by pojeździć na nartach. Wielu z nich jeszcze długo potem zastanawiało się, czy człowiek, który wraz z nimi szusował po zatłoczonych stokach, to naprawdę był papież. Wojtyła nigdy nie chciał się zgodzić na zamknięcie stoku ze względu na niego (fot. 4). Czy w ten sposób działał niechętny ludzkiej cielesności, zgorzkniały starzec? Rozmawiałem kiedyś z wieloletnim ministrem spraw wewnętrznych Włoch Francesco Cossigą[1], który żalił mi się, że Karol Wojtyła urządzał sobie nocne spacery po ulicach Rzymu, i to bez ochrony, bo chciał przyjrzeć się z bliska swojemu miastu i diecezji. Policyjne patrole nieraz napotykały go na swojej drodze i zwracały się potem z pytaniem do ministra, co mają w takiej sytuacji zrobić. Nakazywał więc mieć go dyskretnie na oku, ale nie zakłócając jego spokoju. Czy w ten sposób zachowywał się ultrakonserwatysta? Widziałem, z jakim ogromem pracy radził sobie codziennie, pracował siedem dni w tygodniu i wydawał się w tym niezmordowany. Razem z nim odwiedzałem rzymskie parafie, widywałem go teraz często. I po jakimś czasie byłem gotów przyznać, że Karol Wojtyła naprawdę był w stanie zrobić wszystko dla spraw, w które wierzył.

A potem upadł mur berliński, ja zaś u boku Karola Wojtyły wyruszałem w niezliczone podróże lat dziewięćdziesiątych. Wystawiał się na upały w Afryce, przemierzał stepy w Azji, zaglądał do slumsów w Ameryce Łacińskiej, a ja przez cały ten czas usiłowałem dotrzymać kroku temu człowiekowi, który potrafił pracować po dwadzieścia godzin na dobę. On zdawał się nigdy nie odpoczywać, był już na nogach i modlił się, podczas gdy ja, o czterdzieści

[1] W latach 1985–1992 Francesco Cossiga był prezydentem Włoch. Wcześniej pełnił m.in. urząd premiera (1979–1980). Był też ministrem spraw wewnętrznych w rządzie Giulia Andreottiego w latach 1976–1978 (przyp. red.).

lat młodszy, dopiero usiłowałem zwlec się z łóżka i wlać w siebie dostateczną ilość kawy, aby przetrwać owe niekończące się dni pielgrzymki. Tymczasem on, nawet podczas wakacji, wstawał o świcie, bo uwielbiał patrzeć na wschód słońca. Przyciskał wtedy czoło do szyby i przyglądał się temu codziennemu spektaklowi. Odkryła to kiedyś ekipa sprzątająca w jego letniej siedzibie w Castel Gandolfo, bo na jednej z szyb w przestronnym Salonie Szwajcarskim odnalazła świadczący o tym ślad.

Obietnica

Muszę przyznać, że w tamtym czasie coraz trudniej przychodziło mi nie wierzyć w Boga. Karol Wojtyła na moich oczach zmieniał świat – na lepsze. To samo odczucie dostrzegałem też w oczach ludzi na całym globie. A przecież miał tylko dwie ręce i swoją wiarę. Jednak dawał jednoznacznie do zrozumienia, że to, co się wokół niego dzieje, jest dziełem nie jego, lecz samego Boga. Wciąż pamiętam jego słowa wypowiedziane w drodze do Gruzji, w dziesiątą rocznicę upadku muru berlińskiego: „To sam Bóg przyczynił się do upadku muru berlińskiego". Jak jeden człowiek zdołałby sam przemienić świat w takim stopniu, jak to się działo wszędzie tam, gdzie pojawiał się Karol Wojtyła? Może miał rację, może faktycznie to Bóg działał za jego pośrednictwem? A może wmówiłem sobie też to emanujące w jego obecności ciepło, którego przecież tak wielu doznawało?

– Słuchaj, co to za uczucie? – zapytałem raz mojego przyjaciela, księdza Jarosława Cieleckiego, kapłana z papieskiego orszaku.

On zaś odpowiedział z przekonaniem:

– To doznanie da się łatwo wyjaśnić. Papież cię kocha, on kocha wszystkich ludzi, także tych, którym jest obojętny, a nawet tych, którzy go nie znoszą.

Im więcej czasu spędzałem w pobliżu Karola Wojtyły, tym częściej zadawałem sobie pytanie, czy rzeczywiście w otoczeniu tego człowieka dzieje się coś wyjątkowego, coś nadprzyrodzonego, czy też mam do czynienia z wytworem własnej wyobraźni. Zawsze kiedy go spotykałem, pojawiało się to życzenie: „Niech cię Bóg błogosławi, staruszku". Sam nie wiem dlaczego. Na początku mojej pracy w Watykanie bardzo mnie to denerwowało, wykrzykiwałem sam do siebie w duchu: „Hej, daj spokój z tymi bzdurami! Przecież nie wierzysz w Boga! Co ten Wojtyła w sobie takiego ma?". Przez długi czas wszystkie doniesienia o niezwykłych wydarzeniach mających miejsce w obecności papieża uważałem za kompletny wymysł – nawet wówczas, kiedy coraz częściej spotykałem ludzi całkowicie przekonanych o tym, że w jego pobliżu dzieje się coś osobliwego, coś cudownego. Oczywiście we mnie jako dziennikarzu i pisarzu tego rodzaju rzeczy budziły niesamowite zaciekawienie. Czy człowiek za życia może dokonywać cudów? Kiedy więc pojawiały się relacje ludzi, którzy twierdzili, że Karol Wojtyła w jakiś niewytłumaczalny sposób uzdrowił ich z nieuleczalnych chorób, kiedy pojawiali się świadkowie tych wydarzeń, szedłem ich tropem i gromadziłem fakty. Któregoś jednak dnia wziął mnie na stronę ówczesny rzecznik Watykanu Joaquín Navarro-Valls, spojrzał mi głęboko w oczy i powiedział:

– On tego nie chce.

– Czego? – zapytałem.

– On nie chce, żebyś badał te przypadki. Nie chce i koniec. Jeżeli zdarza się cud, to za sprawą Boga, a jeżeli ma to miejsce w jego otoczeniu, musi pozostać tajemnicą. Zgoda? Papież nie chce, by ktoś rozmawiał na ten temat, to znaczy o tym, co czasem wydarza się w jego obecności.

– OK, ale ja zbadałem już kilkadziesiąt przypadków, które, delikatnie mówiąc, wydają się bardzo niezwykłe.

– Zachowaj to więc, proszę, dla siebie, dopóki on żyje, bo nie chce, żeby ktoś uważał go za jakieś wyjątkowe zjawisko. Mówi, że jest zwyczajnym śmiertelnikiem. Zatem dopóki on żyje, nie pisz o tym, co tu widziałeś.

– Obiecuję – odparłem wtedy i dotrzymałem obietnicy.

Teraz jednak Kościół podjął decyzję o beatyfikacji Karola Wojtyły. Nadszedł więc czas, by opowiedzieć moją osobistą historię, jej poszczególne etapy. Przez ponad piętnaście lat pisałem o Karolu Wojtyle, o Janie Pawle II, o historycznej postaci, o geopolitycznych ideach tego Polaka, jednak nigdy nie napisałem o tym, co fascynowało mnie w nim najbardziej – czy to sam Bóg działał za pośrednictwem tego człowieka i czy w jego pobliżu można było poczuć obecność tego niepojętego Boga? Wiele lat mierzyłem się z tym pytaniem, a to, do czego doszedłem, nieraz wywołuje we mnie dreszcze i obawę, bo wreszcie muszę zmierzyć się z innym pytaniem: „A więc Bóg istnieje?".

Czy Bóg prowadzi kule?

Rzym, 12 maja 1981 roku. Tego dnia na lotnisku Fiumicino pojawił się poszukiwany listem gończym turecki terrorysta Mehmet Ali Agca. Przyleciał z Palma de Mallorca, a okoliczności jego przybycia będzie później wyjaśniać cała generacja włoskich śledczych. Agca znalazł się na hiszpańskiej wyspie, choć Interpol ścigał go za zabójstwo dziennikarza Abdi İpekçi, który kierował gazetą „Milliyet". Został za tę zbrodnię skazany i osadzony w Kartal Maltepe, więzieniu o zaostrzonym rygorze, jednak 25 listopada 1979 roku udało mu się stamtąd uciec. Do dziś nie wiadomo jak. Agca posługiwał się niezbyt umiejętnie podrobionym paszportem na nazwisko Faruk Ozgün, mimo to zaryzykował podróż na chłodną o tej porze roku Majorkę, a tym samym przejście przez czterokrotną kontrolę paszportową. Jeszcze długie lata prokuratura będzie się zastanawiać, co tam robił. Przecież jeżeli miał ochotę na spacery po plaży, to równie dobrze mógł od razu przylecieć do Włoch, a na kąpiele w zatokach Majorki było w maju jeszcze za zimno. Prokuratura przypuszcza więc, że poleciał na wyspę, żeby spotkać się tam ze swoim zleceniodawcą, który polecił mu dzień po powrocie do Włoch, 13 maja 1981 roku, na placu św. Piotra zastrzelić papieża Jana Pawła II. Ale jeżeli Agca rzeczywiście spotkał się ze zleceniodawcą, to dlaczego na Majorce, a nie we Włoszech? Wówczas zapewne nie wystawiłby się tuż po zamachu na niebezpieczeństwo zdemaskowania i aresztowania. Do dziś wszystkie te pytania pozostają bez odpowiedzi, a ewentualne przypuszczenia nie znajdują potwierdzenia.

Zbrodnia doskonała

Mehmet Ali Agca, pomimo wyroku wieloletniego więzienia, nigdy nie zdradzi, kto zlecił mu to zabójstwo i skąd płynęły setki tysięcy dolarów finansujące jego długoletni pobyt we Włoszech przed zamachem, kto załatwił mu broń i kto kazał mu zameldować się 12 maja 1981 roku w pensjonacie Isa przy Via Cicerone, nieopodal placu św. Piotra. Do dziś nie wiemy także, czy tylko przypadkiem zatrzymał się akurat w hotelu mającym w nazwie arabski odpowiednik imienia Jezus. W dniu 13 maja 1981 roku opuścił pensjonat około godziny szesnastej, mając za pasem brytyjski pistolet typu Browning Automatic, kaliber dziewięć milimetrów, i wmieszał się w tłum czekający na audiencję papieża. Na miejsce ataku wybrał prawą stronę placu, w pobliżu wejścia do tak zwanej Spiżowej Bramy, obok której miał przejechać papież. Dziś w tym miejscu znajduje się pamiątkowa płyta.

Tego dnia papież około godziny siedemnastej wsiada do fiata campagnola – zwyczajnego samochodu terenowego, którym na audiencje jeździł już Paweł VI. Ta biała terenówka nie cieszyła się jednak dobrą opinią. Uchodziła za nadzwyczaj nieodpowiedni środek lokomocji. Paweł VI zlecił jedynie kosmetyczne przeróbki i wymianę dwóch twardawych siedzeń dla pasażerów. Jednak jeep, który dziś stoi w papieskich garażach, nadawał się raczej na górską wycieczkę dla skautów, a nie na wóz dla papieża. Fiat campagnola dociera więc na plac św. Piotra dokładnie o 17.05. Papież jak zwykle poleca kierowcy, by objechał plac dookoła. Co w tej samej chwili dzieje się w duszy Alego Agcy, zachowa on dla siebie na zawsze. Tego nie da się odtworzyć. Zbrodnia, którą za chwilę popełni, przejdzie do historii jako zbrodnia doskonała, ponieważ mimo wszelkich wieloletnich wysiłków wymiaru sprawiedliwości nie uda się wyjaśnić, kto za nią stał. Sędziowie pozostaną bezradni wobec faktu, że Agca zdawał sobie sprawę, że dokonując zamachu na papieża, resztę życia spędzi w więzieniu. Od samego początku jest bowiem jasne, że turecki zamachowiec nie będzie miał nawet cienia szansy ucieczki z placu św. Piotra, na którym kłębią się dziesiątki tysięcy wiernych, ale też są obecni watykańscy żandarmi i policjanci. Jest gotów, bez żadnego widocznego powodu, popełnić zbrodnię, która zniszczy także jego życie, i nikt nie dowie się dlaczego. Kiedy papież się zbliża, Ali Agca wyciąga pistolet i celuje w jego głowę. Jest godzina 17.22. Strzał okazuje się niecelny, a kula trafia w ramię zakonnicy. W panice Agca celuje niżej, w brzuch papieża, tym razem musi trafić. Naciska spust.

– Siedziałem wtedy w jeepie papieża, ale ani nie widziałem pistoletu, ani nie słyszałem strzału. Pamiętam tylko, jak nagle poderwały się wszystkie gołębie, raptem nad placem pojawiły się setki ptaków. Pewnie z powodu huku. Dopiero potem spojrzałem na papieża, który znajdował się tuż przede mną. Osunął się w dół. Nie zastanawiając się ani przez chwilę, zupełnie automatycznie nacisnąłem na spust migawki – tak opisywał mi tamten moment mój przyjaciel Arturo Mari, długoletni fotograf papieski.

– Papież zaczął się modlić, modlił się do Matki Boskiej, słyszałem, jak wzywał jej imienia – opowiadał mi sekretarz papieża ksiądz Stanisław Dziwisz.

Przerażona grupka osób towarzyszących, znajdująca się teraz przy postrzelonym papieżu, popełnia straszliwy błąd – zaledwie kilkaset metrów stąd, niedaleko drugiego końca Via della Conciliazione, znajduje się szpital Santo Spirito, który ma oddział ratunkowy. Jego lekarze byliby w stanie perfekcyjnie zająć się obficie krwawiącym papieżem. Jednak współpracownicy papieża wolą bezrefleksyjnie kierować się uświęconym od wieków zarządzeniem, że w przypadku zranienia lub choroby należy zawieźć Ojca Świętego do jego własnego szpitala, czyli do watykańskiej kliniki noszącej imię lekarza i księdza Agostina Gemellego. Ciężko rannego papieża wiozą więc z powrotem przez bramę Arco delle Campane, następnie przez park za kopułą Bazyliki św. Piotra aż do watykańskiej przychodni. Tam bowiem stoi dyżurująca w dzień i w nocy karetka.

– Pamiętam, że miała zepsute niebieskie sygnalizatory alarmowe – opowiadał mi potem ksiądz Dziwisz.

Papież zostaje ułożony w karetce, która pędzi następnie ulicami Rzymu. To zbyt długa podróż jak na ciężko ranną osobę. Papież spędza bowiem w karetce aż dwadzieścia minut. To błąd, który może zagrozić jego życiu.

Kiedy samochód dociera do kliniki Gemelli, wszyscy tracą głowę. Zamiast natychmiast zabrać papieża na salę operacyjną i uzupełnić niedobory krwi, pielęgniarze wiozą go do apartamentu papieskiego na dziesiątym piętrze. Dopiero tam, na górze, jedna z pielęgniarek, chcąc powitać papieża, orientuje się w powadze sytuacji. Dopilnowuje więc, by Wojtyła niezwłocznie został przewieziony z powrotem na dół na salę operacyjną. Kiedy wreszcie tam dociera, chirurdzy pod kierownictwem Francesca Crucittiego stwierdzają, że papież stracił już bardzo wiele krwi i jego życie jest w poważnym niebezpieczeństwie. Ksiądz Stanisław Dziwisz udziela mu ostatniego namaszczenia. Liczył się bowiem z tym, że Jan Paweł II może nie przeżyć.

Wtedy profesor Crucitti przystąpił do operacji, która miała potrwać blisko sześć godzin i zmienić cały dotychczasowy świat. Rozmowa, jaką przeprowadziłem z nim osiem lat później, należy do najważniejszych chwil w moim życiu. Wiedziałem, że tak będzie, jeszcze zanim do niego poszedłem, by zapytać, co działo się tamtej nocy, gdy ratował życie papieżowi. Wiedziałem, że zadam mu pytanie, które było w stanie diametralnie odmienić moje życie, że zapytam go: „Czy rzeczywiście może mi pan pokazać obraz dowodzący istnienia Boga?". Jeszcze przed naszym spotkaniem profesor Crucitti dał mi do zrozumienia, że jak każdego lekarza obowiązuje go tajemnica i nie ma zamiaru zdradzać medycznych sekretów swoich pacjentów. Tyle że ja nie tego oczekiwałem. Kiedy się spotkaliśmy, szybko pojawiła się między nami nić sympatii. Byłem wtedy młodym człowiekiem, miałem dwadzieścia sześć lat. Łączyła nas jedna cecha – obaj pochodziliśmy z niezamożnych rodzin, jego matka, podobnie jak moja, zajmowała się domem, jego ojciec był szeregowym kolejarzem, mój zaś pracował jako stolarz w zakładach komunalnych w Werl. Francesco Crucitti zaszedł bardzo wysoko, choć nie była to droga łatwa. Teraz był znany na całym świecie. W końcu zadałem mu pytanie, które tak bardzo leżało mi na sercu:

– Czy tamto zdjęcie rentgenowskie pokazuje, że Bóg istnieje?

Spojrzał na mnie i zamyślił się, następnie raz jeszcze nakreślił na kartce papieru obraz ówczesnej sytuacji.

– Kula przeszyła brzuch papieża i rozszarpała fragment jelit, właściwie powinna była trafić w istotne dla życia i zdrowia narządy i naczynia krwionośne, przyjęła jednak bardzo osobliwą trajektorię.

– Dlaczego osobliwą?

– Wyglądało to tak, jak gdyby coś niewidzialnego zmieniło kierunek kuli, odsunęło ją od wszystkich organów, jak gdyby wykonała w ciele papieża zakręt, co przecież właściwie jest niemożliwe.

– Czy chce pan przez to powiedzieć, że jakaś niematerialna siła przesunęła trajektorię kuli i że papież umarłby, gdyby kula nie odbiła się w jego ciele o jakąś nieokreśloną przeszkodę? Co to było? Cud w ciele papieża?

– Jestem lekarzem, a nie teologiem, wiem jednak, co powiedział papież Jan Paweł II: „Czyjaś ręka strzelała, ale Inna Ręka prowadziła kulę". Myślę, że miał rację. Kula nie miała prawa poruszać się zygzakiem. Coś zmieniło kierunek jej biegu.

Po wyjściu wiedziałem, że przede mną długa droga w poszukiwaniu odpowiedzi na owo decydujące pytanie wraz z jej wszystkimi konsekwencjami. Czy profesor Crucitti wmówił sobie coś, czy też naprawdę był świadkiem cudu? To pytanie do dziś nie daje mi spokoju.

Papież na wyciągnięcie ręki

Oczywiście po całym Rzymie rozeszła się pogłoska, że tylko na skutek cudu papież był w stanie przeżyć zamach. W Rzymie, do którego przyjechałem w roku 1987, mieszkało sporo ludzi niemających najmniejszych wątpliwości co do tego, że żyją w wyjątkowym okresie, gdy w Watykanie rządzi prawdziwy święty. Podczas audiencji generalnych roiło się od wiernych z całego świata, którzy nie tylko chcieli zobaczyć tego człowieka, ale przede wszystkim chcieli go dotknąć. Pielgrzymi, często księża, zakonnice lub zakonnicy, chorzy, ludzie w trudnej sytuacji życiowej, byli gotowi wiele znieść, byleby tylko móc dotknąć papieża. Mam wciąż przed oczami te audiencje, podczas których Karol Wojtyła, jeszcze w pełni sił, dziarskim krokiem szedł środkiem auli Pawła VI. A księża i pozostali pielgrzymi, pomimo wydawanych ostrym tonem przez straż watykańską nakazów, by pozostać na dole, próbowali co rusz przeskoczyć barierki. Widziałem młodych seminarzystów wskakujących na krzesła i jednym susem przesadzających przegrody, żeby dotknąć Jana Pawła II (fot. 8). On zaś przemierzał całą salę z anielską cierpliwością. Żandarmi nienawidzili tych momentów, zwłaszcza że kontrole wiernych przed wejściem do sali audiencyjnej były po prostu śmieszne. Zdawali więc sobie sprawę, że każda spośród owych tysięcy osób, które papież ściskał, błogosławił czy pozdrawiał, mogła mieć przy sobie rewolwer lub nóż. Tymczasem Karolowi Wojtyle najwyraźniej to nie przeszkadzało. Rozumiał, że ci wszyscy ludzie chcą go także dotknąć, że oprócz słuchania jego kazań pragną także uścisnąć jego dłoń albo chociaż musnąć jego sutannę. Nieraz zastanawiałem się nad tym, co nimi powodowało. Skąd brała się taka potrzeba? Co skłaniało, dajmy na to, mieszkańca Meksyku albo mieszkankę Filipin, by godzić się na te wszystkie niedogodności, pozwalać gwardzistom albo żandarmom na siebie wrzeszczeć lub nawet być odepchniętym, żeby tylko dotknąć papieskiej szaty? Niejednokrotnie widziałem, jak biała sutanna papieża, po jego przejściu pośród tłumu, była poplamiona czy nawet rozerwana. Wydaje mi się, że większość ludzi podświadomie myślała wtedy o tamtej scenie z Nowego Testamentu – oto mam być może jedyną w życiu szansę, by dotknąć świętego, nie mogę jej zmarnować.

Święty Marek opisuje ją w swojej Ewangelii następującymi słowami (Mk 5, 24-34):

[...] *a wielki tłum szedł za Nim i zewsząd na Niego napierał.*

A pewna kobieta od dwunastu lat cierpiała na upływ krwi. Wiele przecierpiała od różnych lekarzy i całe swe mie-

nie wydała, a nic jej nie pomogło, lecz miała się jeszcze gorzej. Posłyszała o Jezusie, więc weszła z tyłu, między tłum, i dotknęła się Jego płaszcza. Mówiła bowiem: «Żebym choć dotknęła Jego płaszcza, a będę zdrowa». Zaraz też ustał jej krwotok i poczuła w [swym] ciele, że jest uzdrowiona z dolegliwości. A Jezus natychmiast uświadomił sobie, że moc wyszła od Niego. Obrócił się w tłumie i zapytał: «Kto dotknął mojego płaszcza?» Odpowiedzieli Mu uczniowie: «Widzisz, że tłum zewsząd Cię ściska, a pytasz: Kto się Mnie dotknął». On jednak rozglądał się, by ujrzeć tę, która to uczyniła. Wtedy kobieta podeszła zalękniona i drżąca, gdyż wiedziała, co się z nią stało, padła przed Nim i wyznała Mu całą prawdę. On zaś rzekł do niej: «Córko, twoja wiara cię ocaliła, idź w pokoju i bądź wolna od swej dolegliwości!»[2]

Szanse, by podczas audiencji generalnej dotknąć papieskiej szaty, zwłaszcza zimą, kiedy spotykał się z wiernymi w sali, były całkiem spore. Najważniejsze to przyjść bardzo, bardzo wcześnie, zająć miejsce tuż przy środkowym trakcie i nie ruszać się stamtąd za nic w świecie – no i przynieść z sobą jakiś prezent. Karol Wojtyła nie potrafił bowiem nie zatrzymać się przy tych, którzy chcieli mu coś podarować, nawet jeżeli były to tylko rysunki nagryzmolone przez maluchy. Był jeszcze jeden sposób, by zmusić papieża do przystanięcia – nie był w stanie odmówić dzieciom, które prosiły go o wpis do swoich modlitewników. Bywały

[2] Tłumaczenie za: *Biblia Tysiąclecia*, wyd. V, Pallottinum, Poznań 2005 (przyp. tłum.).

takie dni, kiedy spotkania z wiernymi w sali audiencyjnej ciągnęły się bez końca.

Z czasem dowiedziałem się o dwóch kolejnych możliwościach spotkania z papieżem. Jedna automatycznie znajdowała się poza moim zasięgiem – to prywatna audiencja, na którą szansę mieli prezydenci państw, ważni politycy i inne VIP-y wszelkiej maści. Druga to zaproszenie na mszę poranną. Nabożeństwa odprawiane w prywatnej kaplicy papieża były wówczas owiane legendą. Każdy w Rzymie wiedział, że się odbywają i że papież rzeczywiście zaprasza na nie wąskie grono osób. Nikt jednak nie potrafił powiedzieć, kim są owi szczęśliwcy. Rzymscy księża prowadzili rozmowy na temat tych prywatnych mszy wyłącznie szeptem. Sprawując Eucharystię, papież miał dzień w dzień prosić Boga o cud.

Kościół pełen tajemnic

Dla mnie pozostawało całkowitą tajemnicą, co zrobić, żeby zostać zaproszonym na mszę poranną. A to, że mi się jednak w końcu udało, zawdzięczam jedynie temu, że pochodzę z małego miasteczka Werl w Westfalii.

Zanim zmieniłem się w zbuntowanego nastolatka, a potem studenta mocno gardzącego instytucją Kościoła, byłem bardzo pobożnym dzieckiem. Z zapałem służyłem do mszy, a stałym elementem mojego życia była wtedy wyprawa rowerem do kościoła parafialnego. Czułem dumę, że w moim rodzinnym Werl istnieją dwie tak duże świątynie, jak kościół parafialny pod wezwaniem św. Walburgi oraz kościół, który był celem okolicznych pielgrzymek. Tymczasem po przeprowadzce do Rzymu okazało się, czego nie mogłem z początku pojąć, że dookoła mnie w promieniu zaledwie kilkuset metrów znajdują się dziesiątki ogromnych, wiekowych świątyń. Miałem wówczas niewiarygodne szczęście – rzymskie centrum przypominało jeszcze jedną wielką wioskę. Dzisiaj mieszkają tu przybysze z Nowego Jorku czy Tokio, z Moskwy albo Rio de Janeiro, którzy zatrzymują się w Rzymie tylko na krótki moment, ale pragną mieszkać w ścisłym centrum i są gotowi zapłacić krocie za te kilka dni czy tygodni. Jedni pragną poczuć, jak to jest mieszkać w samym sercu Rzymu, inni przybywają tu dlatego, że dostali na krótki okres dobrą pracę. Najprawdopodobniej tacy bogaci klienci istnieli od dawna, lecz mieszkańcy Rzymu wynajmujący mieszkania w centrum po prostu nie wiedzieli przed wynalezieniem internetu, jak z nimi nawiązać kontakt. W tamtym czasie Włosi, których było na to stać, nie mając zbytniego zaufania do swojej narodowej waluty, kupowali właśnie mieszkania. Tym sposobem, zwłaszcza na starym mieście, wokół Koloseum, przy placu Hiszpańskim i w okolicach Watykanu, stało mnóstwo pustych mieszkań kupionych jako lokata kapitału. Ich rzymscy właściciele próbowali je wynajmować najczęściej za pośrednictwem barmana z najbliższej kafejki. Tymczasem teraz wszystkie te kwatery można sobie obejrzeć w internecie i wynająć za krocie. Szukając wtedy mieszkania, nie zdawałem sobie sprawy, jak niecodzienny widok przedstawiałem. Młodzi kawalerowie, tacy jak ja, mieszkali zazwyczaj przy mamusi – wszyscy bez wyjątku. Mimo długich miesięcy intensywnych poszukiwań nie byłem w stanie znaleźć ani jednego mieszkania do wynajęcia na spółkę z kilkoma najemcami, jakich pełno oferuje się na północy Europy.

Rezydowałem wtedy kątem u pewnego milczkowatego i ponurego młodzieńca w mieszkaniu, które odziedziczył po babci. Wszystko było tam stare, a posępności przydawały mu jeszcze ciągły deszcz za oknem i chłód, jaki panował w środku. Już wtedy Rzym odwiedzało rocznie przeszło dziesięć milionów turystów, chcących na własne oczy zobaczyć Koloseum. Rzymianie natomiast odwiedzali starożytny amfiteatr z zupełnie innego powodu. Znajdował się tam bowiem jeden z najlepszych punktów sprzedaży wina nalewanego prosto z beczki, *vino sfuso*. Parę kroków od Koloseum pewien starszy jegomość zdeponował oto w czymś na kształt piwniczki nieco beczek z winem, ustawił parę stolików i otworzył prowizoryczną knajpkę. Klienci przychodzili do niego z pękatymi gąsiorkami. Litr kosztował wtedy czterysta lirów, co odpowiadało dzisiejszym dwudziestu eurocentom. Starszy pan miał rozległe kontakty, zawsze udawało mu się kupić u rolników spod Rzymu i przywieźć swoją rozklekotaną renówką cztery beczki wina wybornej jakości, by następnie handlować nim w swoim małym przybytku.

Dziś byłoby to nie do pomyślenia. Lokale przy ulicy, które wtedy służyły drobnym sprzedawcom, należą teraz do luksusowych hoteli, widok na Koloseum ma swoją cenę. Pojechałem więc moją vespą zaopatrzyć się przy Koloseum w beczkowe wino. Dokładnie po przeciwnej stronie mieściła się kawiarnia. Mimo najlepszych chęci nie jestem dziś w stanie wyjaśnić, skąd wzięła się tam równie niepozorna, tania kafejka, skoro z jej stolików roztaczał się tak doskonały widok na Koloseum. Obecnie leży ona na szlaku lokali odwiedzanych szczególnie chętnie przez zamożnych gejów. Wtedy jednak należała do mężczyzny mogącego się poszczycić największym kartoflowatym nosem na świecie, który dziś prowadzi jedną z najdroższych restauracji przy Koloseum. To on powiedział mi, że w kamienicy obok jest mieszkanie do wynajęcia. W taki właśnie sposób znalazłem wreszcie swoje lokum w tej dzielnicy, początkowo przy Via di San Giovanni in Laterano, później, również dzięki namiarom z tego samego źródła, kilka kroków dalej przy Via Santissimi Quattro. Nie zdawałem sobie wtedy sprawy, że dzięki informacjom od tego barmana miałem niewyobrażalną dziś szansę mieszkania za grosze w samym centrum Rzymu.

Jestem w Rzymie od roku 1987 i czasami z nostalgią spaceruję po moich dawnych rewirach. Wtedy okolice Koloseum dla takiego młodego człowieka nie były zbyt atrakcyjnym miejscem. Nie istniały jeszcze rozrywkowe bulwary. Za to fascynujące były kościoły.

Choć już od dawna przestałem się interesować wiarą katolicką, w głębi duszy nadal byłem dumny, że w moim rodzinnym miasteczku znajdowały się tak piękne, stare świątynie. Pamiętałem dobrze, że zanim stanęło się u stóp jednego z nich, trzeba było pokonać półgodzinną trasę rowerem. Tymczasem teraz, wychodząc z mojego mieszkania przy Koloseum, mogłem w ciągu niespełna dziesięciu minut dotrzeć do wspaniałych i niezliczonych świątyń. Ogromnie mi to imponowało, tym bardziej że większość z nich stanowiła przybytki pełne tajemnic – na przykład klasztor Santissimi Quattro Coronati, który znajdował się na końcu wąskiej uliczki, przy której mieszkałem. Była to warowna budowla, klasztor zaś należał do najważniejszych, w czasach gdy papieże rezydowali jeszcze na Lateranie, a pałac w Watykanie nie był jeszcze zbudowany. Dopiero po jakimś czasie odkryłem, że muszę ofiarować siostrom klauzurowym niewielki datek, aby w zamian otrzymać klucz do ich największego skarbu, jakim była kaplica, w której średniowieczni papieże podejmowali królów. Co za niezwykłe miejsce – jak gdyby czas cofnął się o tysiąc lat. A parę kroków dalej Santa Maria dei Monti. Moja tutejsza parafia. Starszy, ale bardzo żwawy proboszcz, który razem ze swoim niewidomym młodym wikariuszem, księdzem Andreą, potrafił wiele zdziałać. Kościół przy Via dei Serpenti zaciekawił mnie już choćby z tego względu, że znajdował się w pobliżu najbardziej dla mnie zagadkowego kościoła ukraińskich unitów. „Kim, do licha, są unici?", myślałem. Czasami widziałem wychodzących stamtąd osobliwie ubranych mężczyzn o gniewnych spojrzeniach. Zachodziłem też w głowę, jak udało im się wydostać zza żelaznej kurtyny. Do moich ulubionych świątyń należała oczywiście także legendarna bazylika San Clemente. Można tam zejść do podziemi aż do poziomu starożytnego Rzymu i zobaczyć domostwo z tamtego okresu, a potem przejść do mitreum, miejsca kultu boga Mitry, gdzie do dziś stoją kamienne łoża, na których jakieś trzysta lat po narodzinach Chrystusa leżeli zwolennicy tej religii popularnej zwłaszcza wśród legionistów.

Jogging uprawiałem wtedy na terenach Circus Maximus. Biegłem przez wzgórze obok Koloseum i tam po raz pierwszy zobaczyłem zakonnice w dziwacznych niebieskawych habitach, które podlegały jakiejś Matce Teresie. Papież przekazał im część klasztoru pod wezwaniem św. Grzegorza Wielkiego. Podczas moich wędrówek trafiłem też w końcu na nieodległą Via delle Botteghe Oscure. Mieszkał tu światowej sławy kompozytor Ennio Morricone, człowiek, który dzięki swojej muzyce uczynił nieśmiertelnymi westerny Sergia Leone z udziałem Clinta Eastwooda. Lubił wcześnie wstawać i już o piątej rano udawał się, przecinając Piazza Venezia, do swojej ulubionej kawiarni.

Tam znajduje się również kościół pod wezwaniem św. Stanisława B.M., który w tamtych czasach, kiedy mur berliński trzymał się jeszcze mocno, owiany był konspiracyjną atmosferą. Dziś parkują przed nim drogie auta z Polski, a w dni świąteczne docierają tu na mszę rzesze pielgrzymów. Wtedy jednak świątynia stanowiła bazę starającej się nie rzucać w oczy wspólnoty Polaków, którym jakimś cudem udało się wydostać z PRL i którzy w tym miejscu mogli się wymienić cennymi informacjami na temat ojczyzny. Było też sporo Niemców wysiedlonych z Polski, którzy trafili najpierw do RFN, a później zdecydowali się na przyjazd do Rzymu. Zaprzyjaźniłem się z niektórymi, czemu sprzyjał fakt, że moi rodzice również pochodzili z terenów obecnej Polski, ze Śląska. Zwierzyłem im się z mojego największego marzenia, by choć raz móc wziąć udział we mszy sprawowanej przez papieża w jego prywatnej kaplicy – i jakiś czas później udało mi się je spełnić.

Człowiek z Wadowic

Watykan, kwiecień 1989 roku, godzina 4.45. Wiosna była wyjątkowo deszczowa, teraz, o świcie, także lało obficie z niemal czarnego nieba. Tymczasem ja musiałem dostać się do Watykanu z mojego mieszkania w narożnej kamienicy przy Via Santissimi Quattro Coronati, leżącej ledwie parę kroków od Koloseum. Ale jak? Nie miałem własnego samochodu, dysponowałem tylko skuterem i teraz, mając na sobie czarny garnitur z modnymi wówczas, komicznymi watowanymi ramionami, z przerażeniem spoglądałem na strugi deszczu. Udało mi się wreszcie dostać zaproszenie, na które czekałem dwa lata, zaproszenie do owego miejsca w Watykanie, które wielu wierzących uznawało za miejsce cudów. Tymczasem teraz groziło mi, że wszystko przepadnie, bo okazałem się niewystarczająco rozgarnięty i po prostu nie wziąłem pod uwagę, że może zacząć padać, a wręcz lać jak z cebra. Liczyłem na to, że dojadę do Watykanu skuterem. Jednak nie dam rady przy tej pogodzie. Przyjechałbym przemoczony do suchej nitki.

Wziąłem prysznic i zacząłem wydzwaniać po taksówkę, ale w telefonie odzywały się tylko zaspane kobiece głosy informujące mnie, że nie ma żadnej wolnej taksówki, bo wszystkie są w trasie. Stanąłem więc przed drzwiami wyjściowymi z nie do końca uzasadnioną nadzieją, że może na postoju taksówek przy Koloseum pojawi się akurat jakiś samochód. Rzeczywiście stała tam taksówka, jej kierowca spał albo drzemał. Kiedy załomotałem w szybę, otworzył z niechęcią drzwi swojego fiata mirafiori o mocno zabrudzonym wnętrzu i włączył silnik.

– Do Watykanu – powiedziałem – Spiżowa Brama.

Tam mieliśmy się zebrać. Jeszcze nigdy nie byłem przy Portone di Bronzo, wcześniej nie wiedziałem nawet, że w ogóle istnieje. Wydawało mi się, że do Watykanu można się dostać przez bramę Cancello di Sant'Anna, czyli tamtędy, gdzie każdego dnia tysiące turystów fotografuje gwardzistów w szwajcarskich strojach. Nie wiedziałem też, że wejściem dla gości specjalnych była właśnie strzeżona dzień i noc Spiżowa Brama usytuowana na prawo od bazyliki watykańskiej. Aż do tego dnia nie miałem jeszcze okazji być za murami Watykanu. Jak każdy turysta zwiedziłem oczywiście Bazylikę św. Piotra czy watykańskie muzea, ale już nie ogrody. Taksówkarz wiózł mnie teraz przez uśpione miasto, a ja przez cały czas myślałem o tym, że sam byłem kiedyś posiadaczem fiata mirafiori, którego kupiłem za całe pięćset marek i który nieustannie się psuł. Miałem więc nadzieję, że ten egzemplarz, którym jadę, dotrze jednak do Watykanu na czas. Udało się. Nie miałem parasola, więc pobiegłem na miejsce pod osłoną kolumnady.

Zaproszenia na mszę poranną w papieskiej kaplicy nie zawdzięczałem temu, że byłem dziennikarzem. Jak się dość szybko zorientowałem, tego rodzaju zaproszenie było traktowane jako coś szczególnego. Wielu moich kolegów całymi latami czekało na stosowny moment, nim odważyli się w końcu zwrócić z pokorną prośbą o ten zaszczyt do rzecznika papieża Joaquína Navarro-Vallsa. I decydowali się na to niemal wyłącznie wtedy, gdy odwiedzały ich posunięte w latach matki. To im chcieli umożliwić uczestnictwo w prywatnej mszy sprawowanej przez papieża. Wędrował więc każdy z nich do biura Navarro-Vallsa, klepał formułkę, że od lat o nic nie prosił, ale teraz jest u niego stara matka, dla której wizyta w prywatnej kaplicy papieża byłaby wydarzeniem życia. Navarro często przystawał na ich prośby. Natomiast ja nie byłem w Rzymie jeszcze wystarczająco długo, rzecznik prawie mnie nie znał i prawie nie zauważał. Za to poznałem grupę pielgrzymów z Polski, którym zapadłem w serce ze względu na śląskie korzenie moich rodziców. To ich proboszczowi zawdzięczam, że mogłem przybyć na mszę razem z nimi. Z początku stałem przy Spiżowej Bramie zupełnie sam, marznąc w deszczu i chłodzie poranka, i próbowałem doprowadzić do porządku swoją fryzurę. Nagle z mroku wyłoniła się grupa z Polski, proboszcz podszedł do mnie natychmiast i nieskazitelną niemczyzną zapytał:

– Trzymałeś się naszych ustaleń, prawda?

Kiwnąłem głową. Musiałem mu obiecać, że przed mszą przez szacunek dla Hostii niczego nie będę jadł ani pił. Trzeba było obiecać, że się przyjdzie z pustym żołądkiem. Nie odważyłem się więc wypić nawet szklanki wody, z całkiem irracjonalnego strachu, że w jakiś tajemniczy sposób wyjdzie to na jaw.

Gwardziści szwajcarscy nadzwyczaj skrupulatnie sprawdzili list, który ksiądz miał z sobą. Gdy przeliczył naszą grupkę, ruszyliśmy w ciszy i zamyśleniu w górę schodami prowadzącymi na dziedziniec Świętego Damazego. Następnie przeszliśmy w prawo na niewielki dziedziniec pałacu Sykstusa V. Nie wiedziałem jeszcze, że należy on do najbardziej strzeżonych miejsc na świecie. Znajduje się tu bowiem wejście do windy prowadzącej bezpośrednio do papieskich apartamentów, a klucze do niej posiadał wtedy wyłącznie sekretarz papieża ksiądz Stanisław Dziwisz. Pojechaliśmy nią na górę. Mieszkanie papieża mieści się w tak zwanej trzeciej loggii, tuż za masywnymi drzwiami ze szlachetnego drewna. Pamiętam jeszcze ten staromodny system cyfr, które wyświetlały się przy wejściu, a ich kombinacja zależała od tego, która z osób w papieskim apartamencie była proszona do telefonu. Przeszliśmy przez dużą salę. Na biurku znajdował się przycisk, który kazał zamontować jeszcze Paweł VI. Papież mógł dzięki niemu w dyskretny sposób przywołać swojego sekretarza, gdy rozmowa z którymś z biskupów się przedłużała. Przemierzyliśmy salon lewą stroną i długim korytarzem dotarliśmy do papieskiej kaplicy. Szliśmy w ciszy.

Już chciałem wejść do środka, kiedy pewien młody ksiądz dał mi znak, że mam pozostać na miejscu. Dopiero wtedy go zobaczyłem. Papież Jan Paweł II leżał z rozłożonymi rękami na posadzce przed ołtarzem. Leżał na brzuchu niczym ogromny biały gołąb, jak gdyby chciał pokazać, że jest gotów na wszystko. W kaplicy panowała cisza. Po jakimś czasie papież podniósł się powoli i jedynym dźwiękiem, jaki się rozległ, było skrzypienie jego skórzanych butów. Założył szaty liturgiczne, a my bezszelestnie zajęliśmy miejsca w ławkach. Światło wpadające przez kolorowe szkło w oknach kaplicy przydało naszym bladym z niewyspania twarzom jakiegoś niezwykłego blasku. Dopiero później dowiedziałem się, że z kaplicy można było wejść na taras usytuowany na dachu, gdzie architekci popełnili niedawno katastrofalny błąd. Otóż jest tylko jeden punkt, z którego snajper może mierzyć do papieża, gdy ten znajdzie się na owym tarasie. Jest nim wierzchołek kopuły Bazyliki św. Piotra. Aby nie dopuścić do podobnej sytuacji, specjaliści ustawili na tarasie ogromne, ważące tony ściany ze szkła pancernego, których ciężar sprawił, że cały pałac zaczął osiadać, a szyby w oknach pękać.

Tylko z Bogiem

Do kaplicy weszła teraz zakonnica w wysoko upiętym welonie, z naręczem kartek podeszła do klęcznika, który był chyba przeznaczony dla papieża, otworzyła pulpit i włożyła do środka kartki. Nie miałem pojęcia, co to może być.

Nigdy nie zapomnę, jak Jan Paweł II odprawiał mszę – jak gdyby nas tu wcale nie było. Tego ranka, jak każdego innego, spotykał się przede wszystkim z samym Bogiem, a dopiero potem z naszą gromadką. Przyglądałem się, jak nieskończenie długo klęczy przed ołtarzem zatopiony w modlitwie. Miałem wrażenie, że tylko on jeden czuł, że w tym pomieszczeniu znajduje się jakiś konkretny byt, którego istnienia nikt poza nim, a przynajmniej tak intensywnie, nie potrafi odczuć. Wiedziałem, co zwykł odpowiadać na pytanie, czy widział kiedyś Matkę Boską: „Nie, ale czuję jej obecność".

Czy rzeczywiście łączyła go jakaś szczególna i wyjątkowa relacja z Bogiem? Cały Watykan spekulował na ten temat. Papież tą swoją dosyć konkretną łącznością z Bogiem wprawiał w konsternację głównie Sekretariat Stanu, o czym można się było przekonać najdobitniej, gdy w Polsce ogłoszono stan wojenny oraz w całym burzliwym roku poprzedzającym to wydarzenie. Zimą 1980 roku prezydent Stanów Zjednoczonych Jimmy Carter osobiście poinformował Jana Pawła II o tym, że Związek Radziecki gromadzi przy wschodniej granicy Polski wojskowe oddziały pancerne. W pełnej mobilizacji były też oddziały armii NRD, gotowe w każdej chwili wkroczyć na terytorium Polski. Papież w liście do Leonida Breżniewa, przywódcy ZSRR, ostrzegł go, że zezwalając swoim wojskom na wkroczenie do Polski, zrówna się z hitlerowcami. Atak został powstrzymany. Jednak zimą 1981 roku, w nocy z 12 na 13 grudnia, kontrolę w Polsce przejęła polska armia i ogłoszono stan wojenny. Watykański Sekretariat Stanu oczekiwał od polskiego papieża wskazówek, jak w zaistniałej sytuacji prowadzić dalsze kontakty dyplomatyczne z Polską, na co Jan Paweł II udzielił zdumiewającej odpowiedzi: „Zaczekajmy na znak od Boga, potem będziemy już wiedzieli, co robić". Czyżby wszechwieczny Bóg, wysyłając jakiś znak, miał naprawdę mieszać się do wewnętrznej polityki Watykanu? Karol Wojtyła właśnie to miał na myśli.

Ten fakt najwyraźniej pokazuje różnicę między nim a jego następcą. Jan Paweł II był święcie przekonany, że Bóg interweniuje w losy świata, i to w licznych przypadkach, że jest on Bogiem aktywnym, skutecznym i namacalnym, Bogiem sprawiającym cuda. Natomiast Benedykt XVI, zapytany 12 września 2008 roku, w jakim duchu pielgrzymuje do Lourdes, odpowiedział: „Oczywiście nie jedziemy tam w poszukiwaniu cudów. Pragnę tam znaleźć miłość Matki, która jest prawdziwym uzdrowieniem wszystkich chorób".

Karol Wojtyła potrafił w jakiś nieuchwytny dla innych, bezpośredni sposób komunikować się z Bogiem. Jak choćby u stóp góry Synaj, gdzie 26 lutego 2000 roku chciał pomodlić się w tamtejszym prawosławnym klasztorze Świętej Katarzyny. Myślę, że podczas żadnej innej ceremonii z jego udziałem nie byłem tak blisko niego. Siedzieliśmy naprzeciwko siebie, on na podeście, ja obok. Wystarczyło, żebym wyciągnął rękę, aby go dotknąć. Stało się tak oczywiście tylko dlatego, że na ceremonię, która odbywała się na środku pustyni, przybyło zaledwie kilkadziesiąt osób. Karol Wojtyła siedział nieruchomo przez dobrych kilka minut. Wszyscy czekali na jego przemówienie, on tymczasem nie robił nic. Milczał. Czekał na Boga. Niedaleko od miejsca, gdzie siedział, Bóg ukazał się Mojżeszowi jako krzew gorejący, zaś Eliaszowi pod postacią wichru. Teraz modlił się tu Jan Paweł II jako pierwszy papież w historii, jako pierwszy następca świętego Piotra. Więc Bóg zapewne znów się ukaże, nawiąże kontakt z tym człowiekiem z Wadowic – papież wydawał się o tym przekonany.

Mrugnął do mnie, jak gdyby chciał powiedzieć: „Czekaj tylko, On przyjdzie". Ale po czym to poznamy, zapytałem w duchu i popatrzyłem na papieża, który modlił się i czekał. Od czasu do czasu rzucałem mu pytające spojrzenia: „I co?". On zaś jak gdyby dawał mi wzrokiem do zrozumienia: „Czekaj cierpliwie. ON przyjdzie". Potem Jan Paweł II nagle zupełnie się zmienił. Jak gdyby coś w niego wstąpiło, coś wielkiego, coś, czego ja nie byłem w stanie dostrzec. W jednej chwili poczułem lekki wiatr, a na niebie nad pustynią pojawił się mały obłoczek. Widziałem, jak Karol Wojtyła się modli. Cokolwiek się tu zdarzyło, zdarzyło się w nim, nie na zewnątrz. Nie sposób było tego przeoczyć. Miałem wrażenie, jak gdyby rozmawiał z kimś, kogo widział tylko on, kto pojawił się znikąd. Najbardziej zdumiewające w tym momencie było jednak coś innego. Jego oczy. Kiedy znów na mnie spojrzał, dostrzegłem w nich bezbrzeżną radość. Kiwnął do mnie i powiedział:

– Widzisz, ON przyszedł. Po raz pierwszy w historii papież odwiedził Synaj, a ON przyszedł i nas pozdrowił.

Ów konkretny sposób komunikowania się z Bogiem miał w sobie coś zaskakującego, coś szokującego, wręcz szalonego. Rzadko kiedy doświadczyłem tego tak wyraźnie jak w Hawanie [25 stycznia 1998 – przyp. red.]. To był szary, ponury dzień. Reżim Fidela Castro wysłał do obywateli sygnał, że jeżeli wybiorą się na mszę z papieżem, mogą nawet stracić pracę. Mimo to na miejsce przyszło trzysta tysięcy osób, zbyt wiele, by wszystkich szykanować. Chcąc zrobić papieżowi na złość, zamiast krzyża ustawiono wizerunek Che Guevary. W czasie mszy chmury na niebie się rozstąpiły. Zerwał się silny wiatr i zupełnie nie-spodziewanie zaświeciło słońce. Papież przerwał przemó-wienie. Spojrzał na jaśniejące teraz błękitem Morze Ka-raibskie, po którym hulał wiatr. I zamiast kontynuować kazanie, powiedział:

– Myślę, że to bardzo, bardzo znaczący wiatr.

Widział w nim Ducha Świętego. Jednak czy rzeczywi-ście w kapryśnej aurze Karaibów, gdzie wszystko zmienia się w okamgnieniu, można upatrywać znaku od Boga? Jednak Karol Wojtyła był właśnie taki, dokładnie taki. Widział Boga i jego znaki wszędzie wokół siebie. Nie wie-rzył w przypadek.

Ten sam człowiek, owego ranka w kwietniu 1989 roku, obudził się w końcu z „transu" i powitał gromadkę gości, rzucając im radosne spojrzenie. To było bardzo serdeczne powitanie, czułem jednak wyraźnie, że w tym momen-cie Karol Wojtyła zaczyna swoją pracę. Gdyby mu na to pozwolono, pewnie zostałby tu na cały dzień, żeby się modlić. Podejmowanie gości było już jego pracą. Nie dał jednak po sobie poznać, że właściwie nie pozwalamy mu na dalszą rozmowę z Bogiem. Mimo to nietrudno było zauważyć, że jest to z jego strony poświęcenie. „Dlacze-go to sobie robi?", pomyślałem wtedy w duchu. Dlaczego nie robi dalej tego, co chce? Przecież jest głową Kościo-ła, nie musi skoro świt wpuszczać obcych ludzi do swojej prywatnej kaplicy. A potem przez cały dzień znosi jeszcze te setki tysięcy ludzi. Po co? Tymczasem odpowiedź była widoczna jak na dłoni, była wypisana na jego twarzy, znaj-dowała się w tym miejscu i wszędzie dookoła niego. Ten człowiek nie chciał niczego dla siebie, nie pragnął żadnych przywilejów i żadnych luksusów. Meble w apartamencie papieskim stały tam już za Pawła VI, Wojtyła wzbraniał się przed kupnem nowych, choć te były już stare i sfatygowane. Jego sutanna była w wielu miejscach pocerowana, nosił niezbyt markowe buty, a na nadgarstku tani zegarek. Po drodze do kaplicy zauważyłem maszynę do pisania, której najwyraźniej używał. Była tak stara, że każde rzymskie biuro już dawno wyrzuciłoby ją na złom. Ten papież chciał dawać, nie brać. To była bodaj najbardziej zdumiewająca cecha tego człowieka: bez końca miał co dawać, jego wewnętrzne zasoby wydawały się niewyczerpane, wciąż i wciąż potrafił dawać coś innym.

Wreszcie nadszedł moment, na który tak długo czekałem. Papież otworzył pulpit klęcznika i wyjął kartki, schowane tam wcześniej dla niego. Wydawało się, że teraz zatopił się w modlitwie, zanurzył się w Bogu, widziałem, jak jego usta poruszają się bezgłośnie. Choć spodziewałem się, co teraz nastąpi, było to dla mnie coś kompletnie niezrozumiałego. Papież modlił się za ludzi znajdujących się w beznadziejnej sytuacji, którzy zwrócili się do niego o wstawiennictwo, za nieuleczalnie chorych, za zrozpaczonych, za narażonych na śmiertelne niebezpieczeństwo z powodu wojny i za tych, którzy drżeli o życie swoich umierających dzieci. Wszystkie te największe, skoncentrowane jak w pigułce nieszczęścia lądowały co rano na klęczniku papieża, a on zwracał się do Boga z prośbą, by złagodził ludzkie cierpienia albo sprawił, by zupełnie zniknęły poprzez cud.

Byłem pod wrażeniem modlącego się papieża, który złożył ręce, ale nie tak jak do modlitwy, tylko jak gdyby zwracał się do Boga z błaganiem. Zafascynowany patrzyłem na to, co mogłem sobie najwyżej wyobrazić, a czego nawet przy najlepszych chęciach nie byłem w stanie pojąć. Dlaczego Bóg miałby wysłuchać raczej prośby tego człowieka modlącego się w rzymskiej kaplicy aniżeli modlitwy gospodyni domowej siedzącej w autokarze turystycznym? Skąd brało się przekonanie ludzi, że Bóg otworzy się raczej na papieża w Watykanie niż na jakąkolwiek inną modlącą się osobę? Czy nie było to zbyt zuchwałe? Nie z perspektywy Kościoła katolickiego, który wierzy, że Bóg ustanowił tego człowieka swoim przedstawicielem na ziemi. Papież musiał więc wychodzić z założenia, że Bóg patrzy mu na ręce bardziej niż komukolwiek innemu, w końcu był on pasterzem całej boskiej wspólnoty. Czy papież był jednak w stanie przekonać Boga, by zechciał uczynić cud? Czy naprawdę gościłem w miejscu, w którym istniało coś w rodzaju kanału komunikacyjnego z niebem? Czy papież naprawdę potrafił tutaj, choć w innym wymiarze, komunikować się z owym nieuchwytnym i niepojętym Bogiem, czy też należało to raczej uznać za jakiś straszny zabobon, a przynajmniej niedorzeczność? Postanowiłem wtedy, że spróbuję to zbadać – i niekiedy mam poczucie, że mi się udało. Jedno na zawsze utkwiło mi w pamięci. Jeszcze nigdy w życiu nie widziałem człowieka modlącego się tak intensywnie jak Karol Wojtyła.

Pierwszy ślad

Na jedną z osób zaproszonych wraz ze mną na mszę poranną u papieża natknąłem się w roku 1995. To był ksiądz. Biegł wtedy w strugach deszczu w dół Via della Conciliazione, zatrzymałem więc auto i pomachałem w jego stronę. Kiedy wsiadł, zauważyłem, że sprawił sobie nowiutką sutannę, w której prezentował się nadzwyczaj konserwatywnie, ale i nadzwyczaj elegancko.

– Dokąd cię zawieźć? – zapytałem.

– Do domu. Dziękuję, że się zatrzymałeś. Głupi deszcz. Dzisiaj rano byłem na mszy porannej u Ojca Świętego – powiedział znaczącym tonem.

Zdawałem już sobie wtedy sprawę, jakie to musiało mieć dla niego znaczenie. Przede wszystkim był to rodzaj referencji. Na zaproszenie na mszę w prywatnej kaplicy papieskiej nie mieli co liczyć księża sprawiający kłopoty. Zaproszenie takie oznaczało bowiem ni mniej, ni więcej: „Wszystko w porządku".

– Nawet nie wiesz, o czym rano gadaliśmy.

– No, rzeczywiście, nie mam pojęcia.

– Może nie do końca gadaliśmy, tylko szeptaliśmy.

– A więc o czym mówi się w najświętszej ze wszystkich kaplic?

– O cudzie – powiedział. – W Rzymie zdarzył się cud.

– Jaki cud?

– Nie mam pojęcia. I prawdę mówiąc, nic więcej nie wiem. Ale chodzi o cud, wielki cud. Jedno, co wiem na pewno, to to, że zdarzył się on któremuś z księży diecezji rzymskiej.

– Jesteś pewien?

– Tak, wszyscy byli bardzo poruszeni. Dziękowali Bogu za ten cud.

– A papież?

– Papież nie wspomniał o nim ani słowem. Wiadomość o cudzie w Rzymie wyszła od jego zaplecza, no wiesz, od ludzi z jego otoczenia.

Zaraz po tym, jak wysadziłem księdza przed jego domem, pojechałem do biura. Znałem wtedy bardzo dobrze pewnego pracownika rzymskiego wikariatu generalnego. Młody, chudziutki księżyk musiał robić to wszystko, co w cywilnym świecie nazywamy czarną robotą. Rzymski wikariat generalny mieści się w Pałacu Laterańskim, czyli dawnej siedzibie papieży. Z zewnątrz te olbrzymie zabudowania sprawiają imponujące wrażenie, na parterze znajduje się wspaniałe muzeum i ostatnia zbrojownia armii papieskiej. Natomiast położone na wyższych piętrach biura toną w kurzu, stoją w nich odrapane meble, rażą w oczy świetlówki, a wszystkie wnętrza wymagają właściwie kapitalnego remontu. Pomieszczenia biurowe są często gigantyczne, a więc trudne do ogrzania w zimie i przegrzane latem. Niektórzy z pracujących tu księży chłodzą się klimatyzacją własnej roboty, rozstawiając miski z wodą. Zimą z kolei przynoszą z domu farelki. Trudno polecać pracę w wikariacie generalnym w Rzymie.

Podobnie ma się sprawa z kwerendą dziennikarską, która bywa tu istnym koszmarem, zwłaszcza gdy chodzi o pytania dotyczące Watykanu. Działo się tak z jednego prostego powodu – szczerej i serdecznej wzajemnej niechęci dwóch wysokich funkcjonariuszy kościelnych. Bowiem odpowiadający za sakramenty późniejszy papieski archiprezbiter kardynał Virgilio Noe i generalny wikariusz Rzymu kardynał Ugo Poletti się nie znosili. Nigdy nie doszedłem, skąd brała się ta antypatia, tak czy inaczej obaj panowie żywili do siebie wielką urazę. Kiedy zaś dwóch dygnitarzy kościelnych toczy z sobą wojnę w Watykanie, rozgrywa się ona oczywiście w nadzwyczaj pobożny i finezyjny sposób. Kardynał Poletti odpowiadał między innymi za kierowanie do kardynała Noe seminarzystów, którzy mieli służyć do mszy z udziałem papieża. I za każdym razem umyślnie przysyłał samych nierozgarniętych kleryków. Kardynał Noe polecił kiedyś któremuś z nich użyć kadzielnicy, co wcale nie jest takie proste, tymczasem wybrany przez Polettiego kandydat na księdza okazał się akurat okropnie niezdarny. Kleryk miał okadzić ołtarz, stojąc przed papieżem, jednak z półotwartej szkatuły trybularza wypadł rozżarzony węgielek i poleciał wprost na Jana Pawła II, który musiał pośpiesznie gasić iskry na swojej białej sutannie. Całe to zajście skwitował śmiechem, jednak rozsierdzony Noe napisał Polettiemu, że jeden z przysłanych przez niego kleryków usiłował „podpalić Ojca Świętego". Innym razem papież postanowił sprawdzić znajomość łaciny wśród seminarzystów, na co Poletti skwapliwie przysłał najgorszego adepta, jakiego znalazł. Karol Wojtyła tylko upomniał młodego kandydata na księdza, by bardziej przykładał się do nauki. Za to Noe szalał z wściekłości. Jeszcze kiedy indziej archiprezbiter poprosił o przysłanie na mszę papieską w bazylice szczególnie wysokich semina-

rzystów, którzy mieli nieść sporych rozmiarów lichtarze.
Niewysocy i wątli klerycy stojący z wielkimi świecznikami
w ręku przy głównym ołtarzu mogliby sprawiać wrażenie, że zaraz się przewrócą. Niezbyt ciekawy widok. Mimo to do Noego trafili chyba najmniejsi i najdelikatniejsi
seminarzyści, jakich tylko udało się wyszukać Polettiemu.
Na ich widok kardynał fuknął gniewnie:

– Co to ma znaczyć? Kogo on mi tu przysłał? Siedmiu
krasnoludków?

Zdawałem więc sobie sprawę, że jeżeli w takiej atmo-
sferze odważę się zapytać o cud, jaki zdarzył się młodemu
rzymskiemu kapłanowi, obaj gniewni, mogący udzielić
mi odpowiedzi, przepędzą mnie gdzie pieprz rośnie. Mimo to postanowiłem spróbować szczęścia. Zadzwoniłem
do mojego znajomego z Pałacu Laterańskiego.

Ten natychmiast po słowach powitania sapnął do słuchawki:

– Andreas, obojętnie o co chcesz zapytać, odpowiedź
brzmi: nie.

– Wielkie nieba, co się stało? – zapytałem. – Jesteś
okropnie zdenerwowany.

– Nic się nie stało, do widzenia.

Oczyma duszy zobaczyłem go, jak siedzi w wielkim
zakurzonym biurze z odrapanymi regałami zawalonymi
szpargałami, których nikomu nie chce się wyrzucić. A jego twarz wykrzywia się boleśnie.

– Wiem, co psuje ci humor. To ten cud, prawda? Zdarzył się cud – powiedziałem szybko, zanim zdążył odłożyć
słuchawkę.

Usłyszałem, jak cicho zaklął.

– Nigdy nie pojmę, dlaczego moi bracia w Panu nigdy nie potrafią trzymać języka za zębami. Nie będę cię nawet pytał, skąd o tym wiesz, więc ty mi oczywiście nie odpowiesz, że nie możesz powiedzieć. Mam rację, prawda?

– Owszem – odparłem. – Masz rację. Mimo to nie do końca rozumiem twoje zatroskanie. Kto ci powiedział, że to naprawdę jest cud? Może znów ktoś się zgrywa, chce zaimponować, może to tylko przypadek, który wygląda na cud?

– Dobry Boże – westchnął mój rozmówca z ulgą. – To pierwsze pocieszające słowa, jakie dzisiaj słyszę. I błagam naszego Pana, żebyś miał rację. Jak byłoby cudownie, gdyby to nie był żaden cud. Gdyby jakiś wierny tylko sobie wmówił, że przeżył cud. Gdyby to był jakiś fantasta, który twierdzi, że miłosierny Bóg dokonał na nim niemożliwego. Niech Bóg przedwieczny sprawi, żebyś miał rację, bo wtedy to szaleństwo tutaj skończyłoby się w ciągu paru dni. A jeżeli to naprawdę był cud? Co wtedy? I co nas wtedy, drogi Andreasie, czeka? Powiem ci. Będą nas ganiać, będą nas ścigać, nie odpuszczą. Tacy ludzie jak ty, mój drogi, będą całymi miesiącami drążyć i w końcu dojdą, kiedy, gdzie i w jaki sposób zdarzył się ten cud. A wiesz, jaka jest moja rola?

– Chyba się domyślam.

– I masz rację. Moją rolą jest, by żaden z was niczego się nie dowiedział, chyba że – zawiesił głos – chyba że będę miał szczęście i okaże się, że to wcale nie był cud. A wtedy, jeżeli mamy do czynienia tylko z mitomanem, z największą przyjemnością opowiem ci o tym ze wszystkimi szczegółami.

– W takim razie dziękuję za otwartość – pożegnałem się grzecznie.

W tamtym czasie w Rzymie istniało 921 kościołów, w których pracowało około dziesięciu tysięcy księży i zakonników należących do diecezji rzymskiej. Sprawdzenie ich wszystkich było niewykonalne. Jeżeli naprawdę zdarzył się cud, to i tak nigdy się o tym nie dowiem.

Kilka tygodni później, kiedy już prawie zapomniałem o całej sprawie, umówiłem się z jednym z moich amerykańskich kolegów na śniadanie w mojej ulubionej kafejce Caffe' San Pietro, nieopodal placu św. Piotra. Był w wyjątkowo złym humorze i strasznie psioczył na Watykan. Coś musiało się stać.

– Durna kościelna dyktatura – narzekał. – Nie mają pojęcia o demokracji i wcale nie są nią zainteresowani. Jak na królewskim dworze.

– Wiem o tym – powiedziałem. – I ty także. To nie jest demokracja, tylko monarchia elekcyjna. Chyba już do tego przywykłeś. Ale powiedz, co się stało?

– Dostałem od Biura Prasowego Stolicy Apostolskiej straszny ochrzan, nie wyłączając też pogróżek. A ja tak naprawdę nie zrobiłem nic niewłaściwego.

– Ale nie ochrzanialiby cię za nic.

– Chciałem tylko sprawdzić listę uczestników audiencji, to wszystko.

Dostać do rąk taki spis nie było sprawą łatwą, ale nie niemożliwą. Prefektura domu papieskiego przekazywała go codziennie watykańskim urzędnikom. W rzeczywistości istniały trzy spisy: oficjalny, z którym mógł się zapoznać każdy, oraz dwa tajne. Na przykład na liście publikowanej przez Watykan znajdowała się grupa ministrantów z Bordeaux i katoliccy harcerze z Montrealu. Natomiast pierwsza z tajnych list służyła prostemu celowi. Otóż przy okazji każdej audiencji na placu św. Piotra wydzielony jest sektor specjalny, a w sali audiencyjnej tak zwana *prima fila*, czyli pierwszy rząd. To tu gromadzą się ludzie, którym papież po zakończonej audiencji chce podać rękę. Często są to ważne osobistości, choć niektóre trudno na pierwszy rzut oka zidentyfikować jako VIP-y. Kiedy na przykład papież podaje rękę czekającemu w *prima fila* szefowi jakiegoś wielkiego banku, a fotografowie go nie rozpoznają i nie robią mu zdjęcia, to ów bankier nie ma żadnej pamiątkowej fotografii z papieżem i jest z tego powodu bardzo niezadowolony. Aby uniknąć takich sytuacji, tworzy się właśnie tajną listę gości, gdzie zaznacza się, że w pierwszym rzędzie stoi taki i taki VIP. Fotografowie dostają nawet zdjęcia tych osobistości, żeby potem podczas audiencji móc sfotografować właściwe osoby.

Druga tajna lista jeszcze mniej nadaje się do upublicznienia. Są na niej zaznaczone osoby, które zostaną przyjęte przez papieża po południu na prywatnej audiencji. Trzymano ją w sekrecie zwłaszcza w czasach zimnej wojny. W ten sposób tajemnicą pozostawały na przykład popołudniowe spotkania Jana Pawła II z przedstawicielami Palestyny, które były wstępem do wizyty w Watykanie Jasera Arafata. Papież podjął go u siebie 23 grudnia 1988 roku. Z punktu widzenia wielu państw Arafat był wówczas jeszcze ściganym terrorystą. I tylko fotografowie wiedzieli, kto i kiedy przekroczy próg papieskiego apartamentu. Za to po upadku muru berlińskiego owa lista straciła na znaczeniu i nie budziła już zbyt wielu emocji. Papież przyjmował u siebie dyplomatów, polityków, zastępy burmistrzów miast, które kiedyś odwiedził lub które zamierzał odwiedzić, sportowców, księży i zakonników.

– A po co ci była lista uczestników audiencji?

– To idiotyczna historia. Gubernator mojego stanu chciał koniecznie dostać się na audiencję. No więc po latach moich próśb umieścili go na liście.

– I co?

– A potem znalazł się w Watykanie i usłyszał, że jego nazwiska nie ma na liście.

– No i?

– No i chciałem sprawdzić, czy oni rzeczywiście nie umieścili go na tej liście. Załatwiłem ją sobie przez fotografów.

– I przyłapali cię na tym.

– Właśnie, ale przynajmniej się przekonałem, że nazwisko gubernatora jednak tam jest. Kazałem mu się oczywiście wytłumaczyć. No i przyznał mi się, że zaspał.

– Rozumiem.

– Zaspał na spotkanie z papieżem.

– I to wszystko?

– Tak, to wszystko.

– Masz jeszcze tę listę? – zapytałem.

Wcisnął mi ją do ręki.

– Weź ją sobie. Tyle zamieszania z powodu takiego dro-
biazgu. Nie chcę już nigdy o niej słyszeć.

Wziąłem więc listę do biura i bardzo dokładnie przestudiowałem. Mogło istnieć tylko jedno rozwiązanie tej
zagadki. Papież musiał tego dnia przyjąć u siebie kogoś,
kogo spotkanie z Karolem Wojtyłą miało dla wszystkich pozostać tajemnicą. Może był to jakiś polityk, może
zwierzchnik innego Kościoła, może jakiś dawny sojusznik
w długoletniej wojnie Wojtyły z komunistami. Sprawdziłem każde nazwisko, jednak przy żadnej z osób nie powstał
nawet cień podejrzenia, iż mogła zostać przyjęta w tajemnicy. Trudno wyobrazić sobie coś nudniejszego od stu-
diowania tej listy. Chorzy, księża i zakonnicy, jakiś kardynał i tyle. A mimo to Watykan podniósł wielki raban, kiedy ten spis trafił w ręce dziennikarza. Dlaczego? Co sta-
nowiło w nim tak wielką tajemnicę? Czyje nazwisko? Szukałem oczywiście nazwiska jakiegoś znanego prominenta.
Parę lat później dojdzie w Watykanie do gigantycznego
skandalu, kiedy taka lista osób zaproszonych na audiencję
wpadnie w ręce innemu dziennikarzowi, który znajdzie
tam nazwisko słynnej Oriany Fallaci. Śmiertelnie chora
zdeklarowana ateistka zapragnęła przed śmiercią zobaczyć
się z papieżem, a on zgodził się na to spotkanie. Wszystko miało się odbyć w całkowitej tajemnicy. Tymczasem
w spisie, który trzymałem teraz w ręce, figurowali sami
zwyczajni wierni. Studiowałem ich nazwiska po wielekroć. I nic.

„Daj sobie spokój – myślałem – oni chcą coś ukryć.
Więc pozwól im na to". Spacerowałem po biurze w tę

i z powrotem, w końcu nie wytrzymałem i zdecydowałem się postawić wszystko na jedną kartę.

Zadzwoniłem raz jeszcze do znajomego z Pałacu Laterańskiego.

– To znowu ty – westchnął po drugiej stronie.

– Zdaje się, że wiem, dlaczego załatwiliście mojego biednego kolegę ze Stanów, który skombinował sobie listę gości zaproszonych na audiencję. Właściwie to chcę cię tylko zapytać, czy mogę o tym napisać.

Milczał przez chwilę, a potem wypalił:

– Andreas, człowieku, przysięgam, gdyby było tak jak mówisz, gdyby to było nieporozumienie, przypadek, to powiedziałbym ci, pisz sobie, co chcesz. Ale ja rozmawiałem dziś przez telefon z całym mnóstwem lekarzy, i to z reguły niezbyt pobożnych, i wszyscy twierdzili, że z medycznego punktu widzenia nie da się tego wyjaśnić. Wiesz dobrze, co to oznacza. To naprawdę był cud. Więc trzymaj język za zębami, jasne? – I odłożył słuchawkę.

To było jak grom z jasnego nieba. A więc dlatego chcieli tę listę zachować w tajemnicy. Ktoś, kto na niej figurował, miał coś wspólnego z tym cudem. Jeszcze raz przejrzałem spis. Znów nic nie zwróciło mojej szczególnej uwagi. Teraz miałem jednak jakiś punkt zaczepienia. Wsiadłem na skuter i pojechałem do Watykanu, do fototeki.

Wszystkie audiencje papieskie są dokumentowane fotograficznie. W tamtym czasie człowiekiem, który każdego dnia musiał fotografować dziesiątki, a nawet setki wiernych ściskających dłoń papieża, był Arturo Mari. Po skończonych audiencjach biegł on do watykańskiej fototeki, wywoływał filmy, a zdjęcia wszystkich gości były drukowane na stykówkach zawierających setki maleńkich zdjęć – arkuszach papieru fotograficznego, na których widać było wszystkie osoby, którym danego dnia papież podał rękę. Wszyscy ci pielgrzymi oczywiście bardzo chcieli mieć zdjęcie z papieżem i do tego służyła właśnie fototeka. Można w niej było wyszukać swoje zdjęcie, następnie po podaniu numeru fotografii otrzymać na drugi dzień dużą, piękną odbitkę. A przy tym klientami fototeki nie były w większości osoby, które zostały uznane za na tyle ważne, by papież podał im rękę. Przeważająca liczba pielgrzymów podczas audiencji stoi po prostu gdzieś przy barierkach, a papież przejeżdża koło nich swoim *papamobile*. Ponieważ fotografowie pstrykają zdjęcia jak szaleni, wielu z gości ma szansę znaleźć się w jednym kadrze z papieżem.

Fototeka znajduje się w nie do końca zdefiniowanej strefie, która wprawdzie należy już do Watykanu, jednak stosunkowo łatwo się do niej dostać. Ten, kto chce wejść na teren Watykanu przez główną bramę Cancello di Sant'Anna, jest z reguły spławiany przez szwajcarskich gwardzistów, chyba że powie, iż idzie właśnie do fototeki. Wtedy przepuszczą go aż do drugiej bramki. Po lewej stronie mieszczą się koszary Gwardii Szwajcarskiej i biurowiec banku watykańskiego IOR. Tam wejścia na teren Watykanu pilnują żandarmi, zwykli zwiedzający nie mają dalej wstępu. Deklarując wizytę w fototece, jest się kierowanym na prawo, wzdłuż rampy dostawczej watykańskiego supermarketu, aż do redakcji watykańskiego dziennika „L'Osservatore Romano", gdzie mieści się także fototeka.

Tam za szklanymi drzwiami leżą porozkładane na wielkich stołach stykówki ze zdjęciami z ostatnich audiencji. Od najmilszych w całym Watykanie pań można dostać karteczki, na których po przejrzeniu stykówek zapisujemy numer fotografii, których odbitki chcemy zamówić. Jako młodego dziennikarza często posyłano mnie tutaj po zdjęcie prezydenta, słynnego polityka, pisarza czy też aktora, który dostąpił zaszczytu uściśnięcia dłoni papieża. I nawet jeżeli faktycznie tylko podawali mu rękę, w watykańskim żargonie mówiło się o *bacciamano*, czyli ucałowaniu dłoni. Brało się to stąd, że właściwie każdy wierny przez szacunek dla Kościoła rwał się do całowania papieskiego pierścienia Rybaka. Karola Wojtyłę wprawiało to zawsze w wielkie zakłopotanie, wolał po prostu podać rękę. Wielokrotnie mi się zdarzyło, że pędziłem na złamanie karku do fototeki, przeświadczony o swoich dużych możliwościach, by ociekając potem przekonać się na miejscu, że znów mocno je przeceniłem. Za każdym razem miałem zdobyć zdjęcie jakiejś ważnej kobiety albo ważnego mężczyzny, potrząsających dłoń papieża. Jednak mając przed oczami setki fotografii, traciłem pewność siebie. Czy prezydent Argentyny to ten człowiek z siwymi włosami, czy raczej ten w eleganckim garniturze w prążki? A czy ten, który podarował papieżowi w prezencie poncho, to prezydent czy minister spraw zagranicznych? Które z tych zdjęć zamówić? Kiedy nie było się pewnym, na którym z licznych zdjęć znajduje się prezydent, istniał pewien trik, który działał wprawdzie nie zawsze, ale dość często. Aby zamówić odbitkę, należało oczywiście zapisać numer zdjęcia na karteczce. Niemal wszyscy klienci kładli przy tym karteczki na arkuszu ze stykówkami. Trzymając go teraz pod kątem, można było zobaczyć, które numery były najczęściej zapisywane. Zamawiający, kładąc karteczkę na arkuszu, przyciskali długopis na tyle mocno, że bez trudu można było potem odczytać notowane cyfry. Jeżeli więc odcisnęła się wiele razy liczba dajmy na to 25, można było mieć pewność, że zdjęcie z tym numerem zamówiła już ambasada, rodzina prezydenta, dziennikarze albo kolekcjonerzy pamiątek i że oczywiście to na tym zdjęciu widnieje prezydent. W taki oto sposób musiałem sobie nieraz radzić.

Ponieważ większość gwardzistów szwajcarskich już mnie znała, przejechałem na skuterze przez Cancello di Sant'Anna, za którą skręciłem w lewo i zaparkowałem. Panie z fototeki, gdy powiedziałem im, że potrzebuję zdjęć z pewnego dnia w roku 1995, były dla mnie jak zwykle bardzo uprzejme. Widziałem jednak po ich oczach, że otrzymały już wytyczne, by fotografie z tej właśnie audiencji traktować z ostrożnością, ponieważ nie są przeznaczone dla każdego. Bywałem u nich jednak wystarczająco często, by nie miały wątpliwości, że i tym razem chodzi o to co zwykle, czyli najpewniej o zdjęcie jakiegoś burmistrza z Niemiec, który stał w trzecim rzędzie nieopodal papieża. Przejrzałem stykówki, z początku nic nie zwróciło mojej uwagi, podobizny były zbyt małe, by je rozpoznać. Popatrzyłem więc na nie w wypróbowany już sposób i okazało się, że szczególnym zainteresowaniem cieszyła się fotografia numer 1136. Odszukałem ją na arkuszu i zdrętwiałem. Przecież dobrze znam tego mężczyznę. Teraz już się domyślałem, co zaszło. Wyszedłem stamtąd i wsiadłem na vespę, wiedząc doskonale, dokąd muszę pojechać.

Kościół Santa Maria dei Monti znajdował się jakieś piętnaście minut marszu od mojego mieszkania przy Koloseum. Chodziłem tam czasem na niedzielną mszę z całkiem świeckich względów. Kilka kroków dalej mieściła się najlepsza w moim przekonaniu rzymska restauracja, biorąc pod uwagę stosunek ceny do jakości. Przy Via Panisperna za stosunkowo niewielkie pieniądze można było najeść się ryb do syta. Tymczasem nie wiedziałem nawet, jak nazywa się proboszcz tej parafii. Niesamowity był oczywiście ksiądz Andrea. Pamiętam, że zwróciłem na niego uwagę, bo stał przy ołtarzu w ciemnych okularach i ze słuchawkami, dzięki którym był w stałym kontakcie z proboszczem. Czasami wygłaszał kazanie. Po kościele poruszał się, używając laski, niekiedy pomagała mu jakaś młoda kobieta. Był niewidomy. Ten bardzo zaangażowany młody ksiądz zajmował się wcześniej grupą dziewcząt i chłopców, którzy mieli problemy z narkotykami. Pomógł im wyjść z nałogu, niektórzy z nich podobno nawet zgłosili policji, kto sprzedawał im narkotyki. Ale nie jestem pewien, czy tak było naprawdę. Natomiast pewne jest to, że kiedy 21 grudnia 1993 roku ksiądz Andrea Palamides zaparkował swój samochód przy Via degli Annibaldi, napadła go zgraja gangsterów, którzy pobili go tak brutalnie, że na skutek obrażeń głowy stracił wzrok. Młody, szczupły mężczyzna z brodą, o typowej rzymskiej fizjonomii. Z perspektywy

Niemca wydawał się wręcz stworzony do tego, by występować w greckiej tragedii, i życie rzeczywiście zgotowało mu tragedię. W dodatku nosił greckie nazwisko.

Wszedłem do ciemnego wnętrza i usiadłem w ławce. Zebrało się tam już parę starszych pań, było popołudnie i pewnie czekały na nabożeństwo. Twarz jednej z nich wydała mi się znajoma, widziałem ją już na którejś z mszy. Siedziała w ławce wpatrzona w ołtarz. Przeszedłem przez cały kościół i usiadłem obok niej. Spojrzała na mnie, poznała i natychmiast zorientowała się, że chcę z nią porozmawiać.

– O co chodzi? – zapytała.

– To prawda, że zdarzył się cud, zgadza się?

Popatrzyła na mnie z powagą i skinęła głową.

– Tak, zdarzył się cud – i położyła palec na ustach. – Ale nie wolno nam o tym mówić. *Don* Andrea nie chce. Nie było mnie przy tym. Widzi pan tamtą kobietę w czarnym welonie? Ona wtedy była.

Podziękowałem i przeszedłem parę ławek dalej. Kobieta w welonie także wyglądała znajomo. Skinęła w moim kierunku, najwyraźniej i ona mnie rozpoznała.

Spojrzała na mnie z boku i zapytała cicho:

– Mówią, że pracuje pan przy Watykanie, czy to jest prawda?

Kiwnąłem głową.

– Czy to oni tu pana przysłali?

Teraz pokręciłem głową.

– Nie. – Ja chcę się tylko dowiedzieć, co tu się wydarzyło.

Utkwiła wzrok w ołtarzu i jakby nie zwracając się wcale do mnie, lecz do jakiejś niewidzialnej istoty, zaczęła opowiadać ściszonym głosem:

– To było w nocy, w Wigilię Paschalną. Ksiądz Andrea celebrował mszę razem z księdzem Gino d'Anna. Było już właściwie po mszy. Ksiądz d'Anna poprosił nas o rozdanie ulotek o festynie parafialnym 26 maja. Zobaczyłam wtedy, jak nagle ksiądz Andrea całkiem zwyczajnie, bez laski, przeszedł od ołtarza do zakrystii. A tam zdjął okulary słoneczne i popatrzył na dziewczynę, która pomagała mu podczas mszy. Nazywa się Ilaria. Powiedział do niej: „Widzę cię". *Don* Gino pobiegł za nim do zakrystii, a potem znów wszedł do kościoła i powiedział głośno: „*Don Andrea znów widzi!*". A przecież lekarze mówili, że nie ma najmniejszej szansy, leczył się od osiemnastu miesięcy i nie było żadnej poprawy.

– Czy to prawda, że na krótko przed tym cudem był na audiencji u papieża?

– Tak, zgadza się. Karol Wojtyła powiedział do niego, że będzie się za niego modlił. Wie pan, *don* Andrea nie chce, żebyśmy o tym rozmawiali, pragnie to zachować w tajemnicy. Ale my tu w parafii nie mamy wątpliwości, że to papież Jan Paweł II wyprosił ten cud dla niego.

Nie lękajcie się!

Arezzo w Toskanii, jesień 1995 roku. Historia, którą wiele osób w Watykanie uważa za najbardziej zadziwiający cud w życiu Karola Wojtyły, zaczęła się dla mnie zupełnie nieoczekiwanie jesienią 1995 roku. Ale na jej ślad natrafiłem nie w Rzymie, lecz kilkaset kilometrów dalej, w Toskanii, nieopodal Arezzo. W roku 1990 zainicjowano tu projekt budzący mój nieopisany podziw. Już w 1977 roku biskup Arezzo przekazał położoną pod miastem, opuszczoną osadę Rondini, należącą do Kościoła, pewnej grupie zaangażowanych chrześcijan, którzy postanowili w tym miejscu stworzyć podwaliny realizacji pewnego marzenia. Chcieli zbudować tu miasto pokoju, miasto, w którym panuje pokój i skąd emanuje on na cały świat. Członkowie tej grupy w roku 1988 pojechali do Związku Radzieckiego, gdzie zawiązali wiele przyjaźni. Nie przeczuwając nawet, co wkrótce nastąpi, weszli też w dobre relacje z Czeczenią. Rozwijały się one tak owocnie, że pierwszy prezydent Czeczenii Dżochar Dudajew z wdzięczności za wsparcie zaproponował potem, by jeden w placów w Groznym, stolicy muzułmańskiej Czeczenii, nazwano imieniem świętego Franciszka z Asyżu. Potem, kiedy w grudniu 1994 roku lotnictwo rosyjskie zbombardowało lotnisko w Groznym i wybuchła wojna w Czeczenii, przyjaźń łącząca chrześcijańską grupę z Rondini zarówno z Rosjanami, jak i Czeczenami nabrała nagle politycznego znaczenia. To w tej wiosce pod Arezzo toczyły się bowiem zakulisowe rokowania w sprawie siedemdziesięciodwugodzinnego rozejmu w odległym Groznym.

Ta pierwsza, tocząca się z dala od wielkiego świata, misja negocjacyjna zaowocowała w 1997 roku narodzinami legendarnej już idei. Młodzi ludzie, których ojcowie wywodzili się ze śmiertelnie skłóconych z sobą narodów, mieli tu razem mieszkać i dobrze poznać się nawzajem, by dzięki temu pozbyć się wszystkich uprzedzeń i po studiach wrócić do swoich ojczystych krajów jako ambasadorowie pokoju. W tym samym czasie kiedy żołnierze z ich krajów zabijali się nawzajem, młodzi mężczyźni siadali razem do stołu i się uczyli. Wspólne życie skutkowało oczywiście tym, że żaden ze studentów nie potrafił nawet sobie wyobrazić, że mógłby pewnego dnia zastrzelić któregoś ze swoich sąsiadów tylko dlatego, że jest Czeczenem albo Rosjaninem. W późniejszym czasie w tej odrestaurowanej, przepięknej wiosce pokoju pojawili się Izraelczycy, by zamieszkać wspólnie ze studentami z Palestyny i Libanu, podczas gdy ich pobratymcy strzelali do siebie w swoich ojczystych krajach. A podwaliny tego marzenia narodziły się właśnie podczas tajnych rokowań w roku 1995.

Jednak dla watykanisty istniał jeszcze jeden powód, dla którego warto było odwiedzić tę przecudną wioskę na końcu świata. Jednym z najważniejszych filarów tamtej grupy był gorliwie wierzący tajny agent Domenico Giani, funkcjonariusz policji pracujący dla włoskiego wywiadu

SISDE, który w wolnych chwilach bardzo troszczył się o sprawy miasta pokoju. Już wtedy chodziły słuchy, że jest w bardzo dobrych, ale też ściśle tajnych stosunkach z papieżem, co rzeczywiście w końcu się potwierdziło. W 1999 roku został wicekomendantem żandarmerii watykańskiej, czyli papieskiej policji, a w roku 2006 jej szefem. Wszyscy zaangażowani w Inicjatywę Rondini, przez wzgląd na kontakty Domenica Gianiego, uchodzili za świetnie poinformowanych w sprawach Watykanu. Nie wiem jednak, czy tak było w istocie.

Podróż do Arezzo była bajeczna. Pod Orvieto zjechałem z autostrady i skierowałem się na północ, przemierzając drogi Toskanii. Na pierwszy rzut oka Arezzo sprawia wrażenie jednego z wielu przepięknych toskańskich miasteczek pełnych niesamowitych zabytków. W rzeczywistości stanowi jedno z najbardziej zagadkowych miast we Włoszech. To istne siedlisko tajnych służb. Nigdzie indziej nie poznałem tylu fascynujących historii z tajnym agentem w tle. Na przykład urodzony w roku 1919 agent Licio Gelli mieszkał tu, objęty aresztem domowym, w swojej willi Wanda. Planował bowiem w 1981 roku zamach stanu we Włoszech, był też założycielem tajemniczej loży P2, wielokrotnie uciekał z więzienia, po czym znów dostawał się do aresztu. W Arezzo opowiedział mi całe swoje życie. Teraz zaś do gry wkroczył kolejny tajny agent, Domenico Giani.

Wizyta w Rondini dostarczyła mi wielu kapitalnych wrażeń. Wspaniale było patrzeć, jak mieszkańcy osady małymi kroczkami próbują zaprowadzić pokój na świecie.

Wieczorem, popijając kawę, rozprawialiśmy o Watykanie. Nie kryłem przy tym, że interesują mnie wszystkie nowinki, o jakich wiadomo członkom tej społeczności.

W końcu musiałem się już zbierać i kiedy odnosiłem do kuchni filiżankę, obok mnie stanął jeden z organizatorów projektu.

– Napisze pan o nas?

– No jasne – odparłem. – Ale w zamian byłbym wdzięczny, gdyby opowiedział mi pan o Watykanie coś, czego jeszcze nie wiem.

– Jest coś takiego – powiedział ściszonym głosem.

– Mianowicie?

– Przeprowadzamy badanie próbki krwi. To ma pozostać w ścisłej tajemnicy. Od wielu dni nie zajmujemy się niczym innym, tylko tą próbką.

– Dziękuję – odpowiedziałem i wróciłem do Rzymu.

Potęga cierpiącego papieża

„Papież jest chory – pomyślałem od razu – nie może być inaczej". Jeżeli robią taką tajemnicę z badania krwi, to nie może być innego wytłumaczenia. Karol Wojtyła znowu jest chory, a oni chcą zachować to w tajemnicy. Już raz przeszedł ciężką infekcję wirusową. Po zamachu w 1981 roku podano mu krew zakażoną wirusem, który nie został w porę wykryty. W efekcie papież musiał się z nim zmagać przez długie miesiące. Próbowałem sobie przypomnieć, czy w ciągu minionych tygodni lub dni Jan Paweł II nie wyglądał na szczególnie cierpiącego. Wiedziałem jednak, że to próżny wysiłek. Karol Wojtyła nigdy nie dawał po sobie poznać, że cierpi. Pamiętam pewne przyjęcie zorganizowane przez FAO, Organizację Narodów Zjednoczonych do spraw Wyżywienia i Rolnictwa. Papież wygłaszał przemówienie i kiedy potem schodził po schodach, upadł. Wyglądało to groźnie. Jego sekretarz ksiądz Dziwisz chciał natychmiast zabrać go do szpitala, ale papież odmówił. Uparł się, że osobiście przywita się z około dwustoma delegatami FAO, że każdemu z nich poda dłoń. Dopiero po tym zgodził się pojechać do szpitala, gdzie okazało się, że witał się z delegatami, mając złamaną rękę. Jan Paweł II nie był człowiekiem, który użalał się nad sobą.

Gdy papieża dotyka poważna choroba, należy podjąć kilka decyzji, które trudno utrzymać w tajemnicy. Pierwsza z nich dotyczy kliniki Gemelli. Kiedy zanosi się na pobyt papieża, należy przygotować zarezerwowany dla niego apartament. Poza tym w klinice odbywa się przemeblowanie, ponieważ administracja dobrze wie, że w ślad za papieżem zjawią się także rzesze dziennikarzy, którzy będą okupować klinikę okrągłą dobę, wysyłając stąd całymi dniami – a może nawet tygodniami – newsy do swoich programów informacyjnych. Z tego też powodu trzeba będzie podrasować wygląd kawiarni, wysprzątać przed wejściem i ustawić na podjeździe świeże kwiaty. Jednak przede wszystkim trzeba będzie przestawić samochody pracowników, żeby zrobić miejsce dla wozów transmisyjnych i kamer, bo tylko stąd widać okno papieskiego apartamentu, z którego Jan Paweł II pozdrawia czasem wiernych i odmawia *Anioł*

Pański. Aby to wszystko przygotować, niektórzy pracownicy szpitala musieli rezygnować z zaplanowanego urlopu, a inni wrócić wcześniej z wakacji. Trudno więc było nie zauważyć, że coś się dzieje. Zadzwoniłem do szwagierki znajomego fotografa, która pracowała w klinice. Powiedziała mi jednak, że na razie nic nie wskazuje na to, by w najbliższym czasie papież miał do nich trafić. Czyżby więc wiadomość o ewentualnym pobycie papieża w szpitalu była tym razem lepiej strzeżona, czy raczej chciano go leczyć w Watykanie?

Drugim pewnym sygnałem o ewentualnej chorobie papieża były zawiadomienia wysyłane do rzymskich parafii. Papież dość często składał w niedzielę wizytę w którejś z przeszło trzystu dwudziestu parafii Rzymu. Z reguły wystarczyło zajrzeć na odpowiednią listę, by sprawdzić, gdzie tym razem się uda, i zadzwonić – gdyby papież się rozchorował, proboszcz danej parafii zostałby zawiadomiony wcześniej o przesunięciu wizyty. Tym razem i ten trop okazał się błędny. Istniała zatem jeszcze trzecia możliwość zdobycia informacji o stanie zdrowia papieża. Można było po prostu zapytać tych, którzy musieli coś wiedzieć. Tę metodę można było zastosować jedynie wtedy, kiedy wszystko inne zawiodło. Oczywiście informację na temat planowanego pobytu w szpitalu bądź zmiany w rozkładzie dnia musiał posiadać choćby ówczesny ochroniarz papieża Camillo Cibin. Jednak wszyscy dobrze znali jego mrukowaty charakter. Krążyła nawet pogłoska, moim zdaniem prawdziwa, że Cibin nie ma zwyczaju odpowiadać nawet na niewinne „przepraszam, która godzina?".

Naturalnie dobrze poinformowany był także najsłynniejszy na świecie osobisty lekarz, Renato Buzzonetti, który opiekował się już czterema papieżami. Jednak ów doktor i zarazem namiętny miłośnik muzyki klasycznej, w szczególności muzyki sakralnej, wypowiedziałby się wyczerpująco na temat papieskiego stanu zdrowia jedynie raz – dobrych parę tygodni po śmierci swego pacjenta. Znając natomiast przydomek papieskiego sekretarza, księdza Dziwisza – „Dyskretny" – nie było sensu pytać i jego.

Miałem mimo to jeszcze asa w rękawie. Był nim długoletni współpracownik jednego z biskupów, który w roku 1990 udzielił w Rzymie ślubu mnie i mojej żonie. Leciwy, doświadczony, a w dodatku przychylny mi prałat. Odwiedzałem go od czasu do czasu. Zajmował jedno z tych gigantycznych mieszkań należących do watykańskiego kompleksu na Zatybrzu. Te lokale mają z perspektywy przeciętnej rzymskiej rodziny, w której nierzadko z braku miejsca ktoś musi spać w korytarzu, rozmiary dworcowej hali. I wszystkie bez wyjątku sprawiają bardzo smętne wrażenie. Pokoje zawalone wszelkiego rodzaju religijnymi rupieciami, walające się wszędzie pożółkłe dokumenty. Liczne szafy wnękowe pękają w szwach od „pism zebranych" autorstwa papieży z ubiegłych stuleci, oczywiście nigdy nieczytanych przez zamieszkujących tu starszych panów. W każdym salonie wiszą fotografie rezydenta w towarzystwie kolejnych papieży. Niektórzy mają też zdjęcia z Pawłem VI, a kilku także z Janem XXIII. Wszyscy bez wyjątku zostali także uwiecznieni z Janem

Pawłem II, który niemały kawał życia spędził na przyjmowaniu u siebie tysięcy księży. Na stole w salonie leżą najczęściej albumy z fotografiami kościołów i kaplic, a obok wytarty pilot do staromodnego telewizora, ulubionego przedmiotu każdego z wiekowych lokatorów. Wszyscy żyją pod pantoflem zaborczych gospodyń, wielu trawi melancholia, a nade wszystko samotność. Mój rozmówca również musiał się podporządkować rządom energicznej gospodyni, jednak nie był ani zgorzkniały, ani samotny. Mimo tych wszystkich gratów, których nie mógł się pozbyć, trzymał się znakomicie. Oszacowałem kiedyś na oko, ile ciężarówek można by załadować watykańskimi publikacjami, które murszały z wolna w tym mieszkaniu – i doszedłem do wniosku, że sporo.

Ucieszyłem się, jak zawsze, kiedy go zobaczyłem, i jak zawsze jego wiecznie niezadowolona gospodyni podała mi niewiarygodnie wprost niesmaczną kawę. Potem od razu przeszedłem do sedna. Wciąż odwiedzało go sporo biskupów i kardynałów, zdających papieżowi sprawozdania ze swojej pracy. Po pierwsze dlatego, że miło się z nim gawędziło, a po drugie dlatego, że lubił grać w karty, w pokera albo remika.

– Wszyscy w Watykanie mówią o badaniu krwi.

Uśmiechnął się.

– Wiem, to wariactwo. Wszyscy ci strażnicy wiary i prawa kościelnego stali się nagle lekarzami. W każdym pokoju szepcze się o czynniku Rh, o morfologii, o grupie krwi A i B. Czyste wariactwo.

– Ale o jakim właściwie badaniu krwi mówią?

– Cóż, skoro robią z tego taką tajemnicę, to chodzi pewnie o papieża. Mam niemal stuprocentową pewność. Nie wyobrażam sobie, żeby równie szczegółowo komentowano wyniki badania krwi choćby jego sekretarki, siostry Tobiany, ale nie wiem nic pewnego – skwitował z uśmiechem. Potem jednak spoważniał. – Bardzo bym się zmartwił, gdyby Karol Wojtyła znów ciężko zachorował. W Watykanie jest pełno hipokryzji. Prałaci, biskupi i kardynałowie oczywiście powtarzają w kółko, jak bardzo jest im przykro, że papież jest chory, ale doskonale wiedzą, że to dla nich gratka. Ten cierpiący Karol Wojtyła stał się potęgą. Od czasu operacji jelita grubego w 1992 roku wciąż męczą go nawracające gorączki, a od operacji stawu biodrowego w 1994 roku mam wrażenie, że żyje w ciągłym bólu. Ból towarzyszy mu i kiedy siedzi, i kiedy chodzi, i kiedy stoi.

– Wiem – odparłem. – Nikt tego głośno nie powie, ale wszyscy wiedzą, że ta operacja to była fuszerka, ktoś coś spartolił.

– I właśnie ten cierpiący, walczący z bólem papież – kontynuował mój rozmówca – stał się niesamowicie potężny. Pomyśl tylko! Dziś dzieją się rzeczy, które dawniej trudno byłoby sobie nawet wyobrazić. Nawet Kościół prawosławny, który od prawie tysiąca lat darzy nas tylko nienawiścią, nagle chce się z Rzymem pojednać, przywódcy państw ciągną do Watykanu jeden za drugim, no i znów mamy młodzież po naszej stronie. Po raz pierwszy od stuleci znów odgrywamy ważną rolę w świecie, a to wszystko zawdzięczamy jednemu człowiekowi i jego cierpieniu.

Bo jest tak wiarygodny, bo jest wojownikiem w wyjątkowej sprawie, gdzie religia może czynić dobro, gdzie papieże mogą więcej, niż tylko kazać się obnosić w lektyce wzdłuż bazyliki, mogą czynić pokój, choć nie posiadają własnej armii. Sowieci przekonali się o tym na własnej skórze.

Wiedziałem, że ma rację. To tu tkwiły korzenie cudu, jaki za sprawą Karola Wojtyły dział się we mnie. Przez wszystkie te lata, kiedy podążałem jego śladami, miałem poczucie, że ten wymizerowany, słabnący człowiek, który poza własnymi rękami i swoją wiarą nie posiada nic więcej, jest w stanie zmieniać świat na lepsze. To nie był tylko wizerunek kreowany przez watykańskie media. On naprawdę był sobą. Stał po prostu oparty o laskę, plecy z czasem mocno się przygarbiły, uścisk dłoni stał się słabszy, mimo to nadal dawał wszystko, co miał. „To wy musicie zadecydować – oto przesłanie tego człowieka. – To wy musicie zadecydować, czy dobrze sobie radziłem, czy przybliżyłem was choć trochę do Boga" – tak, dobrze sobie poradził. Nawet jeżeli przeceniam liczbę ludzi na świecie, których on zmienił, jednego jestem całkowicie pewien: w odniesieniu do mnie i mojego błahego życia poradził sobie dobrze. Odkąd go poznałem, świat stał się dla mnie zupełnie inny. Nie potrafiłem już przestać o tym myśleć: „A jeżeli ten Wojtyła ma rację, jeżeli Bóg naprawdę istnieje?".

Ten Polak z prowincjonalnych Wadowic był ze mną, kiedy moja urodzona na terenach obecnej Polski matka umierała w szpitalu w Hamm w Westfalii. Kiedy jej gasnące spojrzenie wędrowało co chwilę w stronę wiszącego na ścianie krzyża z brązu. I to jego posłanie: „Nie lękajcie się!" – jak gdyby dobrze znał i mnie, i moją matkę. Bowiem to właśnie lęk był tym, co zaprzątało wówczas jej duszę. Lęk o mnie, lęk przed tym, jak potoczy się dalej los rodziny, która w jej odczuciu ciągle musiała się zmagać z ubóstwem. Jej lekarstwem na wszystko była miłość. Przez wszystkie te noce, kiedy walczyła ze śmiercią, patrzyła na mnie, a ja odczytywałem z jej oczu jedną myśl: „Przynajmniej jest przy mnie Andi". Tymczasem ja nie potrafiłem ukoić jej lęku, mogłem tylko czuwać przy niej i być dobrej myśli, bowiem mój lęk, a przynajmniej sporą jego część, Karol Wojtyła zdołał ukoić.

On nigdy się nie wywyższał, nigdy też nie pragnął wywyższenia. Wojtyła był człowiekiem z krwi i kości, nie żadną figurą, ale człowiekiem, który całe swoje życie poświęcił temu, by kochać ludzi, wszystkich ludzi. Media – ja także – natrząsały się z niego. Wyśmiewały jego próby dotarcia do młodzieży. Śmieszyło nas, że jakiś staruszek chce się spotykać z milionami młodych ludzi na całym świecie, proponując im coś tak archaicznego jak przesłanie Kościoła katolickiego. Branża popkultury nie nadąża wręcz z oferowaniem młodzieży coraz to nowych trendów. Moda zmienia się niemal co tydzień, elektroniczne gadżety tracą nieraz na aktualności, zanim na dobre zagoszczą na rynku, tymczasem ten starszy pan z Polski chce się przebić z liczącą już dwa tysiące lat ofertą jakiegoś cieśli z Nazaretu? Kiedy mu się to jednak udało, cały świat patrzył z niedowierzaniem, jak miliony młodych ludzi zamiast Love Parade wybierają pielgrzymkę do papieża. Każdy, kto żył w tamtych czasach, dobrze wie, w jaki sposób udało się Wojtyle przyciągnąć i oczarować młodych ludzi. On po prostu mówił to, co myślał. Nie działał ani dla pieniędzy, ani dla kariery, nie chciał też nikogo pouczać. Wierzył w to, co mówił, i był za to gotów oddać wszystko, a jednocześnie wiedział, że właśnie z tego powodu odwróciło się od niego wiele osób w Watykanie.

Najsilniej to do mnie dotarło chyba 8 listopada 1990 roku. Z Indii wraca właśnie delegacja z Watykanu. Kardynałowie zatruli się czymś podczas przyjęcia w nuncjaturze w New Delhi i wszystkim doskwierał ból brzucha, dreszcze i gorączka. Po wylądowaniu w Tbilisi w Gruzji udali się więc czym prędzej do ciepłych łóżek w hotelu albo nuncjaturze. I pozwolili, by papież poleciał sam do Mcchety na spotkanie z gruzińskimi biskupami w średniowiecznej katedrze Sweti Cchoweli, choć był tak samo chory jak oni, a jego ciałem wstrząsały tak silne dreszcze, że nie był w stanie trzymać w ręce świecy. Bałem się wtedy, że może nawet stracić przytomność.

Czasami wstydzę się tamtego okresu, wstydzę się tego, że tylko gapiłem się na niego przez dwadzieścia lat, że nie spuszczałem z niego oka nawet wtedy, gdy nie dawał już rady. A on nie dość, że to znosił, ale sam tego chciał. To właśnie była jego misja. A przecież mógłby po prostu powiedzieć: „Dosyć! Już nie mogę. Nie ruszę się więcej z Watykanu i nie będę stawał przed obiektywami setek kamer". Jednak tego nie zrobił. Do samego końca chciał, jak święty Piotr, łowić ludzkie serca. I kiedy przypomnę sobie teraz ów wiatr przewracający stronice ewangeliarza leżącego na jego trumnie, trudno mi uwierzyć, że Boga nie ma. Pamiętam jego słowa z 29 maja 1994 roku, gdy dziękował za dar cierpienia. Wszyscy władający ówczesnym światem – Michaił Gorbaczow, Ronald Reagan, Helmut Kohl i wielu innych – uznali przecież Wojtyłę za jednego z najbardziej wpływowych ludzi na świecie. Tymczasem on sam widział to inaczej, nie zaliczał siebie do grona światowych możnowładców, postrzegał siebie raczej jako ich petenta. Mówił: „Zrozumiałem, że potrzeba było, bym dysponował tym argumentem [cierpienia – przyp. red.] wobec możnych tego świata. Znów mam się z nimi spotykać i rozmawiać. Jakich mogę użyć argumentów? Pozostaje mi ten argument cierpienia. Chciałbym im powiedzieć: zrozumcie to, zrozumcie, dlaczego Papież znowu był w szpitalu, dlaczego znów cierpiał. Zrozumcie to, przemyślcie to jeszcze raz!"[3].

Słabość fizyczna Karola Wojtyły była bowiem istotną częścią jego misji. Wyglądał jak chodzące nieszczęście, a jednak sprawiał wrażenie, że przez cały czas stoi za nim wszechwładny Bóg. „Papież napisał czternaście encyklik, a jeszcze jedną, tę ostatnią i najważniejszą, choć jej nie zanotował, zilustrował swoim życiem. Jego cierpienie stało się częścią jego posłannictwa". Tak po śmierci Karola Wojtyły pisał o tym jego rzecznik Joaquín Navarro-Valls.

Tymczasem teraz wyglądało na to, że papież znów jest poważnie chory. Na tyle poważnie, że jego badania krwi

---

[3] Jan Paweł II, *Dzieła zebrane*, t. XVI, Wydawnictwo M, Kraków 2009, s. 102 (przyp. red.).

objęto ścisłą tajemnicą. Czy Bóg kazał cierpieć temu człowiekowi, by pokazać, że jest on narzędziem w Jego rękach i przemawia w Jego imieniu? Papież w to wierzył.

– Jeśli chcesz się dowiedzieć, jak on się czuje, powinieneś umówić się na spotkanie w klasztorze – powiedział starszy pan na zakończenie naszej pełnej refleksji rozmowy.

„Owszem – pomyślałem – sam też już to rozważałem".

– Dobrze więc – dodał. – Umówię cię.

Tajemniczy rajski ogród w Rzymie

„Klasztor" stanowił wówczas jedną z najważniejszych giełd informacji w Rzymie. Obecnie to źródło wieści z Watykanu straciło na znaczeniu, bo po prostu przestało istnieć. Klasztor stał się ważny w roku 1992, ponieważ przyjeżdżał tu wówczas na spacery siedmiokrotny premier Włoch Giulio Andreotti, który po dożywotniej nominacji na senatora mógł nareszcie poświęcić się swojej ulubionej tematyce, czyli Watykanowi i polityce Kościoła katolickiego. W klasztorze nie używano jednak jego nazwiska czy też tytułu *Presidente*, który włoski premier mógł zachować nawet po zakończeniu kadencji, lecz określano go mianem *La volpe*, „Lis".

Klasztor znajduje się przy jednym z najpiękniejszych placów Rzymu, Piazza dei Santi Giovanni e Paolo. Można tam przeżyć to, co możliwe jest tylko w filmach przy użyciu wymyślnych trików – podróż w czasie. Przeszedłszy przez bramę przy Via di San Paolo della Croce, wkraczamy nagle do zupełnie innego świata, do Rzymu sprzed tysiąca lat. Klasztor należący do pasjonistów, czyli Zgromadzenia Męki Jezusa Chrystusa, sprawia wrażenie, jak gdyby pogrążony był w jakimś bajkowym śnie. Po przeciwnej stronie, trochę z boku, mieszczą się studia telewizyjne Canale 5, należącego do Silvia Berlusconiego, gdzie skąpo ubrane panie tańczą w sposób, jaki duchownym trudno zaakceptować. W żadnym innym miejscu w Rzymie świętość i pokusa nie obcują tak blisko siebie. Do klasztoru pasjonistów należy ogromny park, który z powodzeniem mógłby służyć armii w charakterze poligonu. Nieraz gdy tam byłem, gryzła mnie zazdrość. Mieszkałem w tej dzielnicy od pięciu lat i dobrze wiedziałem, jak wielu rodziców cieszyło się z posiadania choćby balkonu, na którym dzieci mogły łyknąć przynajmniej trochę świeżego powietrza, bo przecież dwa metry kwadratowe nie pozwalały już raczej na zabawy ruchowe. Ale co tym rodzicom pozostawało? Zabawa na ulicy może się w Rzymie skończyć tragicznie, a placów zabaw w tej dzielnicy jeszcze nie było. Ilekroć więc spacerowałem po parku pasjonistów w towarzystwie staruszków, myślałem zawsze: „Jak wiele dzieci mogłoby się bawić w tym parku".

Mój znajomy z Zatybrza umówił mnie na spotkanie z jednym z zakonników, za pośrednictwem którego zaprzyjaźniłem się zresztą kiedyś na Kubie z ojcem J. Już wtedy od wielu lat zajmował się pisaniem biografii swoich szczególnie zasłużonych współbraci. Po powitaniu zaprosił mnie na spacer po parku. Klasztor stoi na fundamentach starożytnego domostwa, obok którego znajdował się gigantyczny park cesarza Nerona. Widok na dolinę z Koloseum i dzielnicę San Giovanni z bazyliką na Lateranie zapiera dech w piersiach. Oficjalnie Giulio Andreotti przychodził tu wyłącznie na spacer, ale środowisko polityczne w Rzymie wiedziało, że w tym ustronnym miejscu kontaktował się z kościelnymi dygnitarzami, którzy przyjeżdżali tu z zachowaniem pełnej dyskrecji, by prowadzić równie dyskretne rozmowy. Istniał wtedy jeszcze pewien zwyczaj, zakończony wraz ze śmiercią Karola Wojtyły. Otóż podczas licznych pielgrzymek zagranicznych papież, można by rzec, wymagał, aby w zamian za złożoną wizytę uwolniono wszystkich obywateli więzionych za swoje przekonania religijne lub polityczne. Przygotowaniami do tak delikatnych operacji zajmowali się urzędnicy watykańscy, niestroniący jednak od pomocy osób, które, pozostając w cieniu, mogły pociągać za wszystkie sznurki. Takich właśnie jak Giulio Andreotti, mający świetne kontakty ze światem arabskim.

Spacerowaliśmy już z moim rozmówcą czas jakiś po tym rozległym parku, kiedy w końcu odważyłem się zadać pytanie związane z moimi domysłami.

– Wszyscy w Watykanie szepczą o jakimś badaniu krwi. Wydaje mi się, że nie chcą powiedzieć na głos, że Ojciec Święty znów jest poważnie chory.

– Naprawdę? Tak myślisz? Podczas ostatniej audiencji generalnej wyglądał całkiem normalnie.

– Mówię ci, że coś tu jest nie tak. Nie mógłbyś po prostu zapytać o to waszego gościa? Jestem pewien, że on wie, jak się sprawy mają.

Zatrzymał się i spojrzał na mnie.

– To oczywiście wykluczone. Premier przyjeżdża tu wyłącznie po to, by odpocząć w ciszy i spokoju.

Teraz ja spojrzałem mu w oczy i reszta rozmowy odbywała się już bez słów. Mój wzrok mówił:

– Daj spokój z tą dziecinadą. Wiem doskonale, że prowadzicie z nim tutaj potajemne rozmowy.

Z kolei jego wzrok wyraził w końcu zgodę:

– W porządku, zapytam go o to, ale nigdy wprost nie przyznam, że przychodzi tu w innym celu niż wąchanie kwiatków.

„Lis" i watykańscy kierowcy

Zatelefonowałem do niego po tygodniu, a jego reakcja natychmiast zdradziła, że dowiedział się czegoś, co go ucieszyło. Był niemal wylewny, a na moje ostrożne pytanie, czy mógłbym wkrótce znów go odwiedzić, odparł, że najlepiej gdybym przyjechał od razu.

Znów zaprowadzono mnie najpierw do jego celi, a on znów zaproponował, byśmy wyszli na zewnątrz. W tamtych czasach było całkiem normalne, że wszelkie drażliwe rozmowy z watykańskimi kardynałami lub biskupami prowadzono właśnie poza murami, na świeżym powietrzu. Typowa pozostałość po zimnej wojnie. Każdy w Watykanie wiedział bowiem, że Karol Wojtyła, w czasach gdy był jeszcze biskupem w Krakowie, wszystkie ważne dyskusje prowadził właśnie poza czterema ścianami, które naszpikowane były urządzeniami podsłuchowymi. Polska bezpieka nawet niespecjalnie starała się ukryć wszystkie te pluskwy, jednak Karol Wojtyła, ku wściekłości funkcjonariuszy, potrafił zakpić z każdego podsłuchu. Żartował sobie z podsłuchujących, życzył im miłego słuchania, czasami wytykał, że powinni się wstydzić, innym razem chwalił to, co akurat dostał na kolację, i dodawał, że słyszą wprawdzie dźwięk talerzy, jednak nie mogą zobaczyć, co jada krakowski biskup. Wtedy też wprowadził nakaz, by ze względów bezpieczeństwa wszystkie ważne rozmowy prowadzić na wolnym powietrzu. Nie wiem oczywiście, czy włoskie tajne służby zainstalowały podsłuch w klasztorze – raczej nie, choć niczego nie można było wykluczyć. Przeszliśmy więc kawałek – tak jak za każdym razem nie mogłem się nadziwić, że w samym centrum miasta może istnieć taka oaza ciszy i czystego powietrza – kiedy wreszcie się odezwał.

– Cóż, nie masz już takiego nosa do tajnych spraw jak dawniej.

– Co masz na myśli?

– Spudłowałeś, totalnie spudłowałeś.

– To znaczy, że papież nie jest chory?

– Papież cieszy się doskonałym samopoczuciem, a twoje spekulacje na temat choroby okazały się po prostu wyssane z palca.

– Cóż, trzeba umieć też czasem przegrać. Ale co w takim razie z tym badaniem krwi? Nie chodzi o niego?

– Nie, nie chodzi o niego. Chodzi o cud.

– O cud? – zapytałem zaskoczony.

– Tak, o cud. To jest cud, ale ty masz trzymać język za zębami.

– Jaki cud?

– Nie mam pojęcia. Mój informator powiedział, że ten cud dosłownie zaszokował kierownictwo Watykanu. Jest przekonany, że nikt nie będzie o tym mówił otwarcie. Sam powiedział mi też tylko tyle, że chodzi o zupełnie niewiarygodną sprawę.

– Nic więcej nie wiedział?

– Powiedział coś jeszcze, ale to pewnie niespecjalnie cię zainteresuje. Otóż Watykan zastanawia się, czy ten cud nie zdarzył się za sprawą świętego Kwintyna, męczennika.

– Dlaczego?

– To oczywiste. Święty Kwintyn figuruje w kalendarzu pod datą 31 października, cud zdarzył się właśnie tego dnia, czyli trzynaście dni temu.

Pojechałem skuterem z powrotem do Watykanu. Wiedziałem, co muszę teraz zrobić, nawet jeśli nie miałem na to zbyt wielkich szans. Jeżeli w Watykanie uwierzono, że zdarzył się cud, i to teraz, a nie jakieś pięć wieków temu, to sprawą musiała się zająć Kongregacja Nauki Wiary. Najpierw musiała ją zbadać sekcja pierwsza, która miała za zadanie wykluczyć wszelkie próby oszustwa. Pracujący tu księża byli jednak zobligowani do zachowania bezwzględnego milczenia. Kiedy zajmowali się okolicznościami cudu, wszelkie próby pociągnięcia ich za język były z góry skazane na niepowodzenie.

Via della Conciliazione jest ulicą poprowadzoną na polecenie Mussoliniego i stanowi bezpośrednie połączenie między Tybrem a bazyliką watykańską. Z architektonicznego punktu widzenia jej budowa stanowi jedną z największych zbrodni w Rzymie, bowiem na jej potrzeby wyburzono całą dzielnicę. Genialny XVII-wieczny architekt włoski Gianlorenzo Bernini, twórca całego założenia placu św. Piotra, chciał, by zwiedzający, wychodząc z plątaniny wąskich uliczek wprost na plac, natychmiast dostrzegł kontrast, a przez to rozmach i przepych tego miejsca. Tymczasem tępak Mussolini, nie będąc w stanie dostrzec owych barokowych niuansów, kazał po prostu wszystko zburzyć, rujnując przy okazji cały efekt starań Berniniego. Na tejże ulicy można obecnie codziennie zobaczyć niebieskie auta floty watykańskiej, czyli swego rodzaju papieskie taksówki. Każdy prałat, biskup czy kardynał, a więc każda w miarę licząca się w Watykanie persona, może zamówić sobie taką niebieską limuzynę, forda lub mercedesa, by zawiozła go pod wskazany adres. A wszystko za grosze, bo papież te usługi sponsoruje. Na przykład podróż kosztująca na wolnym rynku sześćdziesiąt euro, kosztuje watykańskiego pasażera tylko piętnaście, co nie pokrywa nawet kosztów benzyny. Każdy mieszkaniec Rzymu zna te wozy oznaczone inicjałami SCV (Stato della Città del Vaticano – Państwo Watykańskie) i ich eleganckich kierowców, wyglądających na pierwszy rzut oka nadzwyczaj pobożnie.

W rzeczywistości chłopcy z floty są szeregowymi pracownikami, którym po prostu przypadł osobliwy los wożenia świątobliwych dygnitarzy z Watykanu. Nie wiodą przez cały dzień z tego tylko powodu nabożnych rozmów o Biblii ani nie odmawiają przez cały czas różańca. Wymieniają się między sobą tematami, na które rozmawiają wszyscy kierowcy. Jest na przykład taki olbrzymi biskup ze Stanów Zjednoczonych, który za każdym razem narzeka na brak miejsca, nawet wtedy, gdy siedzenie jest już przesunięte całkiem do tyłu. Albo ten wiecznie śpieszący się ksiądz, który zawsze pogania szoferów w obawie, że spóźni się na samolot. No i tacy, którzy tylko udają, że są gdzieś umówieni, a w rzeczywistości chcą tylko zafundować sobie przejażdżkę limuzyną. Kierowcy dobrze pamiętają też pewną cechę wieloletniego szefa Niemieckiej Konferencji Biskupów, kardynała Karla Lehmanna. Był on bowiem pasjonatem techniki i uwielbiał gawędzić z kierowcami na przykład o tym, jak funkcjonuje GPS. Natomiast szczerze nie znoszą przede wszystkim tych duchownych, którzy każą na siebie czekać godzinami. A przy tym niestety nader często się zdarza, że kierowcy czekają po prostu na próżno. Przyczyna jest zawsze taka sama – starsi księża zamawiają auto, każą zawieźć się na spotkanie i obiecują, że potrwa ono tylko parę minut. Jednak, jak to bywa, rozmowa toczy się gładko, szybko schodzi na wspomnienia z dawnych lat i nieżyjących papieży, tymczasem kierowca przed domem nerwowo zerka na zegarek. Nie może tak po prostu odjechać, a jednocześnie nie może skontaktować się z pasażerem, bo większość duchownych uparcie żywi niechęć do czegoś tak podejrzanie nowoczesnego jak telefon komórkowy.

Pojechałem na Via della Conciliazione, znalazłem miejsce w słońcu i postanowiłem po prostu czekać. Tego dnia i tak miałem wolne. Już po chwili na horyzoncie pojawił się pierwszy poirytowany kierowca w niebieskiej limuzynie. Usiłował nie dać po sobie poznać, jak bardzo jest wkurzony. Pewnie znów któryś ze starszych księży o nim zapomniał.

Podszedłem do niego, wymieniliśmy powitania. Watykan jest tak mały, że codziennie mija się tu tych samych ludzi, a po dwudziestu latach zna się prawie każdego.

– Masz ochotę na kawę?

Zatrzasnął z wściekłością drzwi samochodu i zablokował pilotem zamki.

– Pewnie znów potrwa to wieki.

Zamówiliśmy więc kawę i stanęliśmy przy barze. A on dał wreszcie upust swojej złości.

– Rozumiesz, to wielcy panowie, myślą, że wszystko im wolno. Nie mają do nas ani odrobiny szacunku. A gdybym nie daj Boże powiedział: „Eminencjo, chciałbym wiedzieć, kiedy skończę", albo chciałbym już pojechać do swojej rodziny, która na mnie czeka, to wyszedłbym na lenia. Ach, szkoda gadać.

– Chcę cię o coś zapytać – spróbowałem skierować rozmowę na inne tory.

– Jakoś mnie to nie dziwi – odparł.

W tamtym czasie watykańscy kierowcy stanowili niezwykle cenne źródło informacji, a kilka miesięcy wcześniej odegrali wręcz kluczową rolę w aferze związanej z rzekomo cudowną figurką Madonny płaczącej. Od 2 lutego do 15 marca 1995 roku w leżącym pod Rzymem miasteczku Civitavecchia owa gipsowa figurka Matki Boskiej miała jakoby ronić krwawe łzy. Gdyby duchowieństwo uznało to za zwykłe oszustwo, cała sprawa zakończyłaby się na kilku gniewnych pismach z Watykanu. Jeżeli jednak kardynałowie uznaliby to za cud, kazaliby się tam zawieźć – oczywiście watykańskimi limuzynami. Zatem tylko kierowcy wiedzieli, jak to wydarzenie oceniał Watykan, czy to tylko głupi żart, czy też chodzi o coś niezwykłego. Okazało się w końcu, że i jedno, i drugie. Kardynał Joseph Ratzinger uznał „cud" za bzdurę, i to do tego stopnia, że zabronił biskupowi Girolamo Grillemu, zwierzchnikowi tamtejszej diecezji, mówić o tym komukolwiek. Jednak bardzo bliski przyjaciel Jana Pawła II kardynał Andrzej Maria Deskur pojechał na miejsce watykańską limuzyną, by oddać hołd figurce. Tylko dzięki temu mogliśmy się dowiedzieć, że w Watykanie byli jednak zwolennicy teorii, że chodzi właśnie o cud.

Jeżeli więc i tym razem cud związany z badaniem krwi wydarzył się poza Rzymem, to było bardzo możliwe, że kierowcy watykańscy coś na ten temat wiedzieli.

– Czy w ostatnim czasie zamawiał limuzynę ktoś z Kongregacji Nauki Wiary?

Pokręcił głową i zaśmiał się.

– Znam całą masę ludzi, którzy tam pracują, ale oni jeżdżą motorowerami. A kardynała wozimy, i to rzadko, na lotnisko lub z lotniska.

– A nie zdarzały się jakieś dziwne kursy, no wiesz, jak do Civitavecchia?

– Do płaczącej Madonny?

– Właśnie.

– Nie, nie przypominam sobie nic takiego.

– Chodzi mi o konkretny okres w okolicach 31 października.

– Nic mi o tym nie wiadomo – odparł.

– A czy mógłbyś popytać o to wśród kolegów?

– OK – obiecał. – Mogę spróbować.

Teraz moja kolej. On zaproponuje swoją cenę, zawsze taką samą, wszyscy znajomi w Watykanie chcieli tego samego.

– Słuchaj, a czy i ja mogę liczyć na przysługę?

– Jaką?

– No wiesz, wybrałbym się na *Oktoberfest*.

– Ty też? Już pół Watykanu chce jechać.

– Może mógłbyś mi coś doradzić. Jak nie stracić tam całego majątku, czy są tam jakieś tanie noclegi, w jakim namiocie najlepiej usiąść? Rozumiesz, o co chodzi.

– Zapiszę ci wszystko na kartce – obiecałem. Robiłem to już niezliczoną ilość razy. A przy tym, choć sam jeszcze nigdy nie byłem na *Oktoberfest*, pomogłem tam pojechać chyba połowie pracowników Watykanu.

Parę dni później zostawiłem mu karteczkę ze wszystkimi pożytecznymi informacjami tuż przy wejściu do sali konferencyjnej, a on zadzwonił do mnie po kilku dniach z podziękowaniem. Miał przy tym jeszcze mnóstwo pytań, chciał też koniecznie wiedzieć, czy na *Oktoberfest* można dostać także małe piwo 0,1 litra – dla żony. Kiedy udzieliłem mu już wszystkich odpowiedzi, nadeszła wreszcie moja kolej.

– I co, zauważyliście coś nietypowego ze strony Kongregacji?

– Nie. Przykro mi. Zupełnie nic. Pytałem wszystkich. Nikt z Kongregacji Nauki Wiary nie zamawiał kursu w okolicach 31 października. Ale był za to jeden dziwny kurs do nich. Jeden kolega przypomniał sobie, że 1 listopada wiózł kogoś do Kongregacji, jakiegoś księdza z Azji czy Ameryki Północnej, który był mocno podekscytowany i całą drogę plótł coś o jakimś cudzie.

– O cudzie?

– Tylko że właściwie nie wysiadł przy siedzibie Kongregacji, bo nikogo tam już nie było. Pojechał więc z powrotem. To wszystko.

– Niewiele. Azjata albo Amerykanin, powiadasz?

– Kolega nie pamiętał dokładnie, w każdym razie mówił po angielsku.

– Azja i Ameryka Północna nie są małe, a księży mówiących po angielsku też nie brakuje... A który to kolega?

Podał mi nazwisko, które nic mi nie mówiło. Dopiero kiedy opisał mi go jako wysokiego i postawnego mężczyznę, skojarzyłem, o kogo chodzi. Mignął mi przed oczami kilka dni wcześniej przy Via della Conciliazione, widziałem go tam stojącego przy aucie – wydawał się mocno zniecierpliwiony, najwyraźniej i on na kogoś czekał.

Wkrótce już wiedziałem, że dobrze zapamiętał tamtego pasażera.

– To był niewysoki ksiądz, mocno podekscytowany, przez całą drogę próbował mi coś tłumaczyć, ale wiesz, ja nie znam angielskiego, zapamiętałem tylko, że wciąż powtarzał „mirekel".

Miał na myśli zapewne angielskie *miracle*.

– A nie zapamiętałeś jego nazwiska?

– Nie. Chociaż czekaj, chciał, żebym mu jeszcze coś wyjaśnił. Co to było...? A tak, chciał wiedzieć, jak dojedzie do Orvieto i nad Adriatyk. Pamiętam jeszcze, że pytałem, po co chce tam jechać. Powiedział, że popływać – zakończył ze śmiechem.

– Dziękuję!

Poszedłem do swojego skutera, a on pomachał mi na pożegnanie.

W centrum krwawych cudów

No i czego się dowiedziałem? Niczego. Watykan szepcze po kątach o cudzie, z którym wiąże się badanie krwi. Czas: 31 października 1995 roku. Dzień później jakiś rozemocjonowany ksiądz każe się wieźć do siedziby Kongregacji Nauki Wiary, ale nie wchodzi do środka. Za to pyta o drogę do Orvieto i nad Adriatyk. Po co? Czego tam szuka? Czy ten przybywający nie wiadomo skąd kapłan wiedział coś o cudzie, czy to z tego powodu udawał się do Kongregacji? Ale po co chciał potem jechać do Orvieto i nad morze?

Jeżeli szoferzy nie zapamiętali jego nazwiska, a nawet tego, skąd przyjechał, to moje poszukiwania nie rokowały najlepiej. Bowiem poza pogłoską, że 31 października 1995 roku zdarzyło się coś niezwykłego, co miało związek z badaniem krwi, nie wiedziałem nic więcej.

„Daj sobie spokój – myślałem. – Zapomnij o tym". Jednak szczęście nieoczekiwanie uśmiechnęło się do mnie.

Kilka dni później pojechałem do Orvieto obejrzeć wystawę w tamtejszym muzeum diecezjalnym. Znam mnóstwo katolików, nawet takich, którzy biorą sobie wolne w Boże Ciało, a nie wiedzą, że Orvieto, miasteczko w Umbrii, ma ogromne tradycje związane właśnie ze świętem Bożego Ciała. Jako dziecko chodziłem z matką tego dnia na procesję, a po procesji na cmentarz, gdzie zdobiliśmy grób moich dziadków. W ten to sposób Boże Ciało zaczęło mi się kojarzyć z przystrajaniem grobów, co miało jakoby sprawiać radość spoczywającym tam zmarłym. Kiedy podzieliłem się tą wizją z moją mamą, długo nie mogła przestać się śmiać. Ale i ona nie wiedziała, że to święto ma związek z cudownym miasteczkiem we Włoszech.

Każdy zwiedzający Włochy turysta powinien przynajmniej raz w życiu sprawić sobie zimą, kiedy ponad Tybrem unoszą się mgły, podróż z Bolseny w kierunku Orvieto. Zobaczy wtedy miasto jak gdyby unoszące się w chmurach. W dole ścieli się gęsta mgła, a wysoko w górze na skałach pobłyskują w słońcu złociste fasady olbrzymiej katedry i pałaców. Święto *Corpus Domini*, czyli Boże Ciało, ustanowił w sierpniu 1264 roku papież Urban IV, poruszony cudem nad jeziorem Bolsena. Właśnie w Orvieto znajdują się dowody owego cudu. Pewnego dnia pochodzący z Czech proboszcz kościoła w Bolsenie, który nazywał się ponoć Piotr z Pragi, sprawował mszę świętą. Ponieważ nie był do końca przekonany, że w Hostii istotnie obecny jest Chrystus, niebiosa zesłały mu cud i Hostia przemieniła się w ciało, którego krew spłynęła na obrus okrywający ołtarz. Teraz owo płótno ze śladami krwi jest przedmiotem kultu wystawionym we wspaniałej katedrze w Orvieto. Poza tym, jeśli ktoś chciałby się dowiedzieć, skąd Michał Anioł zaczerpnął pomysł swojego Sądu Ostatecznego w Kaplicy Sykstyńskiej, powinien zajrzeć do znajdującej się tutaj kaplicy Najświętszej Marii Panny z freskiem Luki Signorellego.

Usiadłem w katedrze, podziwiając malowidła, i nagle zauważyłem dalekiego znajomego, którego poznałem kiedyś w termach w Viterbo. Dawniej papieże jeździli do term karetą i wślizgiwali się do wody przez otwór w dnie kabiny, tak by nikt nie mógł ich zobaczyć w negliżu. Dziś termy stanowią atrakcję turystyczną i miejsce, gdzie można się wspaniale zrelaksować. Niczym foka leży się w wodzie na kamiennej leżance i gawędzi ze znajomymi. A jeśli ktoś ma ochotę popływać, wchodzi po prostu głębiej do basenu. Ów znajomy młody człowiek również mnie rozpoznał i usiedliśmy razem na słońcu przed świątynią.

Gadaliśmy przez chwilę o tym i owym, a potem przystąpiłem do sedna sprawy:

— Szukam tu kogoś, choć nie ma chyba najmniejszych szans, że go znajdę.

— W Orvieto? — zapytał zaskoczony. — Orvieto jest przecież zbyt małe, żeby dobrze się tu zaszyć. Kto to ma być?

— Pewien ksiądz, Amerykanin albo Azjata, miał przyjechać do Orvieto na początku listopada.

— I co tu robił?

— Nie mam pojęcia. Wydaje mi się, że doświadczył w Rzymie cudu.

— Cudu? Jakiego cudu?

– Nie wiem.

– No cóż, masz już jakiś ślad. Jeżeli to pobożny ksiądz i przybył do Orvieto 1 listopada, to z całą pewnością był w katedrze.

– Owszem, ale obawiam się, że oprócz niego były tu setki innych wiernych.

– I nie wiesz nawet, jak wygląda?

– Nie, tylko to, że twierdzi, iż przeżył cud.

– Cóż – powiedział. – Zapytam moją ciocię. Ona razem ze swoimi bogobojnymi koleżankami odmawia codziennie różaniec w katedrze. Może coś sobie przypomni.

Dwa dni później próbowałem w termach Viterbo wykurować się z lekkiego przeziębienia. Pławiłem się więc w gorącej wodzie, kiedy znów spostrzegłem mojego znajomego. Siedział spocony, a z wyrazu jego twarzy wywnioskowałem, że ma mi coś do powiedzenia.

– Znalazłem go!

– Kogo?

– Tego księdza, który miał być w Orvieto 1 listopada. Moja ciocia zapamiętała mężczyznę, który przyszedł wtedy do kościoła, modlił się razem z nimi i przez cały czas bredził, że doznał w Rzymie cudu.

– Ale co dokładnie mówił?

– Nie mam pojęcia. Moja ciocia zna tylko parę słów po angielsku. Zapamiętała jednak, że jedna z jej przyjaciółek próbowała mu gestami wyjaśnić, jak dostanie się nad Adriatyk, do Lanciano, naszego miasta partnerskiego. Bo on chciał się tam koniecznie wybrać.

W jednej chwili, choć siedziałem w gorącej wodzie, przeszedł mnie lodowaty dreszcz. „To on – pomyślałem. – To musi być on".

Poszukiwania

Kilka godzin po tym, jak w Watykanie zaczęto szeptać o badaniu krwi, które miało jakoby związek z cudem, pewien rozemocjonowany kapłan pojechał do Kongregacji Nauki Wiary, aby poinformować o cudownym wydarzeniu. Następnie udał się akurat do tych dwóch miejsc na świecie, które z perspektywy Kościoła katolickiego jak żadne inne wiążą się z krwią, czyli do Orvieto i Lanciano. To nie mógł być przypadek. W Orvieto czczony jest niepojęty cud znad jeziora Bolsena, gdzie krew z Hostii spłynęła na obrus leżący na ołtarzu. Z kolei w Lanciano znajduje się jeszcze bardziej niewiarygodna relikwia, Hostia z ludzkiego ciała i ludzkiej krwi. Dlaczego jednak ów zagadkowy człowiek, rzekomy świadek cudu, pojechał do Orvieto, a następnie do Lanciano? Czego tam szukał? Poza tym, że mówił po angielsku, nadal nic o nim nie wiedziałem.

Wziąłem dzień urlopu i pojechałem do Lanciano, położonego na wybrzeżu Adriatyku. Za każdym razem, kiedy jadę do tego sanktuarium, dziwi mnie, jak mało jest znane. W Lourdes pielgrzymi widzą jedynie grotę, w której ukazała się Matka Boska, w Fatimie zostały już tylko korzenie drzewa, na którym się objawiła. Natomiast w Lanciano można na własne oczy zobaczyć przedmiot, którego istnienie wydaje się tak niewiarygodne, że przez setki lat uchodził za prymitywne fałszerstwo. W ubiegłym stuleciu naukowcy podjęli próbę ostatecznego zdemaskowania obiektu, który od ponad tysiąca lat był przez Kościół uznawany za zwyczajną mistyfikację. Ale potem zdarzyło się coś, czego nikt się nie spodziewał – to nowoczesna nauka zgłosiła swoje zastrzeżenia wobec tezy, że chodzi o fałszerstwo.

Pewien mnich z Lanciano, żyjący w VII wieku, miał wątpliwości, czy Hostia rzeczywiście jest ciałem, a wino krwią Chrystusa. Podczas odprawianej przez niego mszy chleb i wino przemieniły się w ciało i krew. Mniej więcej od roku 1300 Hostia jest uznawana za relikwię. Jednak już nawet w średniowieczu niewielu pielgrzymów dawało wiarę tej historii. I podczas gdy leżące nieopodal Monte Sant'Angelo oraz znajdująca się tam grota, w której jakoby stoczył walkę z diabłem archanioł Michał, stało się, obok Rzymu czy Jerozolimy, jednym z ważniejszych miejsc kultu, Lanciano nie budziło żadnego zainteresowania. Jak widać, nawet prostolinijnym i naiwnym chrześcijanom w średniowieczu wizja naocznej przemiany chleba w prawdziwe ciało musiała się wydawać mało prawdopodobna. W latach siedemdziesiątych XX wieku i ponownie w roku 1981 kierownictwo diecezji w Lanciano zleciło ekspertyzę owej rzekomo przemienionej w ciało Hostii. Przechowujący ją franciszkanie wyrazili zgodę, a badanie zlecono lekarzowi medycyny sądowej, profesorowi Eduardowi Linoliemu. Doszedł on do zdumiewającego wniosku: „W roku 1300, dysponując ówczesnymi metodami badawczymi, nie było możliwe jednoznaczne uznanie tej relikwii za fałszerstwo. Jednakże to, z czym mamy tu do czynienia, fałszerstwem nie jest". Księża z Kurii nie posiadali się ze zdumienia. Spodziewano się bowiem, że chodzi tu o kawałek mięsa pochodzenia zwierzęcego, nasączonego średniowieczną miksturą konserwującą i następnie włożonego do relikwiarza. Naukowcy dowiedli jednak bezspornie, że jest to fragment ludzkiego mięśnia sercowego.

W porównaniu z takimi „megasanktuariami" jak Guadalupe w Meksyku czy Fatima kościół pod wezwaniem Świętego Franciszka w Lanciano wydaje się maleńki. Wzrok wchodzących przykuwa jednak natychmiast osobliwa dekoracja, przezroczysty czarny welon, pod którym ukryta jest cudowna Hostia. Usiadłem w jednej z ławek i popatrzyłem na ołtarz, gdzie przechowywana jest relikwia. Kim mógł być oszust, który sporządził tę niesamowitą rzecz? A może to jednak był cud? Badanie profesora Linoliego wykazało jednoznacznie, że choć wzmianki o relikwii pojawiły się już w roku 700, to z całą pewnością datę jej pochodzenia można określić na XIII wiek. Jednak w tamtym okresie przeprowadzanie sekcji zwłok było zabronione i karane śmiercią, a co za tym idzie, nie posiadano żadnego doświadczenia w preparowaniu ludzkich organów, nie dysponowano również żadnymi narzędziami, nadającymi się do przygotowania podobnego preparatu z ludzkiego mięśnia sercowego. Jak inaczej cieniusieńki plasterek ludzkiego serca trafił do relikwiarza?

Profesor Linoli skupił się na poszukiwaniu śladów fałszerstwa. Gdyby do puszki relikwiarza włożono świeży kawałek tkanki, już dawno obróciłaby się w proch. Istniała tylko jedna możliwość, aby temu zapobiec. Należało ją zakonserwować. W średniowieczu znano jedynie prościutkie techniki mumifikacji, dużo prymitywniejsze niż w starożytnym Egipcie. Aby uchronić ciało przed rozkładem, należało nasączyć je chemikaliami, które dałoby się wykryć także w dzisiejszych czasach. Jednakże w badanym fragmencie mięśnia sercowego nie było nawet śladu po konserwantach. Profesor Linoli nie znalazł w nim żadnych substancji chemicznych, w ogóle niczego, co stosowano przy mumifikacji. Dlaczego zatem tkanka nie uległa rozkładowi? Profesor stwierdził, że to niemożliwe. Irytowało go coś jeszcze – ów fragment ludzkiego serca musiał zostać pobrany od żywego człowieka. Nie znalazł bowiem żadnych śladów stężenia pośmiertnego.

Jak zatem, na długo przed wynalezieniem wszelkiej niezbędnej aparatury, a nade wszystko w czasach, w których nie było jeszcze żadnych doświadczeń związanych z przeprowadzaniem sekcji zwłok, XIII-wieczni oszuści byli w stanie spreparować tak cieniutki plasterek ludzkiego mięśnia sercowego? Istniały właściwie tylko dwa wyjaśnienia. Albo ów preparat sporządził jakiś geniusz przy użyciu zapomnianych, więc nieznanych już dzisiaj technik – albo był to cud.

Wcześniej czy później przedstawiciele każdej włoskiej diecezji składają wizytę w Rzymie, a wśród nich jest zawsze jej rzecznik. Kiedy stawia się mu pytania, na które chce odpowiedzieć, bywa nadzwyczaj usłużny, z reguły jednak kontakt z nim nie należy w praktyce do najłatwiejszych, bo zanim otworzy usta, musi najpierw zapytać o zgodę swojego biskupa albo kardynała. Ma on najczęściej paru asystentów, którym wolno mówić jeszcze mniej, a właściwie nic. Ich istnienie jest dla mnie i mojej pracy błogosławieństwem, ponieważ często są oni tak wkurzeni na swojego szefa, który wciąż knebluje im usta, że z największą ochotą paplają o wszystkim za jego plecami, o ile mają tylko pewność, że nikt ich na tym nie przyłapie. Jedna z takich znajomych asystentek pomogła mi właśnie w Lanciano. Nie miało sensu zwracanie się z oficjalnym pytaniem do władz diecezjalnych, bo też o co miałbym zapytać? O jakąś zjawę, człowieka, który w Rzymie mamrotał coś o cudzie akurat tego samego dnia, w którym cały Watykan szeptał o tym po kątach? Człowieka, który pojechał do miejsc w sposób cudowny związanych z krwią, do Orvieto i do Lanciano? Przecież równie dobrze mógł być zwyczajnym turystą.

Moja znajoma zabrała mnie do swojego biura w centrum Lanciano.

– Kiedy zadzwoniłeś z pytaniem, czy nie pamiętam może jakiegoś niezwykłego gościa z 2 listopada, od razu się domyśliłam, o kogo ci chodzi. Ten ksiądz jest chyba Amerykaninem. W każdym razie mówił tylko po angielsku, nie znał ani słowa po włosku. Pewnie zaraz bym o nim zapomniała, gdyby nie był taki podekscytowany. Pomyślałam nawet, że gotów jeszcze wyskoczyć przez okno.

– Dlaczego?

– Chciał obejrzeć naszą dokumentację, badania z 1981 roku. Czytał tę historię raz za razem, bo mamy też wersję angielską. I nagle znalazł coś w tym tekście.

– Co takiego?

– Chodziło o grupę krwi, bo zbadaliśmy oczywiście grupę krwi z Hostii. To rzadka grupa AB, co zupełnie wytrąciło go z równowagi. Ciągle powtarzał: „Tu też AB, AB". Myślałam, że się nigdy nie opamięta. A potem chciał mnie uścisnąć i powiedział: *The blood of God.*

– Krew Boga?

– Tak powiedział.

– A nie podał ci swojego nazwiska?

– Gdyby pytał o coś niezwykłego, oczywiście zapisalibyśmy jego dane, ale katolicki ksiądz, który chce obejrzeć dokumentację związaną z cudem, to przecież nic nadzwyczajnego. Wydaje mi się, że przedstawił się jako *father* Joseph, ale nie jestem pewna.

– A nie dał ci wizytówki?

– Nie, na koniec zamieniliśmy jeszcze parę słów tu, przy biurku. Zrobił sobie notatki – wskazała na leżącą na biurku podkładkę, obszerny arkusz z reklamą producenta artykułów biurowych. – To jego pismo.

Popatrzyłem na zabazgrany długopisem papier i z początku dostrzegłem tylko chaotyczne niebieskie kreski. Byłem już tak blisko tego człowieka, siedział dokładnie w tym miejscu, i to zaledwie cztery dni temu.

– Wygląda jak chiński. Jak chiński alfabet. Możesz mi urwać ten kawałek? – poprosiłem.

Jeszcze raz przyjrzałem się tej kartce. Musiał chyba w zamyśleniu coś rysować, pewnie to tylko chaotyczne bazgroły. Ale z drugiej strony może to jednak jakiś alfabet.

Ślad krwi

Wkrótce ustaliłem, kim był, choć niewiele mi to dało. Ruszył śladami cudu związanego z krwią i zdziwił się, że natknął się na dosyć rzadką grupę krwi AB. Ale co miał na myśli, mówiąc, że „tu też" się ona pojawia? A więc gdzie jeszcze?

Po powrocie do Rzymu nie pojechałem prosto do domu, lecz do pewnej chińskiej restauracji, w której od czasu do czasu bywałem. Właścicielem był bardzo sympatyczny pan. Usiadłem, zamówiłem piwo i pokazałem mu kartkę.

– Czy to chiński? – zapytałem.

– Nie mam pojęcia – odpowiedział. – Ja jestem Wietnamczykiem. Ale wydaje mi się, że to po chińsku. Proszę poczekać.

Z kuchni wyszedł jakiś bardzo szczupły mężczyzna w białym fartuchu. Pokazałem mu kartkę.

– Potrafi pan odczytać te znaki? Czy to po chińsku?

– Nie znam chińskiego – powiedział. – Jestem Koreańczykiem, a to jest napisane po koreańsku.

– I co tu jest napisane? – zapytałem.

– Papież. Po prostu: papież.

Koreańczyk. W Rzymie wychwalał cud, jakiego rzekomo sam doświadczył, pojechał do Orvieto i Lanciano,

105

by na własne oczy zobaczyć dowody cudów związanych z krwią, a następnie w zamyśleniu nabazgrał na papierze słowo „papież". Dlaczego? Co papież miał z tym wspólnego? Jeszcze tego samego wieczoru sprawdziłem aktualne informacje na temat Korei Południowej. Karol Wojtyła odwiedził ten kraj w roku 1984 i 1989; czy zanosiło się teraz na kolejną pielgrzymkę do Seulu? W informacjach ambasady koreańskiej przy Stolicy Apostolskiej nie znalazłem na ten temat żadnej wzmianki. Byłem jednak pewien, że coś jest na rzeczy.

Zatelefonowałem do znajomego z wikariatu generalnego na Lateranie, choć jak zwykle nie spodziewałem się szczególnej pomocy. Okazało się jednak, że tym razem było warto.

Odebrał natychmiast. Wiele można by zarzucać tamtejszym duchownym, ale nie to, że nie są pilni.

– *Ciao*, co słychać? – zagadnąłem.

– Fatalnie – odpowiedział. – Czego szukasz u pasjonistów? Cokolwiek masz w planie, lepiej sobie odpuść!

Wiedziałem, że w Watykanie wieści szybko się rozchodzą, ale nie spodziewałem się, że aż tak. Nie miałem pojęcia, co na to powiedzieć, a więc rzuciłem tylko na wabia:

– Interesuje mnie krew, a konkretnie, jak wszystkich w Watykanie, grupa krwi AB.

– Nie wiem, o czym mówisz, i daj mi już spokój.

– Korea – powiedziałem w nadziei, że coś mi jednak odpowie. I nie myliłem się.

– Posłuchaj uważnie – prychnął do słuchawki. – Tej mszy u papieża nigdy nie było, ani dla ciebie, ani dla mnie. Po prostu. Ona nigdy nie miała miejsca. – I trzasnął słuchawką.

Teraz wiedziałem, czego szukać. Sprawdziłem spisy grup, które były zaproszone na prywatną mszę u papieża – i bingo! Goście z Korei Południowej uczestniczyli we mszy papieskiej 31 października 1995 roku, a więc w dniu, w którym podobno zdarzył się cud.

Moje późniejsze rozmowy ze wspólnotą koreańską w Rzymie polegały w zasadzie na tym, że to oni chcieli się dowiedzieć, ile ja wiem. Oczywiście nie przyznałem się, że wiem tyle co nic, jednak ich niepokój wzbudził już sam fakt, że wiem o księdzu, który odwiedził Orvieto i Lanciano.

Jednak jeden z przedstawicieli rzymskich Koreańczyków zgodził się na spotkanie. Aż do tego dnia nie wiedziałem, że istnieją w Rzymie tak ekskluzywne restauracje z azjatycką kuchnią. Wszystkie znane mi dotychczas były raczej tanie, a menu niezbyt wyszukane. Natomiast Koreańczycy zaprosili mnie do znajdującej się w najelegantszej części Rzymu przy Via Veneto bajońsko drogiej restauracji z kuchnią koreańsko-chińską. W menu widniały dania, o których nigdy dotąd nie słyszałem. Zazwyczaj zamawiałem sajgonki i kurczaka w sosie słodko-kwaśnym, tymczasem tutaj spotkałem się z czymś zupełnie innym. Po raz pierwszy skosztowałem świeżej ryby przyrządzonej tak, jak to robią Koreańczycy. Wreszcie po wymianie niezliczonych uprzejmości przeszli do rzeczy. Chcieli wiedzieć, ile ja wiem, a ja obawiałem się, że jest tylko kwestią czasu, kiedy wyjdzie na jaw, że nie mam bladego pojęcia o tym, co naprawdę się wydarzyło. Dlatego postanowiłem postawić wszystko na jedną kartę. Patrzyli na mnie pytającym wzrokiem, oczy sześciu osób, kobiet i mężczyzn, zdawały się skrupulatnie rejestrować każdy mój gest.

– Wiem, że chodzi o grupę krwi AB, taką jaką stwierdzono w Lanciano.

Teraz spojrzeli na mnie z przerażeniem, jednak wzrok starszego pana, który osobiście zaprosił mnie na to spotkanie, wyrażał zaciekawienie.

– Ojciec Święty nie chce, żeby o tym rozmawiać. Wiem o tym od dawna – kontynuowałem.

– To dlaczego nie zostawi pan tego tematu w spokoju?

– To oczywiste. Kiedyś przyjdzie taki dzień, kiedy będzie można o tym otwarcie mówić, ale gdybym dopiero wtedy zaczął szukać kontaktu z państwem, mogłoby się okazać, że nie mieszkają już państwo w Rzymie, tylko w Korei albo jeszcze gdzie indziej. Za to teraz są państwo tutaj i mogę was o to zapytać. Jednocześnie daję państwu moje słowo, że nie będę o tym pisał, dopóki papież żyje. Taką umowę zawarłem z jego sekretarzem.

– A więc były podobne przypadki?

Potwierdziłem skinieniem głowy.

– Tak, jest mnóstwo ludzi, którzy uważają, że w obecności papieża dzieją się cuda, ale nie mogę więcej powiedzieć na ten temat. Wiem, że państwo także byli świadkami cudu lub też oszustwa.

Tym razem spojrzeli na mnie oburzeni.

– To na pewno nie było oszustwo. Papież ich pobłogosławił.

– Kogo? – zapytałem. – Kogo pobłogosławił?

Starszy pan skinął w stronę młodej Koreanki. Było jasne, że w ten sposób pozwolił jej mówić.

– Uczestniczyliśmy w kameralnej mszy u papieża Jana Pawła II. Był na niej sekretarz generalny Koreańskiej Konferencji Biskupów Dionysio Paik i *monsignore* Thun. Wśród wiernych była także pani Julia Kim z mężem i dziećmi. Kiedy Ojciec Święty udzielał jej komunii...

Zerknęła niespokojnie w bok.

– Kiedy udzielał jej komunii, Hostia w jej ustach przemieniła się w ciało.

Próbowałem nie dać po sobie poznać, co pomyślałem w tym momencie: „Czy wyście wszyscy poszaleli?".

– Chce pani powiedzieć, że w ustach tej kobiety Hostia zamieniła się w kawałek mięsa? – upewniłem się.

– Owszem. Mamy zeznanie naocznego świadka, *monsignore* Thuna, który wszystko widział i poświadcza, że Hostia na języku Julii Kim przemieniła się w cienki, krwawiący kawałek ciała w kształcie serca – potwierdził starszy mężczyzna.

„Dlaczego papież ich nie wyrzucił?", zastanawiałem się w myślach. Ludziom mniej od Karola Wojtyły uduchowionym jest prawdopodobnie obojętne, kiedy ktoś natrząsa się z sakramentów Kościoła katolickiego. Jednak kiedy ktoś mieszał z błotem Najświętszy Sakrament, papież bywał naprawdę bardzo rozgniewany, o czym mogłem się już nie raz przekonać. Nawet księża, których pobożność nie ulegała najmniejszej wątpliwości, nie kryli swojego podziwu dla szacunku, z jakim Wojtyła przygotowywał się zawsze do Eucharystii. Modlił się intensywnie zarówno przed mszą, jak i po niej. Papież takiego formatu musiałby więc być do głębi wstrząśnięty, gdyby w jego własnej kaplicy próbowano na siłę ulepszać sakrament. Najwyraźniej ta kobieta tuż przed komunią wsunęła sobie do ust i ukryła pod językiem przygotowany wcześniej kawałeczek mięsa, tak by wyglądało, że Hostia przemieniła się w ciało. Nędzne i cyniczne oszustwo w obecności papieża. Z pewnością musiał ich wszystkich wyrzucić.

– A co zrobił papież, kiedy zobaczył mięso w ustach tej kobiety? – zapytałem.

– Papież przyglądał się ze zdumieniem temu, co się stało. Podszedł do Julii Kim, przyjrzał się krwi w jej ustach i pobłogosławił ją. Mamy to na zdjęciach, może je pan od nas dostać.

Niepojęte. Papież naprawdę uwierzył, że to cud – co potwierdziło moje późniejsze dochodzenie w Watykanie. Ten człowiek mówił zatem prawdę. Jan Paweł II uwierzył, że cud w postaci naocznej przemiany Hostii w ciało i krew naprawdę miał miejsce.

– A dlaczego wasz koreański ksiądz pojechał potem do Orvieto i Lanciano? Czego tam szukał?

– Grupy krwi. Krew z ust pani Kim oddaliśmy do zbadania. Ona sama ma grupę krwi B, natomiast krew w jej ustach miała grupę AB, tę samą, jaką stwierdzono w Hostii w Lanciano, tę samą, którą znaleziono w Orvieto i tę samą, jaką odkryto na całunie turyńskim. Jeżeli więc żadna z tych relikwii nie jest fałszerstwem, to wynika z tego, że Bóg miał rzadką grupę krwi AB.

Czy ten wielki papież nie dostrzegał tu znamion żadnego oszustwa? A może dał się po prostu przekonać księżom przeświadczonym o prawdziwości tego niesamowitego cudu? A może – o czym wolę nawet nie myśleć – to istotnie był cud? Przecież świadkowie tego zdarzenia, katoliccy kapłani *monsignore* Thun i *monsignore* Paik, wciąż trwają przy swoim zdaniu, że w ich przekonaniu nie chodzi tu o mistyfikację. A Julię Kim czci się odtąd w sanktuarium Naju jako mistyczkę. Pozostają zatem tylko dwie możliwości. Albo ta kobieta jest cyniczną oszustką, a papież został 31 października 1995 roku w bezwstydny sposób oszukany, wyprowadzony w pole, albo wydarzyło się coś, co zaistniało w obecności papieża i czemu dał on wiarę – cud. Przecież gdyby doszedł do wniosku, że Julia Kim jest oszustką, z całą pewnością nie dopuściłby do tego, by powstało w Korei Południowej zaaprobowane przez Kościół katolicki związane z nią sanktuarium. Przecież jeszcze jako kardynał odwiedził 3 listopada 1974 roku sanktuarium w Lanciano, gdzie pokłonił się przed tamtejszą cudowną Hostią.

A więc czy papież dał się wtedy podejść? Czy nie zorientował się, że padł ofiarą oszustwa? Czy pobłogosławił Julię Kim tylko dlatego, że nie zauważył, iż krwawiący kawałeczek mięsa w jej ustach znalazł się tam podstępem? Być może tak właśnie było. Jednak czy tego chcę, czy nie, muszę też wziąć pod uwagę i drugą możliwość: że papież naprawdę uwierzył w ten cud. Nie ulega bowiem najmniejszej wątpliwości, że sam bezwarunkowo wierzył w uzdrawiającą moc poświęconej Hostii. Już raz doznał przecież dramatycznego cudu związanego z Hostią i jest to bodaj jedyna historia, którą opowiedział dyskretny ksiądz Dziwisz.

Twoja wiara cię ocali

Kiedy wszedłem tam po raz pierwszy, nie mogłem się nadziwić, jak maleńkie wobec ogromu Pałacu Apostolskiego jest biuro papieskich sekretarzy. To tu kilka lat później miało miejsce jedno z najboleśniejszych, a zarazem najpiękniejszych wydarzeń w moim życiu. Nie wiem, jak wiele takich niezapomnianych dni jest w stanie spamiętać jeden człowiek. Dzień, w którym po raz pierwszy wziąłem na ręce mojego synka, dzień, w którym oświadczyłem się mojej przyszłej żonie. Właśnie do takich przeżyć zaliczam również ów dzień w biurze sekretarzy. Siedziałem tam i nie miałem oczywiście pojęcia, że papież umrze trzy dni później. Ksiądz Stanisław Dziwisz dał mi pożegnalny prezent, fotografię mojej rodziny w towarzystwie Karola Wojtyły (fot. 17). Potem opowiedział mi tamtą historię.

Pamiętam ów dzień, choć nawet w najmniejszym stopniu nie pojmowałem, co się naprawdę stało. Do rezydencji papieskiej w Castel Gandolfo wtoczyła się karetka, a do mnie zadzwonił jeden z zaprzyjaźnionych fotografów.

– Zaczyna się – krzyknął do słuchawki. – Sprowadzili karetkę. Pojechał do Castel Gandolfo.

– Na litość Boską – odpowiedziałem tylko. – Jadę, dzięki, że do mnie zadzwoniłeś. Czy karetka jest już na miejscu?

– Tak, już od dłuższego czasu.

„O co tu chodzi?", przemknęło mi przez głowę. Sprowadzają karetkę, ale zamiast odwieźć papieża pędem do szpitala, każą jej po prostu stać na miejscu. O co chodzi? Poza tym byłoby dużo prościej przysłać w razie potrzeby helikopter.

Nie rozumiałem oczywiście, co naprawdę się dzieje. Kiedyś do księdza Dziwisza zgłosił się śmiertelnie chory człowiek z Nowego Jorku. To był bardzo zamożny Żyd. Napisał, że ma w życiu jeszcze tylko dwa życzenia: spotkać się z papieżem, a potem umrzeć w Jerozolimie.

Papież zaprosił go do siebie, nie pomimo że był Żydem, ale właśnie dlatego. Jestem tego pewien. Wszak wygłoszone zostały słowa historycznej prośby o przebaczenie za wszystkie przewinienia chrześcijan, które Karol Wojtyła skierował do Żydów w roku 2000 w Yad Vashem i przy Ścianie Płaczu w Jerozolimie. Tą prośbą o przebaczenie, zapewnieniem, że już nigdy chrześcijanie nie skrzywdzą Żydów, papież uzdrowił także moje katolickie serce. Jeżeli kiedykolwiek jakiś ważny człowiek uczynił coś w moim imieniu, to był to właśnie Jan Paweł II stojący przy jerozolimskiej Ścianie Płaczu. Ówczesny wiceminister spraw zagranicznych Izraela rabin Melchior powiedział do mnie wtedy:

– Teraz, po dwóch tysiącleciach, nareszcie wszystko będzie dobrze, a katolicy i Żydzi będą mogli wspólnie spojrzeć w przyszłość.

A przecież to my, Niemcy – a nie Polacy, rodacy Karola Wojtyły – popełniliśmy najgorszą zbrodnię w historii ludzkości. Stojąc tamtego dnia przy Ścianie Płaczu obok Karola Wojtyły, miałem poczucie, że mimo wszystko na tym świecie zwycięża jednak dobro.

Fakt, że Karol Wojtyła chciał przyjąć śmiertelnie chorego Żyda, był zatem jak najbardziej prawdopodobny. Ksiądz Dziwisz opowiadał później, co się wtedy wydarzyło. Kiedy ów człowiek przybył do Castel Gandolfo, niesiony na noszach, papież zaprosił go na mszę, więc chorego zaniesiono do prywatnej kaplicy. Żyd wziął udział we mszy, a kiedy nastąpił moment komunii, papież zwrócił się z Hostią ku choremu nowojorczykowi i ten ją przyjął. Po zakończeniu nabożeństwa ksiądz Stanisław podszedł do mężczyzny i zganił go za to. Bowiem jako nieochrzczony powinien był odmówić przyjęcia komunii świętej. Myślę jednak, że nie potraktował on swojej nagany poważnie.

Ksiądz Stanisław kontynuował:

– Po mszy miliarder w towarzystwie swego lekarza odleciał do Jerozolimy, żeby tam umrzeć. Ale parę miesięcy później znów się u mnie pojawił. Po jego nieuleczalnej, śmiertelnej chorobie nie było ani śladu.

Ksiądz Dziwisz poinformował więc papieża o przypadku wyzdrowienia po przyjęciu komunii świętej, na co Wojtyła powiedział tylko, że zawsze się raduje, widząc, jak wielkich rzeczy potrafi dokonać Bóg, i że jest niezmiernie wdzięczny owemu starszemu bratu w wierze, temu Żydowi.

Gołąb z Zacatecas

MEXICO CITY, 22 STYCZNIA 1999 ROKU, PIĄTEK. Wiedziałem od razu, że popełniłem błąd, wielki błąd. Dwaj nadgorliwi księża, którzy jeszcze przed chwilą zasypywali mnie gradem słów, zamilkli i popatrzyli na mnie z przerażeniem. W biurze zajmującym się akredytacjami dla dziennikarzy zapanowała nagle zupełna cisza. Nie miałem pojęcia, co w wyrażonym przeze mnie życzeniu mogło tak przestraszyć tych dwóch duchownych, że patrzyli teraz na mnie jak na upiora. Powtórzyłem więc to, co przed chwilą powiedziałem:

– Poprosiłem tylko o pomoc w załatwieniu biletu lotniczego do Zacatecas.

Nic nie odpowiedzieli i nadal patrzyli na mnie w milczeniu. Nigdy w życiu nie spotkałem księży podobnych do nich. Wszyscy byli tak samo perfekcyjnie ostrzyżeni, przedziałek jak od linijki. Czarne sutanny uszyte na miarę, i to u drogiego krawca. Musieli chyba należeć do jakiejś organizacji albo do jakiegoś nowego zakonu. Nie miałem jednak wtedy pojęcia, o jaki zakon może chodzić. Przyjęli mnie z niemal przesadną wylewnością. Traktowali po królewsku i w kółko powtarzali, jak to mi zazdroszczą, że przebywam w Rzymie tak blisko Ojca Świętego. Wolałem więc zachować dla siebie, że mam czasami serdecznie dosyć tego nieustannego biegania za Ojcem Świętym. Po sprawdzeniu mojej wizy uprawniającej do wjazdu do Meksyku, wręczyli mi wszystkie idealnie ułożone papiery. Dokumenty leżały poskładane jedne na drugich tak równiutko, jak gdyby ktoś zrobił to przy użyciu ekierki i poziomnicy, a na koniec jeszcze przyprasował. Oświadczyli mi przy tym, że chcieliby być mi pomocni na każdym kroku w Mexico City. Bez względu na to, kiedy i dokąd się udam, którą z papieskich ceremonii wybiorę, są gotowi pomagać mi przez całą dobę, wystarczy, że powiem, czego mi trzeba. Bardzo mnie cieszyło, że wreszcie jestem w katolickim kraju. Bywałem już bowiem u boku papieża w państwach, gdzie obecność Ojca Świętego na nikim nie robiła najmniejszego wrażenia i nikomu nie przychodziło nawet do głowy, by oferować mi choćby najdrobniejszą pomoc. Tymczasem tu miałem do dyspozycji nie tylko własnego kierowcę, ale nawet księdza służącego mi osobiście radą i pomocą – raj na ziemi. Dostałem nawet zapewnienie, że sprawdzili mój pokój hotelowy, czy niczego w nim nie brakuje. A potem ja zadałem im to pytanie, które podziałało na nich tak piorunująco i na które w dalszym ciągu nie otrzymałem odpowiedzi: „Czy moglibyście mi pomóc szybko polecieć do Zacatecas i z powrotem?". W dalszym ciągu spoglądali na mnie bez słowa, w biurze panowała nieznośna cisza. W końcu jeden ze starannie ostrzyżonych księży, obdarzywszy mnie niespodziewanie uśmiechem, powiedział:

– Ależ *señor*, w Zacatecas nie ma lotniska.

– Dziękuję – odparłem pośpiesznie i wyszedłem.

Wyszedłem z biura akredytacji i pojechałem typowym dla Meksyku garbusem, zwanym tutaj „*vocho*", z powrotem do leżącej w centrum miasta dzielnicy Zona Rosa, gdzie znajdował się mój hotel. Czyżby moi przyjaciele byli tak głupi i przeoczyli fakt, że nie jestem w stanie polecieć do Zacatecas? Byłem zły, że dałem się tak wypuścić. Poszedłem na górę do pokoju i spróbowałem zebrać myśli. Jutro, w sobotę 23 stycznia, papież odprawia mszę w sanktuarium Matki Boskiej z Guadalupe. Nie mogę się urwać. W niedzielę celebruje z kolei mszę dla tłumów wiernych na torze wyścigowym Hermanos Rodriguez w stolicy Meksyku. Tam również nie może mnie zabraknąć. Za to mogę sobie podarować spotkanie „Generacje Meksyku" w poniedziałek, 25 stycznia. Tym bardziej że do St. Louis w USA jedziemy dopiero we wtorek. „A więc to musi być poniedziałek", myślałem i zakreśliłem ten dzień w moim kalendarzu. „Tylko poniedziałek". Ale jeżeli w Zacatecas nie ma lotniska, to jak inaczej mam się dostać tak daleko? W mojej walizce leżał dobrze ukryty gruby zwitek banknotów dolarowych, który miałem dostarczyć do Zacatecas. Tak obiecałem. „Na co mi to było?", zakończyłem rozmyślania.

Dziś już często nie pamiętamy, jak to było w czasach sprzed bezprzewodowego internetu. Siedząc wtedy w pokoju, usiłowałem połączyć się z siecią, jednak numer telefonu, za pośrednictwem którego chciałem dokonać połączenia, był albo ciągle zajęty, albo wcale nie odpowiadał. Odszukałem więc starą książkę telefoniczną i łamanym hiszpańskim próbowałem dowiedzieć się w biurze podróży, jak mógłbym w poniedziałek dostać się jak najszybciej z Mexico City do Zacatecas. Może jeżdżą tam pociągi pośpieszne, może dałoby się wynająć samochód? Młoda dama w słuchawce zareagowała zdziwieniem.

– A dlaczego nie chce pan lecieć samolotem? Będzie pan na miejscu w godzinę i dwadzieścia minut.

– Ale w Zacatecas nie ma przecież lotniska – odpowiedziałem zdumiony.

Zaśmiała się.

– Ależ to jest miejsce odwiedzane przez wielu turystów. Oczywiście, że jest tam lotnisko, La Calera Airport, wielkie lotnisko. Bilet lotniczy dostanie pan w każdym biurze podróży.

„Okłamali mnie – pomyślałem. – Dlaczego, u licha, mnie okłamali?". Ci dwaj katoliccy duchowni, którzy prześcigali się w uprzejmościach, najwyraźniej wprowadzili mnie w błąd. Ale dlaczego nie miałbym polecieć do Zacatecas? Czy ktoś mnie zdradził? Poczułem zimny dreszcz na plecach. Nie miałem pojęcia, czy wwożąc do Meksyku tak dużą sumę dolarów, nie złamałem przypadkiem jakichś przepisów o ruchu dewizowym, nie mogłem jednak tego wykluczyć. Czyżby ktoś z Rzymu mnie wsypał?

Stanąłem przy oknie i popatrzyłem na miasto spowite gigantyczną chmurą smogu i z całej siły próbowałem odegnać od siebie myśl o papierosie. Po co mi to było? To wszystko przez ojca E., młodego pucołowatego Kubańczyka, który wprawdzie ważył może odrobinę za dużo, za to potrafił śmiać się bardzo serdecznie. Przypominał grubego kocura. Widząc go w sportowych spodenkach i w tiszercie, nikt nie pomyślałby nawet, że ma przed sobą duchownego – nawet kubańska policja. Kiedy leciałem z Janem Pawłem II na Kubę, skontaktowali się ze mną w Rzymie jego współbracia i poprosili, żebym zabrał z sobą niewielką paczkę. Nie miałem powodów do podejrzeń. Udam się w Hawanie po prostu pod klasztorną furtę, gdzie oddam paczuszkę, i po sprawie. Nie spodziewałem się jednak, że ten klasztor okaże się nielegalny i w ogóle nie będzie przypominał klasztoru, podobnie jak nie spodziewałem się spotkać kogoś takiego jak ojciec E. Uparł się, żeby pokazać mi, na co potrzebne były te pieniądze i lekarstwa. Zobaczyłem, jak w jakimś brudnym i zdewastowanym pomieszczeniu lekarze rozcinają brzuch mężczyźnie, wetknąwszy mu wcześniej w zęby kawałek drewna. Dopiero po chwili dotarło do mnie, że operują bez znieczulenia dlatego, że po prostu nie mają odpowiednich medykamentów.

– Ci, którzy tu przychodzą, są na bakier z reżimem. Wielu z nich to katolicy, którzy dopuścili się ciężkich „przestępstw", obchodząc na przykład Boże Narodzenie, co rzekomo zakłóca pracę przy ścinaniu trzciny cukrowej. W państwowych szpitalach nie ma dla nich miejsca, a my pomagamy, jak potrafimy – opowiadał.

Widziałem człowieka z mocno krwawiącą raną pooperacyjną. Został opatrzony tymi samymi bandażami, które chwilę wcześniej zdjęto, żeby je przepłukać. Nie było mowy o sterylności, a w grę wchodziło ryzyko ciężkiego zakażenia.

Te dni na Kubie stały się dla mnie wielką nauką. Wszystko, co słyszałem wcześniej o teologii wyzwolenia, tu zobaczyłem w praktyce. Ojciec E. został moim przyjacielem, przyjacielem, który uwielbiał napychać się dostępnymi tu na każdym kroku bananowymi chipsami i nie przepadał za rumem, którego i tak nigdzie nie można było dostać. Po powrocie do Rzymu zdałem oczywiście relację z pobytu w klasztorze i opowiedziałem o codziennych zmaganiach ojca E. Potem, w dniu, w którym ogłoszono komunikat o pielgrzymce papieża Jana Pawła II do Meksyku, zadzwonił mój telefon.

– Andreas – usłyszałem w słuchawce głos zakonnika – czy możesz przewieźć coś dla nas do Meksyku? Nasz człowiek zabierze to potem na Kubę. Ty podróżujesz przecież z papieżem, więc nic ci nie grozi.

– A co to ma być?

– Jak zawsze leki i pieniądze.

Zgodziłem się, choć nie bardzo wiedziałem, o co w tym wszystkim chodzi.

– Ale dlaczego nie przekażecie pieniędzy bezpośrednio waszym braciom na Kubie?

Zakonnik wybuchnął gromkim śmiechem.

– Czy ty wiesz, co by się stało, gdybyśmy te pieniądze przesłali bezpośrednio na Kubę? Najpewniej ślad by po nich zaginął, a człowiek, który miałby je podjąć, trafiłby do więzienia. W najlepszym razie nasi bracia dostaliby jakieś dziesięć procent tego, co uciułaliśmy tu z takim mozołem.

– No to przelejcie je do Meksyku.

– To dość skomplikowane, zrób nam więc przysługę i osobiście je im dostarcz.

– Ale dlaczego muszę w tym celu jechać aż do Zacatecas?

– Bo tam jest nasz zaufany człowiek. Opłacimy ci przelot z Mexico City, polecisz, oddasz paczkę i wrócisz.

– A dlaczego nie mogę jej po prostu zostawić w stolicy, żeby on ją później odebrał?

– To zakonnik, nie może poruszać się tak swobodnie jak ty.

– A gdybym zostawił paczkę po prostu w recepcji mojego hotelu?

– Wolałbym, żebyś tego nie robił. No, zgódź się, zrób to dla nas.

No i zgodziłem się, jak idiota. Powinienem był postawić na swoim i wymóc na nich, żeby ich człowiek przyjechał po paczkę do Mexico City.

W Rzymie był już wieczór. Mimo to zaryzykowałem i zatelefonowałem do klasztoru.

– Nie uda mi się dostać do Zacatecas. Powiedzcie mi, gdzie mogę zostawić pieniądze w Mexico City.

– Nie damy rady tak szybko tego zorganizować. Musisz polecieć do Zacatecas – błagał mnie zakonnik po drugiej stronie oceanu.

Cholera. Zaordynowałem sobie małą whisky w nadziei, że uchroni mnie przed żołądkową rewolucją, której w Meksyku rzadko dawało się uniknąć.

Co wydarzyło się w Zacatecas?

Sobotni poranek 23 stycznia 1999 roku był bardzo mroźny. Nigdy bym się nie spodziewał, że w Meksyku może być aż tak zimno, w końcu to miasto leży na tej samej szerokości geograficznej co środkowa Sahara, czyli we względnie ciepłej strefie. Skąd zatem ten mróz? Na miejsce, gdzie miała się odbyć msza święta, czyli do bazyliki Dziewicy z Guadalupe w Mexico City, dowieziono nas jak zwykle na długo przed czasem. Przed bazyliką wierni koczowali przez całą noc i służby medyczne miały teraz pełne ręce roboty z powodu licznych odmrożeń. Ten dzień źle się zaczął. Czekając na rozpoczęcie mszy, usiadłem obok kolegi. Po chwili zapytałem go, czy nie wie, gdzie jeszcze dzisiaj mógłbym kupić bilet lotniczy:

– Biuro podróży w hotelu jest nieczynne, jutro niedziela i wszystko będzie pozamykane.

– A po co ci bilet lotniczy? Wolisz kąpiele w Acapulco niż modły w stolicy? – zaśmiał się. Potem wskazał mi meksykańskiego księdza siedzącego parę metrów dalej. – Ten ksiądz jest stąd, pracuje tu w jakiejś rozgłośni radiowej, na pewno będzie wiedział, jak ci pomóc.

Wstałem więc i podszedłem do niego. Miał na sobie wysłużoną, lekko poplamioną sutannę, mocno opinającą się na pulchnym ciele. Przydałaby mu się jakaś dieta.

– Muszę koniecznie znaleźć jakieś biuro podróży. Nie wie ksiądz, czy gdzieś w pobliżu jest może coś w rodzaju centrum handlowego?

– A gdzie się pan wybiera?

– Do Zacatecas, w poniedziałek.

Popatrzył na mnie, jak gdybym powiedział coś strasznego. Ale jego przerażenie podziałało na mnie uspokajająco. Nie było bowiem możliwe, żeby każdy kapłan w Meksyku wiedział, co trzymam w walizce. Oznaczało to także, że ci dwaj pobożni miglance w centrum akredytacyjnym zareagowali tak dziwnie nie dlatego, że ktoś mnie sypnął, lecz z zupełnie innego powodu. Najwyraźniej coś było nie tak z tym Zacatecas.

– Wiem – odezwałem się. – Już koledzy księdza z komitetu powitalnego dali mi do zrozumienia, że powinienem to miasto omijać szerokim łukiem. Ale co się tam dzieje? Jakaś epidemia?

– Panowie z komitetu powitalnego z całą pewnością nie są moimi przyjaciółmi. To członkowie Legionu Chrystusa, ruchu religijnego w Meksyku. Bez nich nie może się odbyć żadne istotne wydarzenie w życiu tutejszego Kościoła. Są bardzo wpływowi, nawet w Rzymie. Ale na pewno nie są to moi przyjaciele.

– Wygląda na to, że niezbyt ksiądz za nimi przepada.

– Ten ruch ma tu u nas jeszcze jedno określenie. Zamiast legionistami Chrystusa nazywamy ich kapitalistami Chrystusa, bo wszyscy jego członkowie pochodzą z bardzo zamożnych rodzin, chodzą zawsze nienagannie ubrani i są potwornie konserwatywni. Jednak cokolwiek byśmy o nich myśleli, to Rzym i papież darzą ich sympatią. To oni zajmują się organizacją wizyty papieskiej w Meksyku.

Oczywiście nie miałem wówczas zielonego pojęcia, jak istotne staną się kiedyś słowa tego księdza. Okaże się bowiem, że założyciel tego zgromadzenia, ksiądz Marcial Maciel Degollado, nie tylko dopuszczał się molestowania seminarzystów i obcowania z wieloma kobietami, z którymi spłodził liczne potomstwo, ale napastował seksualnie nawet własne dzieci. I to jemu oraz jego stowarzyszeniu Watykan powierzył organizację papieskiej pielgrzymki. Fakt ten jakieś dziesięć lat później przysporzy Watykanowi mnóstwo kłopotów, bo niejeden postawi pytanie, czy naprawdę nikt nie miał pojęcia o seksualnych nadużyciach zwierzchnika Legionu Chrystusa.

Pamiętam jeszcze, że zapytałem wówczas mojego rozmówcę:

– A co ksiądz ma im do zarzucenia?

Na co odpowiedział:

– Są nadzwyczaj pobożni. Za to brudną robotę, jeżeli mogę tak powiedzieć, to znaczy opiekę duszpasterską nad głodującymi, biedakami czy narkomanami, mają gdzieś.

– Rozumiem.

– Z drugiej strony organizują teraz wizytę papieża i choć za nimi nie przepadam, uważam za słuszne, że takim osobom jak pan nie pozwalają pojechać do Zacatecas. Dobrze wiedzą, czego pan tam szuka.

– Bardzo w to wątpię.

Roześmiał się.

– Mogę się założyć, że wybiera się pan w tak długą podróż tylko z jednego powodu.

– To znaczy?

– Niech pan sobie ze mnie nie kpi – powiedział. – Z powodu cudu, a jakże.

– Jakiego cudu?

– Niech pan już nie udaje! Proszę sobie odpuścić. Bóg zdziałał tam być może wielkie rzeczy, ale nie po to, żeby tacy jak pan trąbili o tym na całym świecie.

– Co takiego zdziałał Bóg?

– Mam nadzieję, że naprawdę pan nie wie.

I odwrócił się do mnie plecami, a ja uznałem, że będzie lepiej, jeśli się oddalę. Cud? Jaki cud? I dlaczego, do diabła, nikt nie chce o tym mówić? Właściwie jeżeli zdarzył się tu cud, powinno im przecież ulżyć.

Idąc wzdłuż rzędów krzeseł, spostrzegłem rzecznika diecezji Mexico City i postanowiłem postawić wszystko na jedną kartę.

– Czy w dalszym ciągu źle widziane są rozmowy o tym, co wydarzyło się w Zacatecas?

Uśmiechnął się.

– Ależ skąd przyszło to panu do głowy? Nie mamy nic do ukrycia i może pan pisać, co tylko zechce.

– Także o Zacatecas?

– Oczywiście.

– Także o cudzie?

Spojrzał na mnie zaskoczony.

– O jakim cudzie? Nic nie wiem o żadnym cudzie.

„OK – pomyślałem. – To nie ma sensu".

– Proszę mi powiedzieć – zapytałem – czy mógłbym porozmawiać z księżmi wydalonymi z Kościoła za to, że się ożenili albo w jakiś inny sposób złamali śluby?

Popatrzył na mnie z bolesnym wyrazem twarzy.

– Chyba nie myśli pan poważnie, że skontaktuję pana z tymi osobami, o ile w ogóle są jeszcze w Meksyku.

Wyszedłem z katedry i udałem się do namiotu prasowego ustawionego nieopodal. Organizatorzy z Legionu Chrystusa naprawdę stanęli na wysokości zadania. Znajdowały się tu dziesiątki stanowisk pracy wyposażone w komputery, jednak połączenia internetowe działały kiepsko. Nie sposób tak pracować. Ponownie zdałem się na nieocenioną książkę telefoniczną. Zadzwoniłem, gdzie tylko się dało, próbowałem dotrzeć do miejsc zamieszkania wydalonych księży – poprzez Caritas, przez żeńskie i męskie zakony w Mexico City, przez wszelkie działające tu organizacje katolickie. Po godzinie udało mi się zdobyć numer stowarzyszenia duchownych, którzy zostali ekskomunikowani i prawie wszyscy byli żonaci. Ku mojemu zaskoczeniu ktoś stamtąd odebrał telefon. Kiedy powiedziałem, że przyjechałem tu razem z orszakiem papieskim, sądził z początku, że coś kręcę. Ale udało mi się go przekonać.

– Czego właściwie chce się pan ode mnie dowiedzieć? – zapytał.

– Jak tutejszy Kościół traktuje księży, którzy chcą zawrzeć małżeństwo.

Milczał przez chwilę, potem zapytał:

– Gdzie pan jest?

– Przy katedrze, w namiocie dla prasy.

– Jestem niedaleko. Zaraz tam podejdę – powiedział.

Wszedłem do katedry, spojrzałem w stronę papieża, po czym zawróciłem do centrum prasowego, żeby czekać na mojego rozmówcę.

Okazał się szczupłym mieszańcem o miedzianej karnacji. Jego pociągła twarz przywodziła na myśl wychudzonego konia cierpiącego na kolkę. Robił dość nieszczęśliwe wrażenie.

Kiedy usiedliśmy w kącie, spróbowałem skupić się na jego opowieści. Przekazał mi wszystko to, o czym już wcześniej słyszałem w dramatycznych, a zarazem przygnębiających relacjach. Dziwne, że księża opuszczający łono Kościoła rzadko kiedy umieją pogodzić się ze swoim losem. Winą za swą decyzję obarczają potem często swoje żony czy partnerki. Nie spotkałem dotąd nigdy byłego kapłana, który długo cieszył się szczęściem w małżeństwie. Mój meksykański rozmówca także mnie zapewniał, że kochał Kościół, ale opowiedział również, jak źle potraktował go biskup. Dodał przy tym, że uważa celibat za zbędny, a wszyscy księża są albo gejami, albo bardzo się w celibacie męczą. Nie brzmiało to jednak zbyt przekonująco. Sam zresztą nie tryskał radością. Na koniec odważyłem się zapytać go o to, o co naprawdę mi chodziło.

– Interesują mnie szczególnie zakazy meksykańskiego Kościoła.

– Ach, nawet pan nie wie, ile ich jest.

I zaczął wyliczać rzekome szykany biskupa z niekończącej się listy. Wreszcie zebrałem się na odwagę i zapytałem:

– Mam na myśli szczególnie owo złe potraktowanie proboszcza w Zacatecas.

Popatrzył na mnie zdziwiony.

– W Zacatecas? W którym kościele? Możliwe, ale nie pamiętam.

– To dla mnie bardzo ważne.

Sięgnął po jeden z telefonów stojących na stole i wybrał numer.

– Mam przyjaciela, też księdza, który się ożenił. On notuje wszystko, co dotyczy szykan ze strony meksykańskiego Kościoła. Ale nie wiem, czy będzie coś miał na temat Zacatecas.

Po paru minutach rozmowy prowadzonej po hiszpańsku w tempie karabinu maszynowego, z której nie zrozumiałem ani słowa, odłożył słuchawkę.

– Nie, nic nie ma. Nikt z naszego stowarzyszenia nie mieszka w Zacatecas.

– I żadnych zakazów?

– Żadnych. W ogóle znalazł tylko jedną notatkę dotyczącą Zacatecas.

– Co w niej było?

– Klasyczny kaganiec. Tamtejszy ksiądz ma trzymać język za zębami i nie mówić nikomu o tym, co stało się 12 maja 1990 roku.

– A co się wtedy stało?

– Nie wiedział. Ja też nie wiem. Nie mam pojęcia.

Kiedy obiecałem mojemu rozmówcy, że na pewno napiszę o losie żonatych księży, i podziękowałem mu za rozmowę, oddalił się. Ja tymczasem miałem wreszcie jakiś punkt zaczepienia. Co takiego wydarzyło się w tym meksykańskim mieście 12 maja 1990 roku? Co tego dnia nabrało takiego znaczenia, że polecono księżom zachować milczenie?

Internet w centrum prasowym padł kompletnie, więc jak od dziesiątków lat wszyscy dziennikarze dyktowali swoje teksty przez telefon. Były jeszcze wtedy sekretarki umiejące utrwalić dyktowane teksty. W głębi namiotu prasowego siedział pewien młody ksiądz spoglądający z rozpaczą na monitor komputera. Najwyraźniej miał za zadanie zapewnić centrum opiekę informatyczną i to, że system padł, uznał, jak się zdaje, za swoją osobistą porażkę. Kiedy do niego podszedłem, przyjął z ulgą, że nie mam zamiaru złożyć żadnej skargi, lecz szukam biura podróży.

– Potrzebuje pan biletu lotniczego do Zacatecas na poniedziałek? Mamy teraz sobotę po południu i wszystko jest już pozamykane. – Zapisał mi na kartce adres. – Tu niedaleko znajduje się duże centrum handlowe. Są tam też biura podróży, na pewno jeszcze otwarte.

Ruszyłem więc do centrum Mexico City, siedząc w „*vocho*" i słuchając przy okazji opowieści taksówkarza o tym, jak to już nieraz, stojąc na czerwonym świetle, bywał okradany, czując przystawiony do głowy naładowany pistolet. Udało mi się w końcu znaleźć czynne biuro podróży, a w nim bardzo kompetentną i urodziwą Meksykankę, która w mig rozwiązała mój problem. Gdy drukowała mi rezerwację, próbowałem zebrać myśli. Osobliwi legioniści Chrystusa z jakichś tajemniczych powodów nie chcieli dopuścić, bym poleciał do Zacatecas. Potem ten trochę zaniedbany ksiądz powiedział coś o cudzie, a przy tym zasugerował mi, że tropię ślady tego cudu. W końcu dowiedziałem się, że 12 maja 1990 roku wydarzyło się coś niezwykłego. Ale co? Może tego dnia któryś proboszcz z Zacatecas po prostu prysnął ze swoją gosposią, a Kościół zabronił rozmawiać na ten temat? Przecież domniemany cud wcale nie musi mieć związku z tą datą. Musiałem więc zastanowić się, czego właściwie mam szukać w Zacatecas. Przecież nie mogłem biegać po całym mieście, rozpytując o cud. Ale jak właściwie szuka się jego śladów? Od czego należy zacząć? Pozostawało mi jedynie zaapelować do sumienia tamtejszych zakonników, na których przychylność mogłem liczyć, dostarczając paczkę z Rzymu. Musiałem ich przekonać, by ignorując nakaz milczenia, zdradzili mi, co takiego wydarzyło się 12 maja 1990 roku, lub też powiedzieli, czy słyszeli kiedykolwiek o czymś nadzwyczajnym w swojej miejscowości. Musiał przecież istnieć jakiś ważki powód, dla którego legioniści Chrystusa nie chcieli dopuścić do mojej podróży do Zacatecas.

Po powrocie do hotelu jeszcze raz przestudiowałem program wizyty. Wyglądało na to, że będę miał dość czasu, by wziąć udział w niedzielnej mszy świętej odprawianej przez papieża, zostać jeszcze na miejscu, kiedy będzie odmawiał *Anioł Pański*, a następnie udać się na lotnisko i wrócić w poniedziałek. W pokoju hotelowym znalazłem folder informacyjny o Meksyku, gdzie widniały także zdjęcia Zacatecas. Miasto prezentowało się na nich przepięknie i nie mogłem się już doczekać, żeby się przekonać, jaką tajemnicę w sobie kryje.

Kiedy próbowałem ponownie połączyć się z internetem, zadzwonił telefon. Któryś z zakonników z Rzymu oznajmił mi z ulgą w głosie, że nie muszę już lecieć do Zacatecas.

– Znaleźliśmy współpracownika, dziś wieczorem wpadnie do ciebie do hotelu. To on dostarczy paczkę. Nazywa się ojciec Vincente.

– OK – odpowiedziałem. Chwilę później odwołałem rezerwację biletu. A więc nigdy się nie dowiem, co wydarzyło się w Zacatecas i dlaczego meksykańskim hierarchom tak zależało na tym, abym nigdy tam nie dotarł. „W porządku – myślałem – daj sobie spokój, to już pozostanie tajemnicą".

Zszedłem na dół do kierowcy, który miał mnie zawieźć na spotkanie papieża z przedstawicielami meksykańskich parafii. Ponieważ zamierzał jeszcze umyć auto, ruszyłem spacerkiem wzdłuż ulicy. Witryny sklepowe pełne były pamiątek z papieskiej pielgrzymki. Podobizna Jana Pawła II zdobiła opakowania z chipsami i długopisy we wszelkiej możliwej formie. Znalazłem nawet gumę do żucia z wizerunkiem papieża. Przyglądając się nieprzebranym dewocjonaliom, kalendarzom i albumom dokumentującym papieskie pielgrzymki do Meksyku, uświadomiłem sobie nagle, co takiego mogło się wydarzyć 12 maja 1990 roku w Zacatecas – wiedziałem już też, co muszę zrobić. Poprosiłem kierowcę, żeby podwiózł mnie do centrum prasowego. Teraz należało już tylko czekać.

Po powrocie ze spotkania z papieżem dziennikarze pracujący w jego bezpośrednim otoczeniu prezentowali się w sposób daleki od elegancji czy nabożności. Fotografowie i reporterzy pracujący blisko papieża znajdują się zawsze w najbardziej niebezpiecznej strefie. Muszą się trzymać jak najbliżej, ale to oznacza, że są najbliżej pałek policjantów usiłujących chronić papieża przed nadgorliwymi fanami. A oni bywają po wielekroć groźniejsi od policjantów. Nie cofną się bowiem przed niczym i gotowi są zrobić wszystko, żeby przedostać się do swojego idola, co z reguły kończy się tak, że zamiast dotknąć papieskiej szaty, szarpią i obrywają kieszenie kurtek reporterów. Kiedy więc dziennikarska świta wraca ze spotkania, za każdym razem przypomina to przemarsz weteranów wojennych. Odrapane i posiniaczone twarze i ręce, czasem jakieś podbite oko i za każdym razem dokumentnie wymięte garnitury. I tym razem nie było inaczej. Ze współczuciem patrzyłem więc teraz na mojego przyjaciela, fotografa Artura Mariego, który mógł się poszczycić pracą dla sześciu kolejnych papieży. Musiał zostać poturbowany, bo rozcierał obolałe ramiona. Zdawał się w ten sposób potwierdzać stereotypowy wizerunek meksykańskiej policji, która nie przebiera w środkach.

– Arturo! – zawołałem w jego stronę.

Odwrócił się.

– Andreas? Gdzie się podziewałeś?

– Darowałem sobie dzisiejsze spotkanie.

– Szczęściarz z ciebie. Meksykanie dali mi dzisiaj niezły wycisk.

– Pamiętasz może dzień 12 maja 1990 roku? Tego dnia papież był też w Meksyku, w Zacatecas.

Jego twarz, która do tego momentu wyglądała na dosyć znudzoną, teraz bardzo się ożywiła.

– Chodź – powiedział i weszliśmy do namiotu dla prasy. Zapalił papierosa. – On nie chce, żeby o tym mówić.

– Ale co tam się stało?

– Cud, wydarzył się cud. Nie ma wątpliwości, że tamtego dnia papież z Bożą pomocą uczynił cud. Ale nie możesz o tym pisnąć ani słowa.

– Widziałeś to?

Roześmiał się.

– Ja to nawet sfotografowałem. Pstryknąłem moment cudu.

W naszym kierunku zmierzali dwaj przedstawiciele Legionu Chrystusa, rozpoznałem wśród nich również jednego z tych dwóch, którzy chcieli przeszkodzić w moim wyjeździe do Zacatecas.

Arturo powiedział:

– Muszę już iść. Pogadamy o tym w Rzymie. Opowiem ci, co tam się wydarzyło, ale teraz błagam cię, trzymaj język za zębami.

Poszedł, żeby zmienić garnitur, który jeszcze tego samego dnia, po kolejnym spotkaniu z papieżem, będzie prezentował się równie żałośnie co poprzedni.

Odprowadziłem go wzrokiem. Cóż, dziś mam wolne, ale jutro i ja, jak Arturo, wyruszę na wojnę. Tymczasem podszedł do mnie elegancki legionista.

– Czy w dalszym ciągu chce pan pojechać do Zacatecas? – zapytał.

– Nie, nie podoba mi się tamtejsze lotnisko.

Wahał się przez chwilę, po czym dodał:

– Chciałbym pana przeprosić.

– Nie ma sprawy.

– Nie powinienem był pana okłamywać, w Zacatecas oczywiście jest lotnisko.

– Wiem o tym, ale to już bez znaczenia. Wtedy był tam na miejscu Arturo Mari. A on ma do mnie wystarczająco duże zaufanie, żeby nie ukrywać, co się tam stało.

– Od razu zauważyłem, że się przyjaźnicie.

– Od dawna towarzyszymy razem Karolowi Wojtyle w pielgrzymkach.

– My chcemy tylko, żeby nikt nie węszył w tej sprawie.

– Nie miałem takiego zamiaru, ale teraz to już nie ma znaczenia.

Duchowny spojrzał na mnie z zadumą.

– Arturo Mari był przy tym obecny. Wiem o tym. To on zrobił to zdjęcie z gołębiem.

„Z jakim gołębiem?", spytałem w duchu, ale na głos powiedziałem tylko:

– Tak, mówił mi o tym.

– Ale tu, w Meksyku, także są świadkowie tamtego wydarzenia.

– Ach tak?

– Chciałbym coś dla pana zrobić – powiedział legionista. – Powiedzmy, w ramach zadośćuczynienia. Jeżeli da mi pan słowo, że nie napisze pan o tym za życia Karola Wojtyły, skontaktuję pana z jednym z meksykańskich świadków. Wydaje mi się, że widział on coś, co umknęło Arturowi Mariemu.

– Ma pan moje słowo.

Wyjął z kurtki elegancki, drogi ołówek i zapisał nim potrzebne dane.

– On jest teraz tutaj w mieście proboszczem, oto jego adres. Proszę mu powiedzieć, że przysyła pana Pedro od legionistów Chrystusa, organizatorów papieskiej pielgrzymki.

Podziękowałem i ruszyłem w poszukiwaniu taksówki.

Papież szuka dziecka

Kościół *don* Pabla wyglądał zupełnie inaczej, niż go sobie wyobrażałem. Kiedy wysiadłem z „*vocho*", w pierwszej chwili pomyślałem nawet, że pomyliłem adresy. Moim oczom ukazało się bowiem coś w rodzaju garażu z niewykończoną ścianą z cegły. Gdzieś tam na niej umieszczony był krzyż. Do kościoła prowadziły metalowe wrota, przypominające raczej zamknięcie obory. Całość, choć wciąż w budowie, nadawała się tylko do rozbiórki. Natomiast wnętrze lśniło schludnością, betonowa posadzka była zamieciona, ławki stały równiutko w rzędzie, a kościelny przygotowywał właśnie ołtarz do mszy świętej. W bocznej kaplicy, przed obrazem Matki Boskiej z Guadalupe, klęczał ksiądz. Usiadłem więc w jednej z ławek, czekając. Kiedy skończył się modlić, wstał, a wtedy podszedłem do niego i zapytałem cicho:

– *Don* Pablo?

Kiwnął głową. Powiedziałem, kto mnie przysłał. Ksiądz był niewysokim, brzuchatym jegomościem o purpurowej twarzy i małych, chytrych oczkach. Kołysząc głową na boki, powiedział:

– Nawet jeżeli przysłał tu pana *don* Pedro, nie mogę niestety nic powiedzieć. Rozumie pan, Watykan nie chce, żeby o tym rozpowiadać.

– Tak, tak, rozumiem, *don* Pedro uważał tylko, że powinienem usłyszeć od księdza, co ksiądz widział. Ale mogę też porozmawiać z moim przyjacielem Arturem Marim, który również mi o tym opowie.

– A tak, Arturo. On też tam był. Proszę go ode mnie pozdrowić, on może panu oczywiście dokładnie opowiedzieć o tym, co wtedy sfotografował. Za to ja mogę powiedzieć o tym, co czułem, jednak musi mi pan obiecać...

– Tak, tak, oczywiście nikomu ani słowa. Wiem i nie napiszę też o tym ani słowa, dopóki papież żyje.

Usiadł w ławce, a ja przysiadłem się obok.

– Czy wie pan, co tego dnia było niesamowite?

– Ma pan na myśli dzień 12 maja 1990 roku?

– Tak, oczywiście, dzień wizyty papieża w Zacatecas. Kiedy wysiadał z samolotu, pierwszą myślą, jaka przyszła mi do głowy, było: „Czego on szuka?". Zszedł po trapie, a nieprzebrane tłumy wiwatowały na jego cześć. On pozdrawiał i błogosławił ludzi dookoła, ale ja miałem wrażenie, że szuka w tym tłumie czegoś konkretnego. Wszyscy czekający na niego, biskup, księża, nie interesowali go tak naprawdę, był oczywiście miły, witał się z każdym, nie przybył tu jednak z ich powodu. Czułem to bardzo wyraźnie. Wciąż się rozglądał, a ja przez cały czas zastanawiałem się, o co mu właściwie chodzi. Przecież wszyscy tu są, pielgrzymi, duchowni, politycy. Czego on wypatruje? Byłem tuż przy nim. Robił to, czego od niego oczekiwano, zatrzymywał się przy ważnych osobistościach czekających na niego na lotnisku, wciąż jednak spoglądał ponad ich głowami. Odniosłem wrażenie, że jest tu z kimś umówiony, że gdzieś w tłumie czeka jakiś dawny przyjaciel albo ksiądz czy towarzysz podróży, i to jego papież wypatruje. Cokolwiek to jednak było, nie udało mu się tego odnaleźć. Zaczęła się już ceremonia powitania, gdy Jan Paweł II nagle ruszył pomiędzy ludzi, jak gdyby ciągnięty jakąś niewidzialną liną. Policjanci byli wściekli, bo on ruszył tak po prostu przed siebie. W dalszym ciągu przeczesywał tłum wzrokiem, jak gdyby czuł, że jest tam ktoś, kto na niego czeka, jednak nie wiedział dokładnie, kto to taki. Wiem, że to wszystko brzmi niedorzecznie, ale proszę mi wierzyć, tam, w jego pobliżu, działo się coś szczególnego, czego nie umiem wyjaśnić.

– Rozumiem – odparłem.

– Nie zdradziłem do tej pory nikomu, co czułem tego dnia w Zacatecas. Jak gdyby jakiś głos mówił mu: „Idź, musisz odszukać to dziecko!". Pan pewnie dobrze zna takie sytuacje. Napierały na niego tysiące ludzi chcących go dotknąć i tylko dzięki najsilniejszym funkcjonariuszom udało się zdobyć trochę miejsca przy barierce, żeby Jan Paweł II mógł iść dalej. Ale on szukał dziecka. Tyle że ono było już w takim stanie, że matka, która trzymała je na rękach, nie odważyła się na to, by bez skrupułów przedzierać się przez tłum. Stała więc z dala od papieża. Zapewniam pana, nie widziałem ani matki, ani dziecka, tylko nieprzebrane ludzkie masy. Jednak Karol Wojtyła po prostu wchodził w nie coraz głębiej, uważnie się rozglądając, i naraz je zobaczył. Pośrodku tłumu, przyciśnięta do oddalonej barierki, stała kobieta z dzieckiem na ręku. Bez chwili wahania papież pośpieszył w stronę dziecka. Później dowiedzieliśmy się, że chłopiec nazywał się Heron Badillo, był nieuleczalnie chory na białaczkę, a lekarze dawali mu już tylko kilka tygodni życia. Papież pobłogosławił go, pogłaskał i ucałował jego łysą główkę. Ktoś stojący obok trzymał w dłoniach gołębia. Papież gestem starał się powiedzieć dziecku: „Nie lękaj się, choroba odleci jak ten gołąb". I ten gołąb rzeczywiście wzleciał ku niebu. Ojciec Święty przytulił chłopca, wydawał się przy tym wyciszony i radosny. Jak gdyby zrobił właśnie coś, co po prostu do niego należało.

– I co ksiądz sądzi? Czy to był cud?

– No cóż, Kościół podchodzi z rezerwą do cudów dokonanych przez kogoś jeszcze za życia. Dobrze pan o tym wie. Wierzy pan w cuda?

– Nie, właściwie nie. Skąd przyjechała tamta kobieta?

– Z Rio Grande.

– Czy to daleko?

– Około godziny, dwóch od Zacatecas.

– To dla mnie za daleko. Nie uda mi się zapytać ani tej kobiety, ani dziecka, co tam wtedy naprawdę się stało – stwierdziłem. Ale los chciał inaczej.

Dziękuję za drugie życie

WATYKAN, STYCZEŃ 2004 ROKU. Dostałem cynk od mojej meksykańskiej koleżanki – zadzwoniła do mnie któregoś dnia.

– On tutaj jest!

– Kto? Kto jest tutaj?

– To ty nic nie wiesz? Od paru dni nie mówi się o niczym innym, tylko o tym, czy on naprawdę przyjedzie. Heron Badillo.

Nazwisko zabrzmiało mi znajomo, jednak z początku nie skojarzyłem.

– Heron jak?

– Nie pamiętasz? Ten nieuleczalnie chory chłopczyk z Meksyku.

Teraz załapałem.

– Zostanie przyjęty na audiencji generalnej, a potem jego rodzice spotkają się z kardynałem Javierem Lozano Barragánem.

– Już tam jadę – powiedziałem.

I pojechałem w ten mroźny, słoneczny dzień do sali audiencyjnej, gdzie rzeczywiście była cała rodzina z Rio Grande. Ci, których sprawa tak długo nie dawała mi spokoju, Maria i Felipe Badillo, a między nimi dorosły już młody człowiek, Heron, który cierpiał niegdyś na śmiertelną chorobę. Na ich widok moje serce zabiło żywiej, nareszcie będę mógł ich zapytać, co naprawdę się wtedy wydarzyło. Kiedy się spotkaliśmy, matka Herona opowiedziała mi tę historię:

– Heron miał wtedy cztery lata, był zwyczajnym dzieckiem, lubił się bawić, ale niespodziewanie zaczął chudnąć, wypadały mu włosy i nie miał już ochoty na zabawę. Poszłam więc z nim do lekarza. Wyniki były przerażające. Powiedzieli mi, że ma raka krwi, białaczkę. I że nie ma szans na wyleczenie. W tamtym czasie nie znano jeszcze tych wszystkich metod, które stosowane są dzisiaj. Leczyli go chemią. Nie mogłam na to patrzeć. Coraz bardziej tracił na wadze, był jak gasnąca świeca. Któregoś dnia, kiedy skończył już pięć lat, powiedział do mnie: „Mamo, słyszałem w telewizji, że do Zacatecas przyjeżdża papież. Proszę cię, zawieź mnie tam". Znajomy załatwił nam wejściówki, żebyśmy mogli pojechać do Zacatecas i stanąć na lotnisku przy trasie przejazdu papieża. Wstaliśmy o świcie, zaczęłam go ubierać, ale on powiedział: „Załóż mi coś innego. Przecież zobaczę się dzisiaj z papieżem". Kiedy dotarliśmy do Zacatecas, na miejscu były już tłumy. Heron był bardzo słaby, nie byliśmy w stanie przedrzeć się do przodu. Utknęliśmy w tłumie, daleko od miejsca, w którym papież miał wysiadać z samolotu. A potem stało się coś niewiarygodnego, papież najwyraźniej nas szukał.

Z wrażenia zaparło mi dech w piersi. Jak opisywał to tamten meksykański ksiądz, co tak go wtedy zdumiało? „Przez cały czas przeczesywał tłum wzrokiem, jak gdyby dobrze wiedział, kogo szukać". Kobieta kontynuowała swoją opowieść:

– Stałam z Heronem, a papież przeszedł przez plac i skierował się prosto do nas, jak gdyby wiedział, że na niego czekamy. Nic nie powiedział. Spojrzałam mu w oczy i poczułam, że dobrze rozumie mój matczyny ból. Pogłaskał Herona z nadzwyczajną wręcz delikatnością, potem ucałował jego główkę. W tej samej chwili do góry wzleciał gołąb, a ja pomyślałam, że teraz już wszystko będzie dobrze. Papież poszedł dalej, a ja poczułam, jak szczęśliwy jest teraz Heron. Kiedy wróciliśmy do domu, mój synek powiedział: „Jestem głodny". Po raz pierwszy od bardzo długiego czasu chciał coś zjeść. To był kurczak.

Kiedy mi o tym opowiadała, nie mogła powstrzymać łez, tak samo jak wtedy, gdy tuż po audiencji generalnej zaprowadzono ją do Jana Pawła II.

– Co powiedział pan papieżowi? – zapytałem Herona po skończonej audiencji.

– Dziękuję! Dziękuję za drugie życie.

Sam papież tylko raz rozmawiał o tym przypadku. Powiedział wówczas do kardynała Barragána:

– Jak cudowne rzeczy potrafi zdziałać Bóg.

Walka Karola Wojtyły

TORUŃ, 7 CZERWCA 1999 ROKU, PONIEDZIAŁEK. Choć do dziś mam przed oczami wydarzenia tamtego dnia, nie potrafię uwierzyć, że naprawdę miały miejsce. Nasz helikopter wylądował w Toruniu. Podczas swojej osiemdziesiątej siódmej pielgrzymki papież harował jak wół. Wstał o piątej rano, o ósmej odprawił nabożeństwo w sanktuarium w Licheniu, potem poleciał do Bydgoszczy, gdzie celebrował kolejną mszę, a po obiedzie przybył do Torunia. Tam czekał na niego pewien trzydziestodziewięciolatek, który zrobił niezwykłą karierę. Ów młody kapłan o przerzedzonej już nieco blond czuprynie, Sławomir Oder, otrzymał bowiem zadanie, które do tej pory przypadało zazwyczaj jedynie starszym duchownym. Został postulatorem w procesie beatyfikacyjnym. Jego wybór podyktowany był tym, że człowiek, którego zamierzano ogłosić błogosławionym, umarł w młodym wieku. Ksiądz Stefan Wincenty Frelichowski miał w chwili śmierci zaledwie 32 lata. Ten syn piekarza przyjął święcenia kapłańskie w 1937 roku. Jego nazwisko znalazło się na liście śmierci gestapo. Padł ofiarą gestapowskiej strategii zniszczenia polskiego Kościoła katolickiego. Frelichowski niedługo po zajęciu Polski przez Niemcy został aresztowany – 11 września – potem zwolniony i powtórnie aresztowany 18 października 1939 roku. Od tego momentu aż do chwili śmierci przeszedł prawdziwe piekło. Po krótkim pobycie w toruńskim Forcie VII trafił początkowo do obozu Stutthof, potem Grenzdorf, następnie do Sachsenhausen i w końcu do Dachau. Kiedy w obozie wybuchła epidemia tyfusu, młody kapłan pomagał chorym, jak tylko potrafił, aż sam zachorował. Do zakończenia wojny i wyzwolenia obozu w Dachau przez wojska amerykańskie 29 kwietnia 1945 roku pozostało zaledwie parę miesięcy. Nie udało się, ksiądz Frelichowski zmarł 23 lutego 1945 roku. Sławomir Oder prześledził jego biografię z nadzwyczajną skrupulatnością, a na końcu orzekł, że kandydat, czyli ksiądz Wincenty Frelichowski, jest godny, by ogłosić go błogosławionym oraz patronem katolickich harcerzy. Oder nie tylko wyglądał młodo, był postawny, ale sprawiał też wrażenie wysportowanego. Ogromny kontrast w porównaniu z tymi wszystkimi pulchnymi księżulami otaczającymi Wojtyłę. Gdyby nie był tak chudy, można by było nawet uznać go za przystojnego mężczyznę. Miał zawsze czujny wzrok i był bardzo poruszony, kiedy przedstawiono go Janowi Pawłowi II. Nie od dziś bowiem, szczególnie dla polskich księży, Wojtyła był wyjątkowym, świetlanym bohaterem, człowiekiem, który już za życia przeszedł do historii, człowiekiem-legendą, pierwszym słowiańskim papieżem, który w dodatku tak znacząco przyczynił się do odzyskania wolności przez jego ojczysty kraj. Pamiętam, że wtedy w Toruniu było mi niemal żal Odera, kiedy stanąwszy przed papieżem, zapewne pod wpływem ogromnej czci, skamieniał niczym posąg, nie wiedział, co dalej: czy ma odejść, czy zostać. W sumie nie była to jakaś nadzwyczajna sytuacja. Papież w tamtym czasie zdążył już ogłosić setki osób świętymi czy błogosławionymi, a więc i spotkać się z setkami postulatorów, takimi jak Sławomir Oder. Sądzę jednak, że 7 czerwca 1999 roku Karolowi Wojtyle ani przez myśl nie przemknęło, że ten młody kapłan, którego ma przed sobą, w przyszłości będzie rozstrzygał o jego beatyfikacji i badał sprawę każdego cudu, jaki zdarzy się po jego śmierci. Papież powitał Odera bardzo przyjaźnie, jak gdyby chciał mu dać do zrozumienia, że nie musi się ani trochę obawiać tego pomnikowego Wojtyły. Jednak to, co według Odera stało się w owym momencie, trudno mi sobie wyobrazić. Bardzo go cenię, to świetnie wykształcony i sympatyczny człowiek, który obiema nogami mocno stąpa po ziemi, daleko mu więc do konfabulowania. Nie ma w sobie nic z mistyka czy marzyciela. Jest naukowcem, który podchodzi do swojej pracy uważnie i czujnie. Z tego względu trudno mi pojąć jego relację z tamtego dnia i z późniejszego okresu. Podczas rozmowy u niego w biurze w Pałacu Laterańskim w roku 2006 powiedział mi:

– Jestem pewien, że papież wiedział, że to ja pewnego dnia zajmę się przygotowaniem jego procesu beatyfikacyjnego.

– To niemożliwe – zaprotestowałem. – Za życia Wojtyły nie zostało przecież ustalone, kto będzie postulatorem w jego procesie, poza tym, przy całym szacunku, kto tak potężne zadanie powierzyłby tak młodemu jeszcze kapłanowi?

– Nikt. Ja sam od razu zresztą powiedziałem, że to dla mnie zbyt duża sprawa. Oczywiście wtedy nie było jeszcze decyzji, że to ja mam się tym zająć, mimo to on już wiedział. Wydaje mi się, że chciał mi spojrzeć w oczy. Tak sądzę, bo kiedyś w Rzymie zaprosił mnie do siebie na kolację. Bez żadnej szczególnej okazji. Nie byłem żadnym ważnym duchownym, a przynajmniej nie na tyle, żeby jadać kolacje u papieża. Sądzę, że zaprosił mnie, bo wiedział, że za parę lat to ja będę odpowiedzialny za jego proces beatyfikacyjny. Głęboko w to wierzę.

Czyżby zatem papież przed beatyfikacją patrona harcerzy, kiedy przedstawiono mu tego młodego, jasnowłosego, energicznego księdza, wiedział, że to ten właśnie człowiek podda jego biografię drobiazgowej analizie, przeczyta każdy list, sprawdzi każdy dokument, by z czystym sumieniem móc potem orzec, że Karol Wojtyła zasługuje na beatyfikację? Czyżby potrafił zobaczyć przyszłość? Gdyby Sławomir Oder nie był tak nieskazitelnym, poważnym i rozważnym człowiekiem, powiedziałbym, że trochę się z tą teorią zagalopował. Wiem jednak dobrze, że jest całkowicie szczery. Czy papież chciał w ten sposób dać Oderowi szansę zobaczenia siebie z bliska, zajrzenia w oczy i wyrobienia sobie zdania, czy rzeczywiście zasługuje na to, by ogłosić go błogosławionym? Czy Wojtyła był prorokiem, człowiekiem, który nie tylko był bliski Bogu, ale któremu również Bóg pozwalał zajrzeć w przyszłość? Nie wiem, czy istnieli kiedykolwiek ludzie o profetycznych zdolnościach, takich jak opisane w Starym i Nowym Testamencie. Nie potrafię sobie jednak wyobrazić, że istnieją w dzisiejszych czasach, a tym bardziej że sam osobiście poznałem takiego proroka, pracując przeszło dziesięć lat w jego orszaku.

Mimo to daleki jestem od uznania *monsignore* Odera za kłamcę, oszusta czy megalomana. Jego przeświadczenie, że Karol Wojtyła potrafił zajrzeć w przyszłość, nie budzi moich najmniejszych wątpliwości.

Papież, który otwiera okna

Już od dawna krążyły w Watykanie pogłoski o profetycznych zdolnościach Wojtyły w odniesieniu do polityki. Plotka o tym, że Jan Paweł II potrafi przewidzieć przyszłość, narodziła się w latach osiemdziesiątych. Watykański Sekretariat Stanu przez całe dziesięciolecia trzymał się utartych schematów przyjaznego współżycia z komunizmem. Sekretarz stanu kardynał Agostino Casaroli (piastujący tę funkcję od 1 lipca 1979 do 1 grudnia 1990 roku) był przekonany, że jeszcze przez wiele lat będzie musiał tolerować istnienie sowieckiego imperium. Chciał więc kontynuować swoją zachowawczą politykę wobec państw komunistycznych, a już z całą pewnością chciał unikać wszelkich konfliktów z ich władzami. Tymczasem Karol Wojtyła nie krył nigdy swojego przeświadczenia o rychłym i przewidywalnym końcu sowieckiej hegemonii. Jednak nikt w Watykanie nie chciał w to uwierzyć. Przecież nawet amerykańska polityka zagraniczna pod prezydenturą Ronalda Reagana opierała się na założeniu, że Układ Warszawski jeszcze bardzo długo będzie dzielił świat na Wschód i Zachód. Na dziesięć lat przed upadkiem muru berlińskiego być może nikt na świecie nie rozważał kwestii rozpadu sowieckiego imperium tak intensywnie i tak długo jak amerykański minister obrony Caspar Weinberger, urzędujący w latach 1980–1987 w okresie prezydentury Ronalda Reagana. Nie krył się ze swoim przekonaniem, że Stany Zjednoczone jeszcze przez długie dziesięciolecia będą musiały tolerować istnienie Związku Radzieckiego. Niemiecki dyplomata Michael Schaefer, pracujący w ministerstwie spraw zagranicznych w Bonn w latach 1984–1987, należy do tych, którzy zupełnie otwarcie mówią, że w Niemczech Zachodnich tylko nieliczni spodziewali się zburzenia muru berlińskiego. Za to papież Jan Paweł II był pewien, że upadek moskiewskiego imperium to kwestia najbliższej przyszłości. Dlatego nie podobało mu się asekuranckie podejście jego sekretarza stanu, nastawionego na wieloletnie współżycie z Sowietami. Raziły go przede wszystkim ustępstwa wobec Moskwy, które w oczach katolików ze Wschodu uchodziły po prostu za tchórzostwo. W ten bowiem sposób Casaroli przyczynił się choćby do tego, że w roku 1964 na Węgrzech wyświęcono na biskupów tajnych agentów węgierskiej partii komunistycznej. Długoletni dyplomata i kierownik jednego z wydziałów watykańskiego Sekretariatu Stanu kardynał Giovanni Lajolo opisywał mi kiedyś w swojej siedzibie, czyli Gubernatoracie Państwa Watykańskiego, jak trudna była relacja między tymi dwoma osobowościami:

– Karol Wojtyła i Agostino Casaroli mieli całkiem odmienne poglądy na temat sposobu postępowania z komunistami. Kiedyś doszło nawet do tego, że papież nakrzyczał na Casarolego. Byłem przy tym. Oczywiście natychmiast go przeprosił.

Na środowisko papieża wywarło wpływ pewne wydarzenie mające miejsce w Krakowie. Podczas jego wizyty w tym mieście w roku 1983 pod dawną siedzibą kardynała Wojtyły przy Franciszkańskiej 3 zgromadziły się wieczorem dziesiątki tysięcy osób. Polska bezpieka natychmiast poinstruowała polskich biskupów, by Jan Paweł II nie otwierał okna.

– Jeżeli papież znajdzie się w tym pokoju, okna mają pozostać zamknięte. Nie chcemy tu żadnego zamieszania – miał powiedzieć, według relacji świadka, któryś z funkcjonariuszy bezpieki.

Kiedy więc papież znalazł się w owym pomieszczeniu, polscy księża i biskupi mieli go poprosić, aby nie drażnił Służby Bezpieczeństwa. A gdyby chciał pozdrowić zgromadzonych, powinien raczej tego zaniechać, by nie prowokować żadnych niepokojów. W końcu polskie duchowieństwo jeszcze długo będzie musiało jakoś współżyć z komunistami. Karol Wojtyła nie posłuchał jednak, podszedł do okna, otworzył je na oścież i pokazał wiernym, że nie boi się komunistów, nie zamierza słuchać ich rozkazów i nie wierzy w to, że jeszcze długo trzeba będzie się układać z Moskwą.

Tym, co dzieliło Casarolego i Wojtyłę, był przede wszystkim fakt, że papież dobrze znał komunistów. Walczył za żelazną kurtyną choćby o parafię w Nowej Hucie. Natomiast Casaroli spotykał komunistów wyłącznie w eleganckich salonach, w których prowadził z nimi negocjacje. Tymczasem ku jego wielkiemu rozczarowaniu, wiele spraw dotyczących państw Układu Warszawskiego papież omawiał raczej z polskimi przyjaciółmi, ze swoim sekretarzem Stanisławem Dziwiszem i innymi zaufanymi osobami – i to po polsku. A Agostino Casaroli nie znał polskiego. Po jego śmierci znaleziono jednak u niego w mieszkaniu podręczniki do nauki tego języka. Wyglądało na to, że próbował się go uczyć. A zatem scysje między Casarolim a Wojtyłą wybuchały przede wszystkim z tego powodu, że sekretarz stanu za nic w świecie nie chciał rozdrażniać Sowietów. Był przeciwny każdej akcji, która mogła zostać przez Moskwę zinterpretowana jako prowokacja.

Papież i Casaroli różnili się zwłaszcza w podejściu do katolickich bojowników walczących z ateistycznym komunizmem. W okresie zimnej wojny istniało mnóstwo lewicowych ugrupowań demonstrujących, a nawet walczących z bronią w ręku przeciwko wszystkiemu, co miało zachodnie korzenie. Lewicowe poglądy reprezentowali wtedy zarówno zbuntowani studenci, jak i terroryści. Natomiast konserwatywnie nastawieni katolicy woleli odrzucać wszelkie działania ekstremalne. Nigdzie na świecie nie było fali procesji wiernych protestujących przeciwko komunizmowi, co najwyżej paru zachodnich księży poruszało podczas kazań problem Kościoła katolickiego za żelazną kurtyną.

A więc podczas gdy lewicowi aktywiści walczyli z zachodnim modelem życia, katolicy zdawali się niezdolni do jakiegokolwiek działania. Jednak nie do końca. Istniał bowiem jeden wyjątek – ugrupowanie, które za swojego patrona obrało ojca Werenfrieda van Straatena. Ten urodzony w roku 1913 holenderski zakonnik stworzył w 1947 roku dzieło pomocy *Ostpriesterhilfe* (Pomoc księżom na Wschodzie), organizację, która pięć lat później zaczęła działać na całym świecie i przyjęła nazwę *Kirche in Not* (Kościół w potrzebie). Jedna z jej głównych siedzib znajdowała się w Königstein w górach Taunus. Podstawowym celem jej działalności było otoczenie pomocą księży znajdujących się w trudnym położeniu na całym świecie. Większość potrzebujących wsparcia duchownych żyła wówczas oczywiście w krajach bloku wschodniego. W przeważającej części członkami tej konserwatywnej organizacji byli zwykli ludzie, którzy zbierali datki przemycane później za żelazną kurtynę. Ale oprócz nich były też sympatyzujące z dziełem pomocy osoby, dla których to było za mało. Pragnęli wesprzeć konkretne przedsięwzięcia chrześcijan ze Wschodu, nawet narażając się na to, że zostaną osadzeni w którymś z sowieckich obozów pracy.

Osobą odpowiedzialną za kontakty *Kirche in Not* z Polakami był ówczesny biskup krakowski Karol Wojtyła. Dobrze znał tę organizację, której przedstawiciele już w 1957 roku nawiązali kontakty z prymasem Polski kardynałem Stefanem Wyszyńskim, który był dla Wojtyły ogromnym autorytetem. Jednak Agostina Casarolego przerażała już sama wizja działających z ramienia Kościoła katolickiego jednostek specjalnych, rozsierdzających Sowietów spektakularnymi akcjami organizowanymi w ojczystych krajach. Darzył on wprawdzie dzieło *Kirche in Not*, działające od

1964 roku pod bezpośrednią kuratelą Watykanu, wielką sympatią, nie chciał jednak, by jego aktywistów kojarzono ze Stolicą Apostolską.

Podczas jednej z ich najbardziej spektakularnych akcji został aresztowany i wywieziony do sowieckiego łagru pewien Belg. Zajmował się on przemycaniem i kolportażem ulotek na terenie Związku Radzieckiego. Kiedy po zwolnieniu z aresztu i deportacji na Zachód zaczął się starać o pracę w Watykanie, nie było nawet cienia wątpliwości, że Sekretariat Stanu pod kierownictwem Casarolego nie będzie chciał mieć nic wspólnego z tym człowiekiem i w najlepszym razie dostanie on posadę na jakimś mało eksponowanym stanowisku wewnątrz ogromnej machiny kościelnej. Jan Paweł II miał jednak diametralnie inną opinię o ludziach gotowych za swoją działalność na rzecz Kościoła w Związku Radzieckim trafić do sowieckiego łagru. Zamiast więc ukrywać Belga, postarał się, by był dobrze widoczny, podróżując u boku papieża po całym świecie.

Sekretarz papieskiej Kongregacji do spraw Kościołów Wschodnich, arcybiskup Cyril Vasil, kiedy w siedzibie kongregacji rozmawiałem z nim na temat panującej wówczas napiętej sytuacji, powiedział mi:

– Potrzebowaliśmy pomocy katolików z Zachodu. Pamiętam, jak przy użyciu zachodniej kalki przepisywaliśmy na maszynie Biblię, która u nas była nie do dostania. Ciągle bolały mnie palce, bo wkładaliśmy do maszyny za każdym razem wiele arkuszy i trzeba było walić w klawisze z ogromną siłą, żeby odbić litery na każdym z nich.

W Berlinie Wschodnim istniało kilka miejsc, gdzie nam pomagano. Bardzo prężnie działał na przykład ruch Focolari. Pomoc płynęła albo z Zachodu, albo bezpośrednio z Watykanu.

Czy papież opierał przekonanie o upadku imperium sowieckiego na prorockiej wizji? Czy to Bóg pozwolił mu zobaczyć schyłek komunizmu? Czy może raczej dostatecznie długie życie w Polsce pozwoliło mu rozpoznać oznaki tego, co nieuniknione? Czy Wojtyła miał na swoim koncie wystarczająco wiele doświadczeń, by orientować się, że panowanie Sowietów wkrótce się skończy, a ich system gospodarczy ostatecznie się załamie? A może więc to wszystko nie było wynikiem proroczego widzenia? Tego nie wiem; jestem jednak pewien, że uwierzył w proroctwo, które objawiło się w zupełnie niepojęty sposób.

Krakowska tajemnica

Kraków, 16 czerwca 1999 roku, środa, około godziny 19. Tego wieczoru miałem serdecznie dosyć papieża i Watykanu. Nie miałem ochoty słuchać kolejnego kazania czy modlitwy ani uczestniczyć w kolejnym nabożeństwie. Od dwunastu dni podróżowałem po całej Polsce starym helikopterem wojskowym – z Gdańska do Pelplina i Elbląga, do Lichenia i Bydgoszczy, do Torunia, z powrotem do Lichenia, do Ełku, przez Wigry, do Siedlec, potem do Drohiczyna, Warszawy, następnie do Sandomierza, Zamościa, Radzymina i Łowicza, wreszcie do Sosnowca, Gliwic, Krakowa i Starego Sącza. Teraz znów byliśmy w Krakowie, a ja po blisko dwóch tygodniach gonitwy chciałem w końcu trochę odpocząć i napić się piwa. Jak zwykle podczas papieskich pielgrzymek obowiązywała „prohibicja", całkowity zakaz picia alkoholu. W hotelach serwowano więc tylko wodę i colę, minibarki w pokojach świeciły pustkami, a restauracje, kawiarnie, bary i pizzerie miały opory przed podaniem choćby szklanki piwa czy kieliszka wina. Na zakupy w sklepie nie miałem czasu, jednak koledzy, którzy spróbowali szczęścia w okolicznych centrach handlowych, donieśli mi z rozczarowaniem, że nawet tam półki na wino i piwo świecą pustkami. Pracowałem jak należy, zrywałem się z łóżka o piątej rano, przeżyłem burzę w niebezpiecznie rozchybotanym śmigłowcu. Pisałem, słuchałem, znowu pisałem, przypatrywałem się papieżowi podczas nabożeństw, inauguracji i mszy świętych. I teraz chciałem tylko napić się piwa.

Myślałem naiwnie, że wszyscy będą się trzymać zakazu. Jednak tego wieczoru widziałem w hotelowym lobby grupkę polskich kolegów w znakomitych humorach, wynikających niewątpliwie z tego, że musieli wcześniej wychylić parę piw. Oczywiście na moje pytanie, gdzie byli i dlaczego pili alkohol, wybuchnęli śmiechem, powtarzając tylko jak zaklęcie:

– Prohibicja, niczego nie piliśmy.

Tego już było za wiele. Rozumiałem oczywiście, że Wojtyła troszczył się o należytą oprawę mszy świętej. Kiedy na krakowskie Błonia dotarło przeszło półtora miliona wiernych, dookoła stały oczywiście stragany z kiełbasą i bułkami. Tysiące ludzi spędziło na Błoniach noc poprzedzającą mszę, musieli więc gdzieś się posilić. Wyglądało na to, że w tę zimną noc u stóp ołtarza odbędzie się największe grillowanie w historii Polski. A gdyby zezwolono jeszcze na sprzedaż piwa, kilkanaście, a może nawet i kilkadziesiąt tysięcy osób z całą pewnością wypiłoby go za dużo. Transmitowana na cały świat msza papieska zakłócana przez wybryki kilku pijanych Polaków byłaby ostatnią rzeczą, która przysporzyłaby chwały Kościołowi w Polsce i samemu Janowi Pawłowi II. Jak się potem okazało, ci wszyscy ludzie na Błoniach czekali na próżno. Papież leżał bowiem w łóżku z gorączką. Po raz pierwszy podczas zagranicznej wizyty był zbyt chory, by móc sprawować mszę świętą. Wtorkową mszę z okazji jubileuszu tysiąclecia archidiecezji krakowskiej odprawił papieski sekretarz Angelo Sodano. Całkowity zakaz spożywania alkoholu był w pełni oczywisty. Od wiernych w mieście, które odwiedzał papież, oczekiwano, że powstrzymają się od alkoholu w wieczór poprzedzający i w dzień papieskiej wizyty.

Tyle że ja przez cały czas towarzyszyłem papieżowi i podczas gdy wierni po jego odjeździe mogli spokojnie pozwolić sobie na kufel piwa, ja leciałem do kolejnej miejscowości objętej prohibicją – i tamtego wieczoru w Krakowie miałem już tego dosyć. Papież czuł się lepiej, jutro odlatywaliśmy do Rzymu. Zszedłem do holu – jak zwykle nocowaliśmy w Krakowie w tym samym klockowatym hotelu nad Wisłą. Wyszedłem na zewnątrz, ruszyłem bulwarami biegnącymi wzdłuż rzeki, z mocnym postanowieniem, by w pierwszej napotkanej knajpie tak długo naprzykrzać się barmanowi, aż w końcu sprzeda mi piwo. Nauczyłem się nawet jego polskiej nazwy. Jednak do tej pory na moją prośbę właściciele barów w Polsce niezmiennie odprawiali mnie z kwitkiem kręcąc głową:

– *Nix* piwo.

Najbliższa knajpa, jak się tego spodziewałem, znajdowała się niezbyt daleko od hotelu. Kiedy wszedłem, pracujący tam rumiany barman wydał mi się raczej dobroduszny i przekupny. Uśmiechnąłem się więc do niego promiennie i zapytałem nieśmiało:

– Piwo?

Pokręcił głową.

– Piwo *kaputt* – powiedział, a więc najwyraźniej nietrudno było po mnie poznać, że jestem Niemcem. Spróbowałem więc jeszcze raz po niemiecku:

– *Bitte ein Bier.* Poproszę piwo. Jeżdżę z papieżem od dwóch tygodni.

Uśmiechnął się, ale nie miałem pojęcia, czy w ogóle mnie zrozumiał. Dorzucił tylko:

– Prohibicja.

– Tak, wiem, prohibicja. Do diabła z prohibicją. Słuchaj pan, podaj mi jedno piwo, a ja natychmiast o tym zapomnę. Nie powiem nikomu, że sprzedał mi pan alkohol.

On znów się do mnie uśmiechnął i powtórzył:

– Piwo *kaputt*.

„Cholera", pomyślałem. Wtedy ku mojej wielkiej radości wszedł do baru jeden z moich kolegów, polski ksiądz. Jarek robił coś dla polskiej agencji prasowej KAI. Przynajmniej tak mi się zdawało, bo chodził zawsze z torbą, na której widniało ogromne jej logo. Zobaczył mnie i po przywitaniu się zamówił colę.

Wiedziałem, że mówi trochę po włosku, więc spróbowałem przemówić do jego koleżeńskich uczuć i wyszeptałem:

– Ten kelner nie chce mi nalać piwa. Możesz mu powiedzieć, że nikomu nic nie powiem?

Na co on również szeptem:

– Zapomnij o tym. On myśli, że jesteś z policji i chcesz go sprawdzić. Nie mogłeś mieć większego pecha. Widzi, że jestem księdzem, i zaraz pomyśli, że w razie czego ja też na niego doniosę.

– No to pięknie.

Wziął mnie na bok.

– Posłuchaj, my, Polacy, nie potrafimy długo dobrze pracować bez kropli alkoholu. Dzisiaj wieczorem jest impreza.

– Jak to? Przecież w Krakowie panuje totalny zakaz picia alkoholu!

– Zgadza się. Ale impreza odbywa się w zaciemnionej knajpie przy zasłoniętych oknach, musisz tylko wejść tylnym wejściem.

– Ale jak, do licha, tam trafię?

– Bez problemu – odparł. – Też się tam wybieram, spotkamy się za pół godziny w hotelowym holu.

W ten właśnie sposób poznałem bliżej Jarka. Zawdzięczam mu, że tego wieczoru miałem okazję być na najlepszej imprezie w moim życiu. Siedząc w zaciemnionym lokalu gdzieś na krakowskim Starym Mieście, raczyliśmy się polskim piwem i wznosiliśmy toasty za polskiego papieża. To była naprawdę superimpreza. Kręciliśmy się między stolikami, trochę tańczyliśmy i gadaliśmy. Pamiętam, że najpierw rozmawiałem z Jarkiem o przeziębieniu papieża.

– Dla mnie ta pielgrzymka jest dowodem na to, że Karol Wojtyła, mimo ponad dwudziestu lat spędzonych w Rzymie, w Krakowie, a nie w Watykanie, czuje się jak u siebie w domu. Zresztą każdy tak ma. Trzymasz fason, kiedy musisz pracować z dala od swoich, ale jak tylko wrócisz do domu, wszystko puszcza, kładziesz się do łóżka chory. Może z nim też tak właśnie było. Trzymał się od 5 czerwca, ale tu, w Krakowie, nie dał już rady. I pewnie kiedy zobaczył swoją dawną sypialnię w pałacu arcybisku-pów, pomyślał: „Tu nareszcie mogę odpocząć".

Jarek przechylił głowę i odparł:

– Być może masz rację. Ale to nie jego dawne łóżko daje mu poczucie bycia u siebie w domu. Tu znajduje się najważniejsze miejsce w jego życiu, Sanktuarium Bożego Miłosierdzia.

– Na litość Boską – żachnąłem się – daj mi spokój z Bożym Miłosierdziem.

Właściwie dopiero w tym pamiętnym roku 1999 Karol Wojtyła przekonał mnie do swoich osiągnięć. Oczywiście chętnie przyznawałem, że należy do najskuteczniejszych papieży w całej dwutysięcznej historii Kościoła, ale nie potrafiłem pojąć jego wiary w objawienia dotyczące miłosierdzia Bożego. Zakonnica Faustyna Kowalska utrzymywała, że objawił się jej Jezus, który nakazał, by namalować obraz ukazujący to objawienie. W ten sposób powstał, niezbyt przekonujący w moim odczuciu, wizerunek Chrystusa.

– Nie mogę wprost uwierzyć, że Jezus chciał, by właśnie tak go namalowano, z tymi białymi i czerwonymi pro-mieniami przypominającymi laser, wychodzącymi z Jego piersi.

Jarek spojrzał na mnie uważniej.

– Jeżeli stroisz sobie z tego żarty, a więc jeżeli tego nie zrozumiesz, to nie zrozumiesz także i jego.

Obiecałem więc dowiedzieć się czegoś więcej o życiu siostry Faustyny Kowalskiej. Tymczasem jednak zabawa trwała w najlepsze i wydawało się, że szybko zapomnę o tej rozmowie.

Zagadka Karola Wojtyły

K̇RAKÓW, TRZY LATA PÓŹNIEJ, 17 SIERPNIA 2002, SOBO-
TA, GODZINA 9.30. Stojąc przed krakowskim Sanktuarium
Bożego Miłosierdzia, czekałem na przyjazd Jana Pawła II.
W pewnym momencie dostrzegłem w tłumie Jarka.

– Piwo *kaputt* – powitał mnie z uśmiechem, który ja
odwzajemniłem, i uścisnęliśmy się serdecznie.
Mieliśmy sobie mnóstwo do powiedzenia. On opisywał mi, jak bardzo zmieniła się Polska, ja opowiadałem mu
o swoim synku. Potem zobaczyliśmy zbliżającą się impo-
nującą eskortę policji i *papamobile*. Obaj popatrzyliśmy
na wiekowego już papieża, wysiadającego z trudem z auta.
Doprawdy, przeszedł daleką drogę, to była jego ósma pielgrzymka do Polski i nadal nie dawał za wygraną. A przecież
poprzednio leżał w łóżku z grypą i nie mógł przybyć na
mszę dla półtora miliona rodaków, którzy czekali na niego
przez cały dzień. Obiecał wtedy, że wróci, jeszcze raz, może
ostatni raz przed śmiercią. I dotrzymał słowa. Nie był już
w stanie chodzić, a i przemawianie sprawiało mu ogromne
trudności, mimo to ani myślał się poddawać. Teraz obaj
jak zaczarowani patrzyliśmy na tego starego człowieka.

Trudno mi to inaczej opisać, ale w tym czasie naprawdę
otaczała Wojtyłę jakaś czarodziejska aura. Jego przybycie
wywoływało w ludziach wielkie poruszenie, nawet w tych,

którzy nie chcieli mieć nic wspólnego z Kościołem. Już od dawna mówił niewyraźnie, już od dawna trudno mu było przebić się do ludzi swoją mową. Ale po prostu był. Emanowało z niego jakieś niesamowite światło. Kiedy przychodził, to nie był tylko starym, niedołężnym papieżem. Wraz z nim pojawiało się coś, co przenikało nie tylko ludzkie umysły, ale i serca, również moje. Z trudem otwierał oczy, jak gdyby doskwierało mu jakieś chroniczne zmęczenie, lewa powieka wciąż opadała, ręce drżały. A przecież te ręce należały niegdyś do silnego mężczyzny. Człowieka, który bez najmniejszego trudu zarzucał plecak na ramiona, by ruszyć na wędrówkę po Tatrach w niemiłosiernie znoszonych butach. Bo kiedy tylko dostawał w prezencie nową parę, zaraz podarowywał ją komuś, kto miał jeszcze mniej od niego. Ten człowiek nigdy nie chciał niczego dla siebie, zawsze tylko dawał. Jednak tamtego sierpniowego wieczoru 2002 roku, tego, co miał do ofiarowania, nie zostało już wiele. Jego twarz przypominała woskową maskę, nie umiał już nakłonić jej nawet do uśmiechu. Człowiek, który zapewne jako pierwszy papież w historii odważył się swoimi minami rozśmieszać tysiące ludzi, teraz nie miał już żadnej władzy nad swoją mimiką.

„Ech, Wasza Świątobliwość – myślałem tego dnia w Krakowie – pamiętam wszystko. Ten dzień w Rio, kiedy przywiodłeś do śmiechu cały zgromadzony tłum, mówiąc, że jeżeli Bóg byłby Brazylijczykiem, to siedziba papieża byłaby w Rio de Janeiro".

Maratończyk Pana Boga ukończy swój bieg. Ale wciąż niezmiennie się zachwyca: Jaki piękny jest świat i jak dobrze, że Bóg go stworzył. „Niech Bóg zawsze będzie z tobą, staruszku", myślałem, kiedy wieziono go na wózku do sanktuarium.

– On już więcej nie przyjedzie – odezwał się stojący obok Jarek. – To ostatni raz.

– Tak. Też tak myślę. Tym razem nie będzie przemawiał do sumień Polaków. On przyjechał, żeby się pożegnać. I wiesz, co widać? Strasznie mu trudno się żegnać, dlatego wszystko tak przeciąga w czasie. Chce rozciągnąć każdą chwilę, każdej twarzy przygląda się najdłużej, jak się da. Bardzo kocha ten kraj i tych ludzi i wie, że już nigdy więcej was nie zobaczy.

Ochroniarze kazali nam wyjść na zewnątrz, bo trzeba było coś przestawić. Staliśmy zatem przed sanktuarium zamyśleni i milczący.

– Będzie mi brakowało nawet waszej prohibicji – odezwałem się w końcu, siląc się na uśmiech.

– Kiedy on umrze, Polska straci swojego najlepszego sprzymierzeńca. I obawiam się, że stracimy też to, co dawało nam taką moc. Karol Wojtyła nie będzie już naszym łącznikiem z czasami, kiedy musieliśmy walczyć o wolność, kiedy istniała jeszcze Solidarność. Kiedy go zabraknie, Polska stanie się całkiem innym krajem – odpowiedział Jarek.

Przysiedliśmy na murku.

– Ale na pewno nie będę tęsknił za tą paskudną bryłą.

– Wielkie nieba, tylko nie mów tego na głos, to miejsce jest dla niego absolutną świętością – upominał mnie Jarek.

– Wiem, wiem. Każdy z nas ma jakiegoś bzika. A to jest właśnie jego.

– Gdyby cię teraz usłyszał, pewnie by się zdenerwował – Jarek wciąż próbował mnie pohamować.

– Rozejrzyj się tylko. Przecież to najbrzydsze sanktuarium katolickie na całym świecie. To jakaś betonowa twierdza przypominająca skrzyżowanie terminalu lotniczego, kościoła i centrum handlowego. Wydaje mi się, że nigdzie w Europie nie znajdziesz brzydszego przybytku.

– Już dobrze. Ta bryła jest koszmarna, przyznaję, ale przecież papież nie ma wpływu na talent architekta.

– Ale tu chodzi o to, co rzekomo w tym miejscu się wydarzyło. Wierzysz w to?

Jarek założył ręce z tyłu głowy.

– Zapomnij o Fatimie czy Lourdes. Dla niego to jest właśnie najważniejsze miejsce.

Co widziała Faustyna?

Przy całym szacunku, jaki miałem dla osiągnięć Karola Wojtyły, nie byłem w stanie zaakceptować sprawy siostry Faustyny Kowalskiej. Nie potrafiłem sobie wyobrazić, że prosta zakonnica naprawdę może mieć tyle objawień Syna Bożego, Jezusa z Nazaretu. Niektórzy co wrażliwsi ludzie wmawiają sobie czasem takie niestworzone rzeczy, ja jednak nie mogłem uwierzyć nawet w najważniejszą z jej wizji. W tejże wizji, którą siostra Faustyna miała w klasztorze w Płocku, objawił się jej Jezus Chrystus. W swoim *Dzien-*

niczku pod datą 22 lutego 1931 roku opisała to następującymi słowami: *Wieczorem, kiedy byłam w celi, zobaczyłam Pana Jezusa ubranego w szacie białej. Jedna ręka wzniesiona do błogosławieństwa, druga dotykała szaty na piersiach. Z uchylenia szaty na piersiach wychodziły dwa wielkie promienie, jeden czerwony, a drugi blady. W milczeniu wpatrywałam się w Pana, dusza moja była przejęta bojaźnią, ale i radością wielką. Po chwili powiedział mi Jezus: „Wymaluj obraz według rysunku, który widzisz, z podpisem: Jezu ufam Tobie. Pragnę, aby ten obraz czczono najpierw w kaplicy waszej i na całym świecie. Obiecuję, że dusza, która czcić będzie ten obraz, nie zginie"*[4]. Wedle relacji siostry Faustyny Jezus pragnął, aby świat zobaczył go właśnie w takiej postaci.

Wskazałem na jeden z licznych obrazów Jezusa Miłosiernego wiszących przed sanktuarium.

– Czy ty naprawdę wierzysz, że Bóg tak właśnie wygląda, z tym czerwonym i białym promieniem wychodzącym z jego piersi? – zapytałem Jarka.

Spojrzał na mnie z powagą.

– Ona twierdzi, że taki się jej ukazał, ale być może tak sobie Go wyobraziła. To zresztą nieważne, niezależnie od tego, czy podobają ci się te czerwone i białe promienie na obrazie, nie zrozumiesz nigdy Karola Wojtyły, jeżeli nie zrozumiesz jego czci dla Faustyny Kowalskiej. To coś więcej niż, jak to określiłeś, bzik. Zastanów się tylko! Przecież on ogłosił świętymi i błogosławionymi ponad tysiąc

---

[4] Św. s. M. Faustyna Kowalska, *Dzienniczek. Miłosierdzie Boże w duszy mojej*, Wydawnictwo Księży Marianów, Warszawa 2002, s. 36 (przyp. red.).

osób, ale tylko raz, w przypadku Faustyny, zrobił wyjątek. Obdarzył ją największym zaszczytem i włączył jej przesłanie, przesłanie o Bożym miłosierdziu, do kalendarza świąt katolickich. Od tego momentu już zawsze pierwsza niedziela po Wielkanocy jest poświęcona Bożemu miłosierdziu. Nie rozumiesz? On tym właśnie działaniem chce zapisać się w historii. Kluczową sprawą jest dla niego orędzie o Bożym miłosierdziu objawione siostrze Faustynie. Kiedy odwiedził ten klasztor jako młody kapłan i biskup, musiał tu doznać czegoś niezwykłego.

Msza w Sanktuarium Bożego Miłosierdzia w Łagiewnikach, przemysłowej dzielnicy Krakowa, dobiegła końca około godziny 12. Papież miał teraz trochę czasu na odpoczynek. Dopiero o 18 planował u siebie w domu, czyli w pałacu biskupów, spotkać się z prezydentem i premierem. Jarek musiał wracać do swoich parafian, którzy gdzieś na niego czekali. Mnie tymczasem przypomniała się pewna rozmowa z przyjacielem papieża, kardynałem Andrzejem Marią Deskurem, który wielokrotnie mi powtarzał, że jeżeli chcę naprawdę zrozumieć Wojtyłę, powinienem pojechać do dawnej dzielnicy żydowskiej. Teraz miałem na to czas. Wprawdzie nie bardzo wiedziałem, czego mam szukać, ale postanowiłem się tam wybrać.

Tego dnia, co zrozumiałe, cały Kraków był dosłownie wytapetowany wizerunkiem Jezusa z objawienia siostry Faustyny Kowalskiej. Papież przybył tu, by pomodlić się właśnie w sanktuarium. Natomiast mnie wciąż zdumiewała historia kultu tej zakonnicy. Helena Kowalska urodziła się 25 sierpnia 1905 roku, a zmarła 5 października 1938.

Przez wiele lat świat niezbyt interesował się jej objawieniami. Wręcz przeciwnie – 6 marca 1959 roku Kongregacja Nauki Wiary zabroniła rozpowszechniania obrazów Jezusa z jej wizji, sądzono bowiem w Rzymie, że Kowalska po prostu zmyśliła sobie wszystkie te spotkania z Jezusem. Jednak papież, a dawny biskup krakowski Karol Wojtyła, 18 kwietnia 1993 roku ogłosił ją błogosławioną, a 30 kwietnia 2000 roku nawet świętą. I tak to się zaczęło. W latach siedemdziesiątych i osiemdziesiątych istniały w Polsce jedynie pojedyncze obrazy przedstawiające wizję Faustyny. Dziś za to podbiły już cały świat. Sam widziałem je w pewnej pizzerii w porcie w Sydney, portowym barze w Toronto czy przy wejściu do katolickiej świątyni w New Delhi w Indiach. Przypuszczam, że obraz Jezusa Miłosiernego stał się bardziej popularny niż wizerunek Chrystusa autorstwa Michała Anioła z Kaplicy Sykstyńskiej.

Czy ta zakonnica naprawdę widziała w swojej celi Jezusa z Nazaretu?

Maszerowałem przez Kraków, zastanawiając się przez cały czas, co tak zafascynowało papieża w Faustynie i jej wizji. W *Dzienniczku* zapisała też przekazaną jej przez Jezusa zapowiedź Sądu Ostatecznego: *Nim nadejdzie dzień sprawiedliwy, będzie ludziom dany znak na niebie taki. Zgaśnie wszelkie światło na niebie i będzie wielka ciemność po całej ziemi. Wtenczas ukaże się znak krzyża na niebie, a z otworów, gdzie były ręce i nogi przebite Zbawiciela, [będą] wychodziły wielkie światła, które przez jakiś czas będą oświecać ziemię*[5]. Czy Jezus istotnie tak do niej powiedział, czy

[5] Dz. cyt., s. 49.

może raczej tak to sobie wyobraziła w swojej mistycznej kontemplacji? W dniu 10 października 1937 roku pisze, że dla Jezusa z Nazaretu szczególnie ważna jest pewna godzina w ciągu dnia. Notuje Jego słowa: *O trzeciej godzinie błagaj mojego miłosierdzia, szczególnie dla grzeszników, i choć przez krótki moment zagłębiaj się w mojej męce, szczególnie w moim opuszczeniu w chwili konania. Jest to godzina wielkiego miłosierdzia dla świata całego. Pozwolę ci wniknąć w mój śmiertelny smutek. W tej godzinie nie odmówię duszy niczego, która mnie prosi przez mękę moją...*[6]. Czy Bóg rzeczywiście to powiedział? Czy rozmawiał z nią o godzinie swojej śmierci? A może to jej się przyśniło, wyobraziła to sobie, może po prostu skłamała? A może istotnie było to objawienie samego Syna Bożego?

Zakonnica, której nie docenił Hitler

Tego dnia nie było w Krakowie sklepu, który nie byłby udekorowany plakatami z papieżem albo Faustyną. Widziałem nawet chińską restaurację z wizerunkami świętej. W zakonnym habicie wygląda tak smukle i tak niespodziewanie poważnie. Wydaje się tak krucha, raczej dziecko niż kobieta. Autor tego wizerunku musiał wiedzieć, jak była mizerna. W wieku siedmiu lat, na dwa lata przed Pierwszą Komunią Świętą, usłyszała jakoby wewnętrzny głos wzywający ją, by poświęcić się Bogu i prowadzić

[6] Dz. cyt., s. 358.

doskonałe życie. Jednak na drodze do klasztoru stanęła z początku bieda. Rodzice wysłali ją na służbę do pewnej rodziny w Aleksandrowie pod Łodzią, gdzie pomagała w pracach domowych. Oddawanie córki „na służbę" jest dziś już jedynie reliktem przeszłości. Pamiętam jednak moją matkę, która opowiadając mi z zapałem i podziwem historię naszej rodziny na Śląsku, wspominała także moją cioteczną babkę Marię, która – podobnie jak obie siostry mojego ojca – również była oddana na służbę. Jednak Helenka nie wytrzymuje długo. Latem 1920 roku prosi matkę o zezwolenie na wstąpienie do klasztoru. Rodzice odrzucają jednak kategorycznie jej prośbę. Szuka więc ponownie posady służącej, tuła się od jednego do drugiego chlebodawcy i ma tylko jeden cel: zarobić dostatecznie dużo, by zdobyć wiano wymagane przez ówczesne klasztory od przyszłych oblubienic Chrystusa. Jednak jej plan się nie powiódł.

Klasztory odrzucają bowiem kandydaturę młodej Heleny Kowalskiej, nie chcąc wchodzić w konflikt z jej rodzicami, którzy dali jednoznacznie do zrozumienia, że nie życzą sobie jej wstąpienia do zakonu. Jednak, jak zanotuje Faustyna, w tym momencie do gry włącza się sam Bóg. Dziewczyna słyszy głos nakazujący jej natychmiast jechać do Warszawy. I tak się staje. Helena Kowalska wstępuje do Zgromadzenia Sióstr Matki Bożej Miłosierdzia w Warszawie jako siostra Maria Faustyna Kowalska. Tu 22 lutego 1931 roku ukazuje się jej Chrystus i poleca namalowanie obrazu przedstawiającego jej wizję. Siostra Faustyna chce wypełnić polecenie. W tym celu zwraca się do swojego spowiednika księdza Michała Sopoćki, któremu wyjawia, co nakazał jej Jezus. Ksiądz Sopoćko wspiera ją, a zadanie odwzorowania wizji Faustyny zleca słynącemu z pobożności malarzowi Eugeniuszowi Kazimirowskiemu. Na jego obrazie widnieje człowiek w białej tunice, z którego piersi wychodzą promienie. I w tym momencie znów zapytałem sam siebie: czy Bóg rzeczywiście tak wygląda?

Tymczasem znalazłem się już na Kazimierzu, w dawnej dzielnicy żydowskiej Krakowa, spacerowałem jej ulicami, czytałem w muzeum przerażające wojenne obwieszczenia o deportacjach. Na otoczonym restauracjami placu w samym sercu Kazimierza jakiś człowiek w żydowskiej kipie sprzedawał souveniry: gwiazdy Dawida, pamiątkowe dyplomy z odwiedzin na Kazimierzu i obrazki z Jezusem Miłosiernym. Ku mojemu zaskoczeniu mówił całkiem dobrze po angielsku, bo pracował także jako przewodnik wycieczek żydowskich ze Stanów Zjednoczonych.

– Sprzedaje pan też obrazki z Jezusem? – zagadnąłem.

– I co z tego? – odpowiedział. – Przecież Jezus był Żydem.

– Tak, ale tego właśnie Żyda polski papież darzy wielką czcią, był dziś w Łagiewnikach, żeby się do niego modlić.

Mężczyzna wybuchnął śmiechem.

– Co pan powie, przecież jeszcze w czasie wojny pielgrzymował tam nie tylko Wojtyła, ale i cały Kraków.

– Jak to?

– Nie pojmuje pan tego nawet jako Niemiec? Trochę mnie to dziwi, bo właściwie od razu powinien to pan zrozumieć.

– O czym pan mówi?

– Czy miał pan aż tak kiepskich nauczycieli? Czy w ogóle pan nie wie, że hitlerowska rasa panów chciała zrobić z Polaków niewolników?

– Ale na szczęście nic z tego nie wyszło – odparłem.

Spojrzał na mnie przenikliwym wzrokiem.

– Dzisiaj łatwo tak powiedzieć, ale wtedy... wtedy wielu myślało, że Polaków czeka długa niewola. Niemcy pokonały nasz opór w kilka tygodni. Wielu Polaków sądziło, że nie pozostaje już nic innego jak śmierć albo uległość, że są już zgubieni. Jak pan myśli, ilu ludzi w Krakowie miało nadzieję, że objawienia Faustyny są prawdziwe i że istnieje coś takiego jak Boże miłosierdzie i że niemiecki naród panów nie wygrał raz na zawsze, a Bóg okaże jeszcze Polakom swoje miłosierdzie? Kiedy więc nastąpił odwrót Niemców, wielu pomyślało, że Hitler nie dał jednak rady Faustynie.

– Ale pan jako Żyd przecież chyba nie wierzy, że na tym obrazie jest prawdziwy wizerunek Jezusa z Nazaretu!

Znów się roześmiał.

– Przecież to nie ma żadnego znaczenia. Dla Wojtyły także nie ma znaczenia, kogo widać na tym obrazie. Cokolwiek zobaczyła ta zakonnica, chodziło przecież raczej o przekaz, o to, że przez całe lata brakowało nam już nadziei na ponowne narodzenie Polski. Zamordowali najlepszych spośród nas, unicestwili wszystkich, byliśmy już na dnie – a potem pojawił się ten promyk nadziei, że Bóg potrafi być miłosierny i że ostatnie słowo nie należy do sprzymierzeńców Adolfa Hitlera.

I w tym momencie dotarło do mnie, że ten człowiek ma dużo racji. To właśnie ten przekaz wyrył się w umyśle i sercu Karola Wojtyły pracującego w drewnianych chodakach jako robotnik przymusowy w krakowskich zakładach Solvay, podczas gdy hitlerowska „rasa panów" okupowała jego ojczyznę. Nie zwyciężą. Czy to ta myśl podtrzymywała wówczas na duchu Kraków i Karola Wojtyłę? Wydawało się, że po opanowaniu Polski przez hitlerowskie oddziały w tym religijnym kraju zapanowała ideologia niemająca nic wspólnego z Bogiem. Pokonani żyli w poczuciu kompletnej beznadziei, „tysiącletnia Rzesza" Hitlera stanowiła realne zagrożenie dla egzystencji polskiego „narodu niewolników", wydawało się, że Niemcy zwyciężyły całkowicie i ostatecznie. W takich czasach wiara w Bożą Opatrzność, która potrafi odmienić zły los, musiała wydawać się niedorzeczna. Jedynie w łagiewnickim klasztorze, w którym mieszkała Faustyna, wbrew zewnętrznej rzeczywistości czczono Boskie miłosierdzie i święcie wierzono, że Bóg w swoim miłosierdziu nie dopuści do przemiany narodu polskiego w naród niewolników. Tak też się stało. Bóg okazał swoje miłosierdzie, zło nie zwyciężyło, choć wszystko na to przecież wskazywało. To właśnie tak urzekło Karola Wojtyłę i naznaczyło całe jego życie.

Wojtyła ukrywał się w tamtym czasie w Krakowie, studiował potajemnie teologię i każdego dnia zmagał się z lękiem przed aresztowaniem przez gestapo i przed śmiercią. *Blitzkrieg* miał Polakom odebrać wszelką nadzieję, Hitler nie uwzględnił jednak w swoich rachubach przesłania o Bożym miłosierdziu, objawionego siostrze Faustynie, które zawierało też zapowiedź, że Bóg nie dopuści do zagłady Polaków, że dla tego zniewolonego narodu, na tym stratowanym przez hitlerowców świecie, istnieje miłosierdzie. Czy to o tym nigdy nie zapomniał Karol Wojtyła? Podziękowałem staremu Żydowi i kupiłem jeden z obrazków z wizerunkiem Jezusa Miłosiernego.

– Wie pan – powiedział na koniec – w Krakowie mówią, że Wojtyła jeszcze bardziej wierzy w objawienia tej zakonnicy, odkąd w jej imieniu dokonał cudu.

– Cudu? – zapytałem. – Jakiego cudu?

Wzruszył tylko ramionami.

– Wszyscy w Krakowie wiedzą o tym cudzie, ale nie znam nikogo, kto umiałby powiedzieć, co się tam wtedy naprawdę wydarzyło.

Po powrocie do Rzymu przejrzałem wszystko, co Wojtyła napisał o Bożym miłosierdziu, a to, co przeczytałem, potwierdziło relację starego Żyda z krakowskiego Kazimierza. Już w 1997 roku, 7 czerwca, papież powiedział: „Orędzie miłosierdzia Bożego zawsze było mi bliskie i drogie. Historia jakby wpisała to orędzie w tragiczne doświadczenia drugiej wojny światowej. W tych trudnych latach było ono szczególnym oparciem i niewyczerpanym źródłem nadziei nie tylko dla krakowian, ale dla całego narodu. Było to i moje osobiste doświadczenie, które zabrałem ze sobą na Stolicę Piotrową i które niejako kształtuje obraz tego pontyfikatu"[7].

---

[7] *Przemówienie wygłoszone w Sanktuarium Miłosierdzia Bożego w Łagiewnikach*, w: *Drogowskazy dla Polaków Ojca Świętego Jana Pawła II*, tom III, Wydawnictwo M, Kraków 1999, s. 392 (przyp. red.).

Rok później, 16 października 2003 roku, Wojtyła opisał swój wybór na papieża następującymi słowami: „Trzeba było z całą mocą odwołać się do miłosierdzia, aby na pytanie: «Czy przyjmujesz?», z ufnością odpowiedzieć: «W posłuszeństwie wiary wobec Chrystusa, mojego Pana, zawierzając Matce Chrystusa i Kościoła – świadom wielkich trudności – przyjmuję"[8]. W najważniejszym momencie swojego życia, w momencie wyboru na papieża, towarzyszyła mu właśnie ta myśl, zawierzenie temu, czego w swojej klasztornej celi doświadczyła św. Faustyna: orędziu o Bożym miłosierdziu.

Administrowanie niemożliwym

Zadzwoniłem do mojego znajomego z Pałacu Laterańskiego.

– Czego znowu chcesz? – zapytał młody ksiądz.

– Mam tylko jedno pytanie, ale obawiam się, że o tej sprawie nie będziesz chciał rozmawiać.

– Jeszcze nigdy dotąd nie zapytałeś mnie o coś, o czym chciałbym rozmawiać. Mógłbym ci opowiedzieć o nowych kościołach na peryferiach miasta albo o przygotowaniach do Światowego Dnia Pokoju 1 stycznia, czyli o tym wszystkim, o czym ja chciałbym porozmawiać, a co ciebie w ogóle nie interesuje.

---

[8] *Homilia Jana Pawła II wygłoszona podczas Mszy św. z okazji 25-lecia Pontyfikatu 16 października 2003 r.,* „Niedziela" 43/2003 (przyp. red.).

– Już dobrze – odpowiedziałem i rzuciłem prosto z mostu – chodzi mi o cud.

Usłyszałem jego śmiech.

– Powiedz, czy ty w ogóle mnie słuchasz? Na ten temat nie powiem ci ani słowa. Zrozumiałeś?

– Chodzi mi o Boże miłosierdzie, o tę świętą, siostrę Faustynę Kowalską, i cud, który ma coś wspólnego z Bożym miłosierdziem.

Parsknął śmiechem do słuchawki.

– Mój drogi Andreasie, ku mojej nieopisanej radości teraz mogę być z tobą całkowicie szczery. Klnę się na mój honor i moją duszę, że nie mam najmniejszego pojęcia, o czym mówisz. Diecezja rzymska nie zajmuje się żadnym cudem związanym z miłosierdziem Bożym ani ze świętą Faustyną. Badamy oczywiście liczne przypadki rzekomych cudów, żaden z nich nie ma jednak związku z miłosierdziem. Przykro mi – i odłożył słuchawkę.

Teraz wiedziałem przynajmniej jedno: czegokolwiek dotyczył ten cud, nie miał nic wspólnego z diecezją w Rzymie. Zdawałem sobie sprawę, że tak naprawdę szukam igły w stogu siana. Nie wiedziałem dosłownie nic – ani kiedy, ani gdzie, ani co takiego się wydarzyło. Wiedziałem jedynie, że cokolwiek to było, nosiło jakoby znamiona cudu, który łączono z Karolem Wojtyłą i wstawiennictwem świętej siostry Faustyny. Niewiele. W Watykanie istniały dwa urzędy, które musiały wiedzieć coś o tym cudzie, Kongregacja Nauki Wiary, do której należało badanie takich przypadków i orzekanie, czy nie kryje się za nimi zwykłe oszustwo, oraz Kongregacja Spraw Kanonizacyjnych odpowiedzialna za ustalenie, czy chodzi tylko o jakieś nadzwyczajne zdarzenie, czy też o Boską ingerencję. Na początek spróbowałem szczęścia u znajomego pracującego w tej drugiej instytucji. Zadzwoniłem do niego i zaprosiłem na obiad. Natychmiast się zgodził.

To nie takie proste zaprosić duchownego na dobry obiad w miłej okolicy w pobliżu Watykanu. Wszędzie dookoła roi się bowiem od pułapek zastawionych na licznych turystów, czyli restauracji oferujących podłe jedzenie po cenach wywindowanych do niebotycznych granic. Trafiają się oczywiście także dobre lokale, ale w nich nietrudno natknąć się na innego księdza. Wielu księży, nawet co ważniejsi członkowie Kurii, chętnie jada z dziennikarzami, choćby po to, żeby wciąż nie musieć rozmawiać tylko z innymi duchownymi. Jednak żaden z nich nie lubi się tym afiszować, bo na każdego spotykającego się z dziennikarzami kapłana może szybko paść cień podejrzenia, że rozpowiada na zewnątrz jakieś tajemnice. Jeżeli więc dojdzie do ujawnienia tajemnicy, którą Kongregacja chciała zachować tylko dla siebie, natychmiast podejrzewa się o to duchownego widywanego często z przedstawicielami mediów. Z tego względu wolałem poszukać lokalu, który byłby nie tylko przytulny, ale i niezbyt często odwiedzany przez księży. W pobliżu Watykanu znajduje się wprawdzie taka miła knajpka oferująca dania z północnych Włoch, mogłem się jednak założyć, że i tam stołowali się watykańscy dostojnicy. Nosi nazwę Velando i serwuje po niezbyt przystępnych cenach potrawy z Lombardii. Jeżeli jednak ktoś chciałby zobaczyć, gdzie jadają włodarze Kurii Rzymskiej, powinien raz zaryzykować, nie ma bowiem takiej możliwości, by w porze obiadowej nie natknąć się tam na któregoś z nich.

Z tego względu wybrałem lokal po drugiej stronie Tybru, mający coś w rodzaju zaplecza, gdzie można zaszyć się bez obaw, że ktoś nas zobaczy, a przy tym serwują tam przednie jedzenie, zaś klienci są raczej młodzi i niezbyt religijni.

Nim jeszcze na dobre się rozsiedliśmy, wymieniwszy uprzednio zwyczajowe uprzejmości, a ja pokazałem zdjęcia mojego synka, prałat powiedział:

– No, mów śmiało, czego ode mnie chcesz. Tylko nie opowiadaj, że zaprosiłeś mnie na obiad z czystej sympatii.

– Ależ to prawda. Chciałem po prostu się z tobą zobaczyć.

– Daj już spokój. No dalej, co chcesz wiedzieć?

– Chodzi mi o pewien cud, który miał miejsce gdzieś w latach dziewięćdziesiątych. Ale nie znam żadnych szczegółów, nie wiem, ani kiedy dokładnie, ani gdzie się dokonał.

Patrzył na mnie przez chwilę w całkowitym milczeniu. Nie mogłem rozgryźć, co się za nim kryło, czy zamierzał wybuchnąć gniewem, czy może po prostu przełykał kęs. Ale w końcu parsknął śmiechem, tak energicznie, że aż rozlał wino. Nie mógł się opanować. Pomogłem mu odstawić kieliszek. Napił się wody i w końcu doszedł do siebie.

– Co cię tak rozśmieszyło?

– Czy wiesz, jak wyglądają pomieszczenia naszej kongregacji? Na korytarzach piętrzy się taka masa kartonów i pudeł, że niepodobna już prawie tamtędy przejść. Wiesz, co musieliśmy zrobić? Zabraliśmy pozostałym kongregacjom wszystkie piwnice pod placem św. Piotra, żeby zmagazynować tam kolejne tysiące pudeł. A wiesz dlaczego? Cuda, cuda, cuda i jeszcze raz cuda. Nagle na tym świecie zaroiło się od cudów. Przestaliśmy już za nimi nadążać. Mamy u siebie tak wiele dokumentów na temat cudów, że nawet przy najlepszych chęciach nie wiemy, co z nimi począć.

– Nie wiedziałem, że jest tego tak wiele.

– Nikt o tym nie wie, bo nam nie wolno na ten temat rozmawiać. Pomyśl jednak tylko: Karol Wojtyła za swojego pontyfikatu ogłosił świętymi albo błogosławionymi już ponad 1200 osób. Każda beatyfikacja lub kanonizacja wymaga dowodu na dokonanie się za sprawą kandydata przynajmniej jednego cudu, co oznacza, że za każdym razem musimy ich zbadać setki. A wiesz, co najbardziej mnie złości? W mojej liczącej już sobie prawie czterysta lat kongregacji księża przez całe wieki zajmowali się z braku lepszego zajęcia jedynie struganiem ołówków i nigdy nie zdarzało im się zostawać po godzinach. Kiedy przed Wojtyłą Kościół ogłosił kogoś świętym czy błogosławionym? Zdarzało się to dosłownie raz na tysiąc lat. A teraz? Mamy tu niemal taśmową produkcję.

– To znaczy, że macie tyle pracy, bo on aż tyle osób chciał beatyfikować albo kanonizować?

– Skąd! Gdyby chodziło tylko o to, poradzilibyśmy sobie bez problemu. Problem polega na tym, że idea zgłaszania kandydatów na świętych i błogosławionych bardzo przypadła do gustu diecezjom na całym świecie. Wcześniej żadnemu biskupowi nie przychodziło do głowy, by zlecać badanie rzekomego cudu. Cuda pozostawiano sanktuariom w Fatimie czy w Lourdes. A teraz? Kiedy kilkaset diecezji zgłasza wnioski o kanonizację i one zostają pozytywnie rozpatrzone, to wszystkie pozostałe wpadają na ten sam pomysł. Świat wie, że Wojtyła, jak żaden inny papież do tej pory, popiera ogłaszanie nowych świętych i błogosławionych. I teraz diecezje w Kenii, Australii, Brazylii czy w Polsce chcą mieć swoich własnych świętych. Otwiera się setki procesów, a my musimy to wszystko jakoś przerobić. Choć wciąż przybywa nam nowych rąk do pracy, nie jesteśmy w stanie przebrnąć przez tę górę cudów. Tymczasem ty pytasz mnie o okoliczności cudu, jaki wydarzył się gdzieś w latach dziewięćdziesiątych. Mam tysiące takich przypadków, żaden człowiek się w tym nie rozezna.

– Ale czy to wszystko są prawdziwe cuda?

Jego makaron zdążył już wystygnąć, dopiero teraz dałem mu sięgnąć po widelec. Potem odpowiedział:

– Powiedzmy w ten sposób: istnieje na tym świecie niewątpliwie mnóstwo przypadków medycznych, których nie da się prosto wyjaśnić. Codziennie mam do czynienia z lekarzami, którzy albo w ogóle nie wierzą w Boga, albo nie wierzą w Boga chrześcijańskiego, a mimo to twierdzą z całym przekonaniem, że natrafili na cud medyczny. Nasi lekarze badają następnie każdą taką sprawę i najczęściej dochodzą do tej samej konkluzji: Dziś nie potrafimy tego wyjaśnić, ale jutro być może stanie się to możliwe. Ponieważ istnieje zatrzęsienie cudownych przypadków, nasi medycy koncentrują się na nietypowych cudach o podłożu medycznym.

– Na przykład?

– Kiedy do zdrowia wracają ludzie, którzy cierpieli na śmiertelne albo nieuleczalne schorzenia. I tyle. Przypuśćmy, że masz jakąś wadę serca, żaden lekarz nic z tym nie zrobi. Kiedy jednak na zdjęciu rentgenowskim nie ma nagle śladu po tej wadzie, lekarze mówią zgodnie, że to niemożliwe, że coś takiego się nie zdarza. Czyli mamy cud.

– A gdybym ci powiedział, że to był cud mający coś wspólnego z Bożym miłosierdziem?

– Och, ten paskudny bunkier w Krakowie, wygląda jak skrzyżowanie kosmodromu i centrum handlowego.

– Nie wybrzydzaj. Jan Paweł II bardzo ceni to miejsce.

– Przykro mi – powiedział. – Mamy co najmniej kilkaset przypadków związanych z Bożym miłosierdziem. O który z nich ci chodzi? Nie mam pojęcia. Wiesz coś więcej?

– Nic.

– O Boże – sapnął. – Jeżeli nie znasz choć paru szczegółów, za nic nie uda mi się odszukać tego przypadku. Musiałbyś mi przynajmniej powiedzieć, gdzie i kiedy to się wydarzyło, a jeszcze lepiej, kogo dotyczył i w jaki sposób się dokonał.

– Nie wiem nic z tych rzeczy. Wiem tylko, że miało to coś wspólnego z Bożym miłosierdziem i że uczestniczył w tym papież.

– Beznadziejna sprawa. Daj sobie spokój, takiego przypadku nie znajdę wcale albo odnajdę setki podobnych. Ale i tak stawiasz obiad – zakończył ze śmiechem.

– Jasne.

– Dam ci pewną radę. Przypuśćmy, że zdarzył się cud, i przypuśćmy, że potraktowano go w tych kategoriach, co oznacza, że informacja o tym musiała dotrzeć do krakowskiego biskupa.

– Dlaczego?

– No przecież ta Faustyna Kowalska została ogłoszona świętą i teraz, jeżeli ktokolwiek na świecie zgłasza przypadek cudu, to diecezja, z której ona pochodziła, musi zostać o tym powiadomiona. A przynajmniej istnieje duże prawdopodobieństwo, że tak się stało.

– To byłby już jakiś konkret – odpowiedziałem. Wiedziałem już, gdzie dalej szukać.

Papież Jan Paweł II zawsze się śmiał, że w Rzymie istnieje nie jeden, ale trzy Watykany. Oprócz Watykanu jako Pałacu Apostolskiego, gdzie papież mieszka, jest Castel Gandolfo, jego letnia siedziba, oraz, jak papież żartował z nutką czarnego humoru, klinika Gemelli, w której aż do lata 2002 roku spędził łącznie ponad pięć miesięcy. Jednak to nie do końca prawda, istniały bowiem nie trzy, ale cztery Watykany. Istniało bowiem jeszcze jedno centrum sprawowania władzy, mające wielki wpływ na papieża – kościół św. Stanisława B.M. przy Via delle Botteghe Oscure, polski kościół w Rzymie. Ten w gruncie rzeczy maleńki kościółek, wzniesiony w 1580 roku za sprawą polskiego kardynała Stanisława Hozjusza, sąsiadował przez całe lata – dość prowokacyjnie – z siedzibą Komunistycznej Partii Włoch (KPI). Przez długie wieki pozostawał w cieniu. Poza nielicznymi polskimi pielgrzymami, którym udało się wydostać za żelazną kurtynę, oraz Polakami już żyjącymi na obczyźnie nikt nie interesował się tą maleńką świątynią. Najznamienitsze rzymskie rody podzieliły Rzym wraz z jego pełnymi przepychu świątyniami na kilka terytoriów. Te okazałe barokowe dzieła architektury miały świadczyć o potędze i bogactwie poszczególnych rodów, spośród których wywodzili się też kolejni papieże. W manifestowaniu swoich wpływów kościółek pod wezwaniem św. Stanisława nie odgrywał żadnej roli. Aż do momentu, w którym po raz pierwszy w historii papieżem został Słowianin. Wówczas nieoczekiwanie parafia św. Stanisława awansowała do rangi głównej siedziby podziemnej dyplomacji w Rzymie. Jednak na potrzeby tajnych spotkań kościółek był za mały – w przeciwieństwie do większości rzymskich świątyń nie dawał możliwości skrycia się w jakimś ustronnym kącie, by porozmawiać w spokoju. Jednak przy kościele działało coś w rodzaju centrum parafialnego. Wyszedłszy na prawo bocznym wyjściem, wystarczyło przejść przez dziedziniec, by znaleźć się w całkiem sporej sali konferencyjnej, pod którą znajdowały się pomieszczenia znakomicie nadające się na takie spotkania.

Jeżeli ktokolwiek wiedział coś na temat raportu dla biskupa krakowskiego o cudzie związanym z miłosierdziem Bożym i siostrą Faustyną, to należało go szukać właśnie tutaj. Praca watykanisty miała wówczas i tę zaletę, że przynosiła mnóstwo znajomości wśród polskich księży. Liczne podróże papieża do Polski i tamtejszych diecezji owocowały nieodzownymi spotkaniami z polskimi księżmi, którzy z powodu odwiedzin papieża nie posiadali się ze szczęścia. W Rzymie udawali się oczywiście na mszę świętą do Bazyliki św. Piotra, ale przynajmniej raz podczas każdego pobytu zaglądali także do kościoła polskiego. Miałem zwyczaj, by od czasu do czasu w niedzielę również tam zajrzeć. Siadałem wówczas w ostatniej ławce, czekając, aż pojawi się ktoś znajomy.

Trwało jednak kilka tygodni, zanim dostrzegłem wreszcie pewnego młodego jasnowłosego kapłana, którego wielokrotnie spotykałem w Krakowie. Nie pamiętałem jednak jego imienia. Poczekałem do zakończenia mszy i podszedłem do niego. Poznał mnie, a ja zaprosiłem go na kawę. Ruszyliśmy wzdłuż Via delle Botteghe Oscure w kierunku Largo di Torre Argentina. Był to ksiądz Zygmunt. Jakiś czas gawędziliśmy o tym i owym, a ja cieszyłem się w duchu, że mam do czynienia z Polakiem, a nie Włochem. Jest bowiem niemożliwością wyciągnąć z Włocha jakąkolwiek pożyteczną informację podczas picia kawy. Powód jest bardzo prosty: kiedy idzie się z Włochem do kawiarni, wypija on po prostu kawę duszkiem i wychodzi. Wszystko trwa może ze czterdzieści sekund. Natomiast Polaka niemieszkającego we Włoszech, a więc i niemającego jeszcze tutejszych nawyków, udawało się bez problemu namówić, by posiedział dłużej. I tak też było tym razem. Zamówiliśmy kawę, ksiądz poprosił jeszcze o grappę, i postanowiłem postawić sprawę otwarcie.

– Czy słyszał ksiądz o cudzie, którego ponoć dokonał Jan Paweł II i który ma coś wspólnego z Bożym miłosierdziem, ze świętą Faustyną?

– Nie, wiem tylko o cudach, które wykorzystano w procesie kanonizacyjnym siostry Faustyny.

– Podobno wydarzył się kolejny cud, cud związany z osobą Ojca Świętego.

– Naprawdę? – zapytał. – Jeżeli został potraktowany poważnie i zbadany w Polsce, to nie powinno być większych trudności z odnalezieniem informacji na ten temat. Diecezja krakowska jest tak dumna z sanktuarium, że na pewno zależy jej, by pisano także o cudzie, o ile miał miejsce. Taka wiadomość bardzo umacnia wszystkich w wierze, byłoby naganne, gdyby ktoś chciał coś takiego zataić.

Kamień spadł mi z serca. Ten poczciwy Polak jako pierwszy nie potraktował mnie jak przestępcy, tylko dlatego że chciałem dowiedzieć się czegoś więcej o cudzie.

– A czy mógłby ksiądz popytać, czy w Polsce wiadomo coś na temat tego przypadku?

– Nie ma sprawy – odpowiedział.

– Jak długo będzie ksiądz jeszcze w Rzymie? – szedłem dalej.

– Trzy dni.

Zaproponowałem więc, że za trzy dni, na pożegnanie, zaproszę go na pizzę. Zgodził się i umówiliśmy się, że przyjadę po niego do polskiego seminarium duchownego.

Byłem przekonany, że temu młodemu kapłanowi uda się uzyskać wszystkie informacje. Wydawał się taki świeży i niezblazowany, odniosłem też wrażenie, że pochlebia mu, że ktoś w tym wielkim Rzymie prosi jego, zwyczajnego księdza z prowincji, o pomoc. Poza tym był szczerze przekonany, że cudów, o ile takowe miały miejsce, nie należy przemilczać. Wyglądało na to, że po raz pierwszy wszystko idzie gładko. Trzy dni później, punktualnie o 19.30, czekałem przed seminarium, jednak kiedy go spostrzegłem, wiedziałem już, że czekają mnie kłopoty, wielkie kłopoty.

– Jest pan złym i podstępnym człowiekiem – naskoczył na mnie. – Będzie pan musiał prosić o przebaczenie za to, co pan zrobił.

– O co właściwie księdzu chodzi? – zapytałem. – Może porozmawiamy o tym przy obiedzie?

– Nigdzie nie idę. Nie zamierzam jeść z panem pizzy ani niczego innego.

– Ale co się stało, na litość Boską?

– Wiedział pan, że o pańskim pytaniu na temat cudu nie powinienem był nawet pomyśleć, dobrze pan wiedział, prawda?

– O czym ksiądz mówi?

– A ja, dureń, zwróciłem się z tym do biskupa, który przypadkiem siedział z nami w jadalni. Kiedy go zapytałem, zamarł. Jak ześlą mnie gdzieś do jakiejś małej parafii w Tatrach, to będę miał dużo czasu, żeby żałować tego spotkania z panem.

– Bardzo przepraszam – powiedziałem. – Nie sądziłem, że proste pytanie może pociągnąć za sobą takie konsekwencje. Chciałem się tylko dowiedzieć, czy naprawdę wydarzył się cud, który jest badany w Krakowie.

Spojrzał mi prosto w oczy.

– Ale czy pan zdaje sobie sprawę, w jakich tarapatach znalazł się Kraków z powodu tego cudu?

– Nie mam najmniejszego pojęcia.

Popatrzył na mnie, a jego wzrok dosłownie przewiercał mnie na wylot. Potem przeszedł kilka kroków, a ja ruszyłem za nim.

– Wierzę panu – odezwał się w końcu. – Kto właściwie panu powiedział, że wydarzył się jakiś cud?

– Pewnie mi ksiądz nie uwierzy, ale to był stary Żyd z krakowskiego Kazimierza, który sprzedawał tam pamiątki.

Uśmiechnął się teraz odrobinę.

– Znam go, wiem, że to dziwak. I to od niego pan o tym usłyszał. Wieści o cudzie rozchodzą się zawsze dziwnymi kanałami.

Zastanawiałem się przez chwilę, czy powinienem zapytać o szczegóły cudu. Ale nie odważyłem się na to i po prostu szedłem dalej obok niego.

– Czy mógłby mi pan wyświadczyć przysługę, nawet jeżeli nie będzie to dla pana zbyt przyjemne? – zapytał po pewnym czasie.

– Tak, oczywiście, bardzo chętnie – odparłem.

– Czy mógłby pan napisać list? Proszę umieścić datę sprzed tygodnia i zawrzeć w nim po prostu prośbę o zebranie informacji na temat cudu. Może pan to zrobić? Miałbym wtedy jakiś konkret.

– Ależ oczywiście, tak zrobię.

– A może pan zrobić to teraz? W tej chwili?

– Jasne.

Miał przy sobie teczkę, przeszliśmy do pobliskiej pustej kafejki. Stanęliśmy przy barze. Zgodnie z jego wskazówkami napisałem, że przez wzgląd na długoletnią przyjaźń, jaką zawarliśmy niegdyś w Krakowie, proszę go, by dowiedział się szczegółów dotyczących tego cudu. Kiedy skończyłem, wydawał się dużo spokojniejszy i wręcz zadowolony.

– Wie pan, w ten sposób będę mógł udowodnić, że chciałem po prostu wyświadczyć panu przyjacielską przysługę.

– Znakomicie – powiedziałem. – A może teraz wychylimy razem po małym kieliszeczku?

Popatrzył na mnie z uśmiechem.

– Teraz tak, w pierwszej chwili myślałem, że chce mnie pan oszukać. Jednak teraz naprawdę wierzę, że rzeczywiście nie miał pan o niczym pojęcia.

– O czym, ale o czym nie miałem pojęcia? Co w tym cudzie jest tak nieopisanego, że nikt nie jest w stanie o tym mówić? Czy chodzi o papieża? Wiem, że nie chce, by rozpowiadać o cudach, które mają z nim coś wspólnego. Słyszałem już o tym setki razy od jego rzecznika Navarro-Vallsa. Lecz ja chciałem się tylko dowiedzieć, czy rzeczywiście zdarzyło się coś takiego jak cud, czy też to tylko pogłoska. Wiem, że i tak nie będę mógł o tym napisać, dopóki papież żyje.

– To nie papież jest tutaj problemem. Problem leży gdzie indziej – powiedział.

– Gdzie?

– Pójdę już – powiedział. – Zostawię na barze karteczkę. Proszę ją przeczytać, a potem wyrzucić. Nic więcej nie mogę dla pana zrobić.

Nagryzmolił coś na karteczce i wyszedł z kawiarni. Najwyraźniej zależało mu na tym, by nie widziano nas razem przed bramą seminarium. Odczekałem chwilę i obróciłem karteczkę w swoją stronę. Widniała na niej tylko nazwa pewnego miasteczka w Bośni i Hercegowinie – Medziugorje.

Tylko co sanktuarium leżące przy granicy z Chorwacją mogło mieć wspólnego z rzekomym cudem z Krakowa, powiązanym w jakiś sposób z papieżem Janem Pawłem II?

Czy Maryja nawiedza Medziugorje?

W ciągu przeszło dwudziestu lat mojej pracy jako watykanisty mógłbym na palcach jednej ręki policzyć zaproszenia na naprawdę huczne imprezy, za to nie ma tygodnia, żebym nie dostał, najczęściej od jakiegoś księdza, zaproszenia do Medziugorje. To jedyne w swoim rodzaju sanktuarium, którego nie sposób porównać z żadnym innym. Leżące w Bośni i Hercegowinie Medziugorje odróżnia się od Fatimy, Lourdes czy Mariazell przede wszystkim tym, że pielgrzymują doń nie tyle zwyczajni świeccy wierni, co księża. Sanktuarium jest swego rodzaju wyrazem katolickiego i nadzwyczaj religijnego protestu przeciwko instytucji Kościoła. Nie ma on nic wspólnego z ruchami lewicowymi czy zwolennikami zniesienia celibatu księży albo wyświęcania kobiet na kapłanów. To protest prawicowego, konserwatywnego skrzydła, protest postulujący jeszcze większą religijność Kościoła. A przy tym chodzi po prostu o cuda. Dla zwierzchników Kościoła cuda bywają czasem czymś kłopotliwym lub uciążliwym. Na przykład papież Benedykt XVI w rozmowie z nami, dziennikarzami, podczas lotu do Lourdes podkreślał stanowczo, że nie udaje się tam wcale z powodu cudownych uzdrowień. Dla Kościoła jako instytucji wiara w cuda stanowi bowiem dowód słabości wiary religijnej. Jak gdyby wierny czy nawet kapłan potrzebował cudu, by móc w ogóle uwierzyć w chrześcijańskiego Boga, niczym żądający dowodu niewierny Tomasz, którego Chrystus napomniał, że błogosławieni są ci, którzy nie widzieli, a uwierzyli. Konserwatywni księża uważają, że to nie fair. Oni wierzą w bezpośrednie ingerencje Boga oraz w to, że na tym świecie naprawdę zdarzają się cuda, czego skrajnym przykładem jest właśnie Medziugorje. Ponieważ tam i tylko tam cuda dzieją się *live*. Osobom mającym objawienia towarzyszy w trakcie ich wizji niewielki krąg wybranych. Przemawia do nich wówczas ukazująca się tu regularnie Matka Boska.

W moich poszukiwaniach nie posunąłem się niestety zbyt daleko. Nie udało mi się dowiedzieć, co takiego mogło łączyć cud związany z Bożym miłosierdziem i Medziugorje. Pewnego dnia zadzwonił do mnie zaprzyjaźniony włoski ksiądz.

– Andreas, mam zaproszenie do wzięcia udziału w objawieniu Matki Boskiej w domu Marii. Masz może ochotę na wycieczkę do Medziugorje?

– Być może – odparłem. – A słyszałeś kiedyś o cudzie, który ma coś wspólnego z papieżem, Bożym miłosierdziem z objawień świętej Faustyny i z Medziugorje?

Zastanawiał się przez chwilę.

– Nie mam o tym pojęcia – powiedział w końcu. – Nigdy o tym nie słyszałem.

Należało więc po prostu tam pojechać i rozejrzeć się na miejscu. Może uda mi się dowiedzieć, co właściwie miał na myśli ten młody ksiądz z Polski i dlaczego był tak poruszony wiadomością o cudzie. A przy tym jedno było pewne: wizjonerka Marija wiedziała o wszystkim, co dzieje się w Medziugorje. Jeżeli ktokolwiek mógł wiedzieć, gdzie w Medziugorje znajduje się tajemnicze miejsce związane z cudem Bożego miłosierdzia, to tylko ona.

Z Rzymu do Medziugorje można się dostać na dwa sposoby. Większość księży umawia się na wspólną wyprawę samochodem przez Wenecję i Triest, następnie chorwackim wybrzeżem aż na miejsce. Taka podróż trwa dwadzieścia godzin. Bardziej komfortowym rozwiązaniem jest przelot do Splitu i wypożyczenie tam auta na dalszą podróż. W Rzymie istnieje cała sieć punktów spotkań dla duchownych zafascynowanych tym sanktuarium, gdzie mogą umówić się na wspólny wyjazd, oferując wolne miejsca w swoim samochodzie. Sprzyjało mi szczęście, bo mój zaprzyjaźniony ksiądz miał pewnego pobożnego znajomego w chorwackich liniach lotniczych, dzięki któremu udało nam się dostać bilety na przelot z Rzymu do Splitu w korzystnej cenie. Myślę, że od czasów Marcina Lutra, kiedy doszło do rozłamu i powstania Kościoła ewangelickiego, żaden spór wewnątrz Kościoła nie miał takiej siły jak ten wokół zagadki Medziugorje. A przy tym dotyczył on nie wiernych świeckich, ale duchownych. Tysiące księży na całym świecie jest przekonanych, że w Medziugorje wydarzył się cud, bardzo istotny cud. Po drugiej stronie również stoją tysiące księży uznających przypadek Medziugorje za totalną bzdurę. Ta rozbieżność dotyka nie tylko szeregowych kapłanów, lecz obecna jest we wszystkich kręgach duchownych aż po kolegium kardynalskie. Do Medziugorje pielgrzymują bowiem, bardziej lub mniej skrycie, także setki, jeżeli nie tysiące biskupów. Spotkałem tam wielu takich, którzy zdejmowali swoje insygnia i chowali je w kieszeniach koszuli lub kurtki. Nawet kardynałowie pielgrzymują do Medziugorje, a największym spośród nich przyjacielem tego sanktuarium jest arcybiskup wiedeński kardynał Christoph Schönborn. Przeciwnicy Medziugorje są przekonani, że to nic więcej jak jedno wielkie oszustwo. Biskupi z byłej Jugosławii w deklaracji podpisanej w Zadarze w roku 1991 oświadczyli, że w Medziugorje nie zaszło nic nadprzyrodzonego. Kongregacja Nauki Wiary pod przewodnictwem Josepha Ratzingera zabroniła wszystkim duszpasterzom katolickich parafii organizowania pielgrzymek do Medziugorje. Jednak ten, kto tam dotarł, dobrze wie, że zakaz łamany jest każdego dnia. Pod tamtejszym kościołem, w którym odprawia się mszę za mszą i gdzie wierni taśmowo przystępują do sakramentu pokuty, codziennie kłębią się grupy pielgrzymów z całego świata. Nigdzie, w żadnym innym miejscu na ziemi nie widziałem takich tłumów stojących w kolejce do konfesjonału.

Mnie osobiście każda z podróży do Medziugorje fascynowała z tego prostego powodu, że będąc tam na miejscu, nie sposób nie zapytać: co tu się stało? Zwolennicy tego sanktuarium wierzą, że począwszy od 24 czerwca 1981 roku na wzgórzu Crnica pod Medziugorje ukazywała się Matka Boska i przekazywała tysiące orędzi sześciorgu dzieciom. Przepowiedziała na przykład wojnę na Bałkanach na dziesięć lat przed jej wybuchem. Od tamtego czasu o ustalonej porze dnia wciąż przekazuje swoje przesłanie sześciorgu „widzącym". Przeciwnicy sanktuarium uważają, że owa szóstka zmówiła się i przez długie już dziesięciolecia podtrzymuje swoje kłamstwa tak skutecznie, że w Medziugorje powstało ogromne centrum pielgrzymowania, w którym jedynie w 2006 roku – pomimo zakazu Watykanu – odprawiło mszę 4503 katolickich duchownych. Z owymi „widzącymi" dziećmi, teraz już dorosłymi, spotykałem się wielokrotnie. Nie wiem, czy są notorycznymi kłamcami. Gdyby jednak to wszystko zmyślili i w swej zmowie trwali przez tak długie lata, to nasuwa się tylko jedno pytanie: po co?

W okresie przed pierwszymi objawieniami w roku 1981 aż do momentu upadku muru berlińskiego wszyscy z tej szóstki, żyjący w komunistycznej Jugosławii, byli narażeni na różnego rodzaju konflikty i szykany ze strony aparatu państwowego czy policji tylko dlatego, że twierdzili, iż widzieli na własne oczy Matkę Boską, która przekazała im orędzie. Po co mieliby to robić, skoro takim oświadczeniem narażali się na więzienie? Moje wahanie pogłębiały jeszcze rozmowy z wieloma włoskimi sędziami. Na przykład przy zwykłej próbie wymuszenia ubezpieczenia świadkowie starają się wcześniej uzgodnić szczegóły rzekomego zajścia. Praktyka pokazuje jednak, że prawie nigdy nie udaje się zbyt długo podtrzymać nieprawdziwej wersji. Ktoś w końcu przerywa milczenie, zwłaszcza gdy w cały spisek zamieszanych jest kilka osób i upłynęło już trochę czasu. Jednak w przypadku Medziugorje nikt z „widzących" nie zmienił dotąd swojej wersji. Dlaczego? Bo potrafią tak doskonale kłamać? A może naprawdę widzieli Matkę Boską? Tego nie wiem.

Byłem zatem wdzięczny znajomemu księdzu, że chciał mnie zabrać na objawienie Marii, jednak podróż do Medziugorje w towarzystwie duchownego łączyła się dla mnie ze sporym wysiłkiem, bo nie sposób wtedy rozmawiać otwarcie. W trakcie podróży mój towarzysz z rzymskiej parafii przygotowywał się wewnętrznie na spotkanie z Mariją Pavlović-Lunetti, często się modląc. Był bardzo przejęty myślą, że oto będzie obecny w czasie objawienia Matki Boskiej. Świadomość, że będzie się modlił w tym samym pomieszczeniu, w którym ukaże się, a nawet przemówi nieogarniona istota, Maryja, wprawiał go w nastrój głębokiego uduchowienia i radosnego oczekiwania. Za każdym razem, kiedy teraz zjeżdżam ze wzgórz do miasteczka, nie potrafię powstrzymać się od pytania, czy naprawdę ten ogromny religijny przemysł pod nazwą Medziugorje opiera się tylko na uporczywie podtrzymywanym kłamstwie. Przecież gdyby nie szóstka „widzących" dzieci, Medziugorje byłoby zwyczajną, ubogą wioseczką usytuowaną dosyć pechowo w spornej strefie pomiędzy Chorwacją a Bośnią i Hercegowiną. Tymczasem Vicka Ivanković-Mijatović, Ivan Dragićević, Marija Pavlović-Lunetti, Jakov Čolo, Ivanka Ivankowić-Elez i Mirjana Dragićević-Soldo, dzięki swoim niezliczonym wizjom, przyczynili się do powstania w tym miejscu gigantycznego centrum kultu religijnego. Władze bośniackie szacują, że każdego roku przyjeżdża tu od półtora do dwóch milionów pielgrzymów. Wyrosły więc w Medziugorje setki sklepików z pamiątkami, dziesiątki restauracji, barów i hoteli. W miejscu, gdzie poza kościołem parafialnym były tylko ruiny, powstał nowoczesny ośrodek turystyczny obracający milionami euro. Medziugorje stało się znaczącym czynnikiem gospodarczym. Przechodząc obok tysięcy figurek Matki Boskiej, stoisk z napojami i postmodernistycznych luksusowych kawiarni, zadaję sobie pytanie, czy to wszystko naprawdę ma coś wspólnego z faktem, że Maryja upodobała sobie właśnie to miejsce, by ukazywać się tu raz za razem?

Willa Marii Pavlović-Lunetti znajduje się przy wyjeździe z Medziugorje, a jej okna wychodzą na wzgórze, na którym w roku 1981 ukazała się jej Matka Boska. Za wielką metalową bramą zaopatrzoną w kamerę rozciąga się ogromny parking, na którym bez trudu pomieściłoby się mnóstwo autokarów, jednak zazwyczaj parkują tu samochody gości. Po lewej stronie widać kaplicę, w której dwudziestego piątego dnia każdego miesiąca Marija doznaje kolejnego objawienia. Z prawej strony stoi imponująca rozmiarami willa, wzniesiona z typowych dla tego regionu kamieni. Marija jest bardzo gościnna, razem z pomocnicami przygotowuje dla uczestników objawień przekąski, ciasta, colę czy soki. Jest pogodną, szczupłą blondynką średniego wzrostu. W ogrodzie przed domem bawi się czwórka jej dzieci. Przybyłych gości wita też jej mąż, z którym mieszka w Monza we Włoszech. Przyglądałem się jej, jak krząta się w kuchni, jak co rusz zanosi gościom do pokoju kolejne tace z przekąskami. Ma taką szczerą i otwartą twarz. Czy ta kobieta byłaby w stanie od 1981 roku odgrywać przed całym światem komedię, która ściągałaby co roku na kosztowną pielgrzymkę do Medziugorje miliony wiernych? Może tylko jej się zdawało, że słyszy Matkę Bożą, albo wmówiła sobie te objawienia, może był to rodzaj autosugestii? Znam wiele osób twierdzących, że problem Medziugorje polega wyłącznie na tym, że „widzący" są nadwrażliwi i przez trzydzieści lat wmawiają sobie kolejne objawienia. Jednak czy sześć osób może jednocześnie ulec tej samej autosugestii? Czy tylko udają ekstazę, czy może naprawdę ukazuje im się Matka Boska? W postawie Marii nie dostrzegłem ani krzty przebiegłości czy zakłamania. Wydała mi się całkowicie szczera. Siedzieliśmy w tym odrobinę mrocznym pokoju, jedliśmy ciasto, aż nadszedł czas. Kaplica była wyposażona w mnóstwo urządzeń technicznych, za konsolą siedział moderator radiowy, mała grupka grała na gitarach, objawienie miało być rejestrowane przez Radio Maria, które transmitowało orędzia na cały świat. Rozgłośnia powstała w 1983 roku w Arcellasco d'Erba nieopodal Como i dziś ze słuchaczami w liczbie 1,6 miliona (dane z roku 2009) należy do jednych z najpopularniejszych radiostacji we Włoszech. Jednak wewnątrz Kościoła opinie na temat tego skrajnie konserwatywnego radia są dosyć podzielone.

Wszyscy zebrani w kaplicy uklękli do modlitwy. W tym czasie moderator informował wiernych, że słuchają transmisji na żywo z domu, gdzie Marija Pavlović-Lunetti czeka właśnie na objawienie Matki Boskiej. Tym, co zdumiewa w owych objawieniach w Medziugorje, jest fakt, że Maryja ukazuje się zawsze nie tylko w określonym dniu, ale i o określonej porze. Uroczysta godzina wybiła o 17, Marija stanęła przed ołtarzem i popatrzyła w lewą stronę. Modliła się i głośno śpiewała. W pewnym momencie któryś z księży dał znak i zapadła cisza. Marija rozejrzała się dookoła niepewnym wzrokiem, popatrzyła w głąb pomieszczenia, a potem coś się z nią stało. Patrzyła dokładnie w jedno miejsce w kaplicy, w którym nie było widać absolutnie nic, jej twarz rozjaśniła się, wyrażając jakąś niezmierną radość. Znałem fascynujące studium tego fenomenu opracowane na fakultecie medycznym w Montpellier w roku 1984. W dniu, w którym cała szóstka „widzących" miała mieć kolejne objawienie, badacze zebrali ich w jednym pomieszczeniu. W ten sposób dowiedziono, że stało się coś niesamowitego, wszyscy „widzący" patrzyli bowiem na ten sam punkt w pomieszczeniu, jak gdyby coś tam widzieli. Czy zatem w tej chwili Marija widziała w kaplicy coś nadprzyrodzonego? A może tylko tak jej się wydawało? Czy byłem świadkiem cudu, czy znajdowałem się w pomieszczeniu, w którym w tym samym czasie przebywała Matka Boża, która wszak większość swojego ziemskiego życia spędziła w Nazarecie? Może jednak Marija Pavlović odgrywała tylko jakiś spektakl? Tego nie wiem.

Dziesięć minut później było po wszystkim. Marija przeżegnała się i dosłownie pognała do pomieszczenia obok, gdzie słowo po słowie spisała wszystko, co jakoby przekazała jej Matka Boska. Wróciła potem z karteczką w ręku i obwieściła to z dumą, akcentując każde słowo. Przesłanie dotyczyło przede wszystkim tego, by nie ustawać w modlitwie.

Po objawieniu w kaplicy Marija pośpieszyła do kościoła w Medziugorje, gdzie zebrały się już tłumy wiernych, którym musiała powtórzyć treść nowego orędzia. Udało mi się porozmawiać z nią przez moment.

– Czy mogę cię o coś zapytać?

– Oczywiście.

– Czy wiesz coś na temat cudu Bożego miłosierdzia, jaki miał miejsce tutaj, w Medziugorje?

– No pewnie. Chodzi o kościółek w Surmanci, niedaleko.

Podziękowałem i nie zatrzymywałem jej dłużej. Mój towarzysz wolał jechać z Mariją, wziąłem więc nasz samochód i ruszyłem sam do Surmanci, leżącego w gminie Medziugorje, w nadziei że znajdę tam wreszcie to, czego szukam. Kiedy dotarłem na miejsce około godziny 18, kościół był jeszcze otwarty. Usiadłem w ławce i rozejrzałem się wokół. Co wspólnego ma ten kościółek z owym Żydem z Krakowa, który opowiadał o cudzie, i dlaczego tamten polski ksiądz był tak przerażony, że nazwę „Medziugorje" napisał na karteczce ukradkiem? W końcu zobaczyłem: wisiał tu słynny już obraz z podpisem „Jezu, ufam Tobie", przedstawiający Jezusa z Nazaretu według wizji siostry Faustyny. Jak i dlaczego ten obraz trafił jednak do Medziugorje?

Wstałem i podszedłem bliżej, by dokładniej się mu przyjrzeć. Niespodziewanie obok mnie pojawił się starszy ksiądz. Modlił się przez chwilę cicho przed obrazem, potem popatrzył na mnie i odezwał po bośniacku. Kiedy się zorientował, że go nie rozumiem, powiedział po włosku, że chciałby już zamknąć kościół.

– Czy mogę o coś zapytać?

– Ależ proszę – odpowiedział perfekcyjną włoszczyzną.

– Jak trafił tu ten obraz?

– To cud, zdarzył się cud. Prosił o niego papież Jan Paweł II i cud się dokonał, wielki cud. To dlatego ten obraz tutaj jest.

– Ale jaki cud, gdzie?

– We Włoszech.

No pięknie, pomyślałem. W Krakowie dowiaduję się o jakimś cudzie, potem jadę do Bośni i Hercegowiny, a na końcu okazuje się, że zdarzył się on, że tak powiem, pod moim nosem.

– Co się wtedy stało?

Kapłan pokręcił głową.

– Przykro mi, Ojciec Święty...

– Tak, tak, Ojciec Święty nie chce, żeby o tym mówić. Ale ja nikomu nie powiem.

On jednak upierał się przy swoim.

– Przykro mi.

Spróbowałem raz jeszcze i patrząc na niego przenikliwym wzrokiem, powiedziałem:

– Nie wiem, czy ksiądz mi uwierzy, ale ja mówię prawdę. W Krakowie dowiedziałem się, jak drogie papieżowi jest orędzie o Bożym miłosierdziu, a pewien Żyd powiedział mi, że wydarzył się cud.

– Żyd?

– Tak, w dawnej dzielnicy żydowskiej w Krakowie, w Polsce. Od tej pory szukam wszędzie śladów tego cudu.

– A kto panu powiedział, żeby szukać akurat w Medziugorje?

– Pewien polski ksiądz.

Zaśmiał się krótko.

– Już prawie panu uwierzyłem, ale teraz pan kłamie.

– Ten ksiądz miał ogromne nieprzyjemności, tylko dlatego, że zapytał kogoś o ten cud.

– I to on przysłał pana do mnie?

– Nie, ograniczył się jedynie do tego, że z wielkim oporem zapisał mi na kartce nazwę Medziugorje.

– W to akurat wierzę. Czasami zupełnie nie rozumiem Kościoła. Zwłaszcza wielu Polaków traktuje nas jak bandę przestępców, kłamców i oszustów, którzy hańbią Matkę Bożą. Czy wie pan, ile osób tu przyjechało, żeby zapobiec zawieszeniu tego obrazu?

– Mogę to sobie wyobrazić.

– To ma coś wspólnego z papieżem. Gdyby choć raz mógł tu przyjechać. Skończyłoby się wtedy całe to zamieszanie. A był już przecież tak blisko, w Banja Luce.

– Tak, wiem – odpowiedziałem – też tam wtedy byłem.

Papież Jan Paweł II zawitał do Banja Luki 22 czerwca 2003 roku, jednak odrzucił wtedy zaproszenie do oddalonego o dwieście pięćdziesiąt kilometrów sanktuarium maryjnego w Medziugorje.

– Nie przyjechał przez wzgląd na biskupów, którzy nas nienawidzą.

– Wiem jednak, że papieża bardzo ciekawiło, co tu się stało.

– A skąd pan wie? – zapytał.

– Opowiedział mi o tym kiedyś jego rzecznik Joaquín Navarro-Valls.

– Co panu powiedział? Proszę, niech pan usiądzie. Usiadłem ponownie w ławce, a on przysiadł obok.

– O czym opowiedział panu papieski rzecznik?

– Spędzali wtedy wakacje w górach, kiedy do uszu rzecznika dotarła informacja, że „widzący" usłyszeli od Matki Boskiej przepowiednię dotyczącą papieża. Powiedział wtedy do niego: „Wasza Świątobliwość, dzisiaj w Medziugorje rozeszło się orędzie Matki Boskiej dotyczące papieża".

– I co papież na to?

– Zapytał Navarro-Vallsa, co to za orędzie, a rzecznik obiecał, że się dowie.

– I co było potem?

– Navarro-Valls zapomniał o tym, za to dzień później przyszedł do niego papież i powiedział: „Jakiego mam rzecznika, skoro zapomina o papieżu i o orędziu z Medziugorje".

– I co dalej?

– Rzecznik przeprosił go i chciał się zająć tą sprawą, ale znowu zapomniał. Kiedy po urlopie lecieli już z powrotem do Rzymu, papież podszedł w samolocie do Navarro-Vallsa i zapytał: „Czym sobie na to zasłużyłem, że pan zupełnie o mnie nie myśli?". Rzecznikowi zrobiło się oczywiście strasznie głupio. Przeprosił, a następnego dnia papież miał już na swoim biurku wszystkie szczegóły.

– Pamiętam tamto orędzie. Zapowiadało, że papież będzie musiał w przyszłości wiele wycierpieć.

– Zgadza się.

Popatrzył na mnie.

– Ufam panu. Istnieje świadek tamtego cudu, ksiądz. Nazywa się Renato Tisot. Odnajdzie go pan w Trento.

Po powrocie do Rzymu natychmiast ruszyłem na poszukiwanie. Tyle że on ciągle był w rozjazdach, miało się wrażenie, że podróżuje po całym świecie. Musiałem więc zaczekać. Tymczasem zadzwoniłem do przyjaciela pracującego w Prefekturze Domu Papieskiego z pytaniem, czy mówi mu coś nazwisko Renato Tisot.

– Jestem pod wrażeniem – odparł zdumiony. – Ty go znasz?

– Nie – odparłem. – Nie znam go. Nigdy nie widziałem go na oczy.

– Myślę, że w Rzymie jest niewielu duchownych tak drogich papieżowi jak ksiądz Tisot.

– Skąd wiesz?

– Stało się coś niesamowitego. Dawno temu, gdzieś na początku lat dziewięćdziesiątych. Pewien człowiek cierpiał na nieuleczalną chorobę, to było chyba stwardnienie rozsiane. Podczas audiencji generalnej podwieziono go na wózku do papieża. Miał przy sobie obrazek z Jezusem z wizji siostry Faustyny. Papież podszedł do niego, a on powiedział: „Proszę mi pomóc!". I wiesz, co mu papież odpowiedział? „Nie potrzebujesz mojej pomocy, trzymasz obraz Jezusa Miłosiernego. Ja nie jestem ci potrzebny. Zwróć się do świętej Faustyny, ona wstawi się za tobą u Boga".

– I co było potem?

– Potem wysłał go do tego Renata Tisota w Trento. Powiedział temu człowiekowi na wózku, żeby jechał tam pełen dobrej wiary.

– I co się tam stało?

– Nie mam pojęcia.

Ksiądz Renato Tisot wrócił kilka tygodni później. Jego głos w słuchawce brzmiał żwawo i energicznie.

– Ksiądz widział cud, prawda?

Zamilkł na moment. Potem powiedział cicho:

– Tak, widziałem cud.

– Papież Jan Paweł II wysłał do księdza pewnego człowieka cierpiącego na stwardnienie rozsiane.

– Tak, to był Ugo Festa.

– Dlaczego wysłał tego chorego właśnie do księdza?

– Ugo Festa był na audiencji generalnej u papieża. Trzymał na kolanach obrazek z Jezusem Miłosiernym (fot. 12).

– Tak, wiem, a papież powiedział do niego: „Po co ci moja pomoc, zwróć się do świętej Faustyny". Znam już ten fragment historii. Ale dlaczego papież wysłał go do księdza do Trento?

– To proste. W tamtym czasie byliśmy jedyną w całych Włoszech parafią pod wezwaniem Bożego Miłosierdzia. Lub, jak pan woli, byliśmy jedynym miejscem we Włoszech, gdzie oddawano cześć temu wizerunkowi.

– I co się wtedy stało?

– Uga Festę przepełniała nienawiść. Miał wtedy trzydzieści dziewięć lat i chorował od dziecka. Cierpiał nie tylko na SM, ale dodatkowo na epilepsję i jeszcze wiele innych chorób.

– I co dalej?

– Zaczął się modlić. W swoim wózku inwalidzkim spędził wiele godzin przed obrazem Jezusa Miłosiernego, a potem to się stało.

– Co?

– W dniu 3 sierpnia 1990 roku siedział w wózku w naszej kaplicy. Prosił Jezusa: „Jeżeli jest to w Twojej mocy, podnieś mnie, podnieś mnie z tego wózka i pozwól mi chodzić". Powiedział mi potem, że wydarzyło się wtedy coś niezwykłego. Jak gdyby Jezus zstąpił z obrazu, podszedł do niego i podawszy rękę, pomógł wstać z wózka. Od tamtego dnia znów mógł chodzić. Z początku myśleliśmy, że to przypadek, ale doktor Marcella Piazza, szefowa oddziału neurologicznego ze szpitala Santa Chiara w Trento, zbadała go i powiedziała, że nie da się tego wyjaśnić od strony medycznej. Niestety, była niewierząca. Nie odnalazła jeszcze Boga. Mimo to stwierdziła, że to cud. Dopiero wtedy zgłosiliśmy wszystko biskupowi Giovanniemu Sartoriemu. Zbadał on cud i wysłał dokumenty również do Krakowa. Ale najważniejsze było...

– Co takiego?

– Ugo Festa przyszedł 19 sierpnia 1990 roku na audiencję u papieża o własnych siłach. Podziękował Janowi Pawłowi II, a potem postanowił w jakiś konkretny sposób odwdzięczyć się za cud, którego doświadczył. Pojechał do Kalkuty, do Matki Teresy, i tam dla niej pracował.

W 2004 roku Festa zajmował się wspólnotą młodych narkomanów. Mieszkał z nimi pod jednym dachem, ale 22 maja 2005 roku został zabity we śnie przez jednego z podopiecznych. W Trento czci się go jako męczennika.

Strzał na placu Świętego Piotra

WATYKAN, PLAC ŚW. PIOTRA, I KWIETNIA 2005 ROKU. Istnieje wiele przykładów na to, że religie mogą szkodzić całym narodom, doprowadzić do krwawych wojen i nieszczęść, jednak jeżeli jakiś dzień mógłby dobitnie ukazać dobrą stronę religii, to właśnie ten. Na placu św. Piotra czuwały niezliczone rzesze młodych ludzi. Przyjechali z całego świata. Najbardziej poruszające było to, że nikt ich tam nie wysłał. Młodzież z USA, Włoch, Niemiec, Polski czy Meksyku zjawiła się, by podziękować wielkiemu człowiekowi, który umierał teraz w swoim apartamencie z oknami wychodzącymi na plac św. Piotra. Przez cały czas śpiewali, trwając na miejscu nawet podczas chłodnych nocy. Ja sam nocowałem wtedy na sofie w sali konferencyjnej albo w samochodzie. Młodzi godzinami wyśpiewywali hymny ze Światowych Dni Młodzieży, których pomysłodawcą był Karol Wojtyła – wciąż rozbrzmiewał song autorstwa Marca Frisiny *Jesus Christ you are my life*. Niektórzy prałaci oczywiście uważali, że to nie wypada, by młodzi ludzie rozkładali obozowisko tuż pod oknami umierającego papieża. Jednak sekretarz papieski kardynał Dziwisz był innego zdania i młodym pozwolono zostać. Karol Wojtyła chciał ich słyszeć, przecież jeździł po całym świecie, głosząc swoje orędzie zwłaszcza młodzieży – a teraz, w godzinie śmierci, cały świat przybył do niego. Tego wieczoru, patrząc na te zastępy młodzieży ze wszystkich, nawet najdalszych zakątków Ziemi, można było poczuć, że Karolowi Wojtyle naprawdę udało się zmienić świat na lepsze. Każdy z przybyłych przyniósł swoje wspomnienia. Ten papież zdołał dotrzeć do ich serc tak dalece, że kiedy umierał, stanęli na głowie, byle tylko znaleźć się w Rzymie. Jak gdyby wszyscy czuli się po trosze jego dziećmi.

Stałem na placu św. Piotra, kiedy nowy archiprezbiter bazyliki rozpoczął modlitwę wieczorną. Ten były delegat papieski do spraw sanktuarium loretańskiego piastował swój nowy urząd dopiero od niedawna i okazał się jednym z ostatnich biskupów zawdzięczających awans Karolowi Wojtyle. Zaczął odmawiać modlitwę, a potem wypowiedział parę słów, które odebrały mi mowę. Powiedział bowiem, że papież Jan Paweł II „w tych godzinach, a najpóźniej jeszcze tej nocy" odejdzie do Pana. „Jak on może oświadczać coś takiego?", pomyślałem. Przecież tylko Bóg jeden wie, kiedy powoła do siebie Wojtyłę, skąd więc u niego taka pewność, że papież umrze jeszcze tej samej nocy? To nie miało sensu. Chyba że – na samą myśl o tym przeszył mnie bolesny skurcz – chyba że on już nie żyje. Może potrzebują czasu, żeby przygotować się do uroczystości pogrzebowych. Może to dlatego wysłali Comastriego – żeby przygotował świat na tę wiadomość. „On nie żyje", myślałem, nie może być inaczej, w przeciwnym razie żaden człowiek przy zdrowych zmysłach nie mógłby przecież stwierdzić tak kategorycznie, kiedy umrze papież. Bo gdyby odszedł na przykład dopiero jutro, to jak by wyglądał wtedy Comastri? Czy nie jak archiprezbiter bazyliki watykańskiej, który wprost nie może się doczekać, aż papież umrze? Odpowiedź mogła być tylko jedna. On już umarł. I dlatego Comastri wypowiadał się z taką pewnością.

Zadzwoniłem do paru osób, następnie wybrałem numer Jarka w Krakowie.

– On nie żyje – powiedziałem.

– Dlaczego tak uważasz? Przecież u nas w telewizji mówi się, że jego stan nadal jest krytyczny.

– Archiprezbiter Bazyliki św. Piotra, Angelo Comastri, odmawiał właśnie na placu modlitwę i powiedział, że papież umrze najpóźniej jeszcze tej nocy. Przecież nikt tak nie mówi, nie mając pewności, że papież już nie żyje. Bardzo mi przykro.

– On jeszcze nie umarł, Andreas, uwierz mi!

– Ale Comastri...

– To tylko jego spekulacje.

– Naprawdę myślisz, że w takiej chwili spekulowałby na temat śmierci papieża?

– Naprawdę, Andreas, zresztą spójrz w kalendarz. On z tego wyjdzie.

– Dlaczego mam spojrzeć w kalendarz?

– Bo papież wprowadził do niego jeden świąteczny dzień, Niedzielę Bożego Miłosierdzia. A związane z nią uroczystości rozpoczynają się w sobotę o godzinie 19. Nie umrze wcześniej, jeżeli już, to dopiero potem.

– Dlaczego?

– Bo nie mam wątpliwości, że Bóg udzieli mu tej łaski, by umarł w dniu, który był tak drogi jego sercu, w święto Bożego Miłosierdzia. Wierz mi, wtedy Bóg w swoim miłosierdziu przyjmie go do siebie. Zobaczysz, umrze w święto, które sam na zawsze wpisał do kalendarza.

– Uwzględniając liczbę dni w roku, szanse na to wynoszą jeden do trzystu sześćdziesięciu pięciu.

– Zdarzy się cud, uwierz mi, Bóg powoła go do siebie właśnie wtedy. Zobaczysz.

I miał rację. Karol Wojtyła, papież Jan Paweł II, zmarł 2 kwietnia o godzinie 21.37, dwie i pół godziny po rozpoczęciu uroczystości kościelnych związanych z Niedzielą Bożego Miłosierdzia.

Dlaczego akurat tutaj?

Castries na wyspie Saint Lucia, Karaiby, jadalnia w klasztorze Benedyktynek, jesień 2007 roku. Wentylatory zawieszone pod sufitem pracują pełną parą, próbując wypchnąć gorące powietrze przez otwarte na oścież okna wprost do tropikalnego ogrodu. Pod oknami stoi długi rząd tapicerowanych sof, dużo niższych od europejskich, nadających się raczej do polegiwania niż sztywnego siedzenia przy kawie. Pomieszczenie, nawet opustoszałe, wiele mówi o swojej przeszłości. Ktokolwiek tu wejdzie, natychmiast zmierza w kierunku okien, skąd roztacza się widok na ogród, w których gałęzie zwieszają się fantazyjnie aż do ziemi, oraz w dół na zatokę, mieniącą się błękitem morza. Pośrodku sali ustawiono stoły jadalne, przy których, po zachodzie słońca, kiedy od morza wieje odrobinę chłodniejszy wiatr, zasiadają zakonnice i goście. Spoglądam na drzwi w odległym końcu sali, skąd ma nadejść. „Czekałem na ten moment dwadzieścia trzy lata, więc jeszcze te parę minut mnie nie zbawi" – myślę. Przez jadalnię przemyka cichutko jedna z sióstr. Trwają przygotowania do kolacji. Benedyktynki noszą tu lekkie, białe habity i choć materiał wygląda na przewiewny, nie sposób sobie wyobrazić, jak wytrzymują w nich w takim upale. Pomijając szum wentylatorów, panuje tu kompletna cisza

– jedynie od czasu do czasu słuchać dziwaczne odgłosy ptaków z ogrodu.

W końcu drzwi się otwierają, a on zmierza w moim kierunku. Trudno uwierzyć, że ten człowiek, biskup Kelvin Felix, liczy sobie ponad siedemdziesiąt lat. Ma bowiem sylwetkę sportowca. Wygląda jak były bejsbolista, nigdzie ani śladu zbędnego tłuszczyku. Można dostrzec jedynie, że pociąga lekko nogą. Czarnoskóry. Jego przodkowie musieli pochodzić od niewolników, których tysiące zwożono na Wyspy Karaibskie. Poza tym, inaczej niż w Brazylii czy nieodległej Wenezueli, nie ma tu zbyt wielu mieszańców. Kolorowi nie mieszali się tutaj z białymi. Jeszcze dzisiaj, tak długo po zniesieniu niewolnictwa, wyspa Saint Lucia i jej podobne stanowią żywe oskarżenie wobec handlarzy niewolników. Garstka białych obszarników ciemiężyła tu niegdyś całe zastępy uprowadzonych ze swoich domów Afrykanów. Byli niewolnicy nadal żyją w swoim kręgu i nadal stanowią na wyspie większość. Nigdy też nie zaistniała tu sprawiedliwa koegzystencja czarnych i białych.

Biskup ma przy sobie brewiarz, modlitewnik dla duchownych. Patrzy na mnie z uśmiechem, który rozjaśnia jego twarz. Cały mój strach przed biskupem znika. Spodziewałem się bowiem, że ten człowiek może być odrobinę arogancki, w końcu królowa angielska Elżbieta II osobiście udekorowała go Orderem Imperium Brytyjskiego – czyli najwyższym odznaczeniem w Wielkiej Brytanii. Nie ma w nim również cienia zgorzknienia, które nie mogłoby przecież zaskoczyć u kogoś, kto przeżył zamach na swoje życie. W roku 2006 na ulicy przed kościołem ktoś podciął mu gardło. W jego oczach pobłyskuje zza okularów ciekawość, całkiem jak u młodego człowieka.

– A więc to jest biskup Kelvin Felix – mówię do niego. Podajemy sobie dłonie.

– Tak, to ja.

– Przez dwadzieścia trzy lata zachodziłem w głowę, jak Jego Ekscelencja wygląda.

– I co, mam nadzieję, że pana nie zawiodłem. Oczywiście zaprzeczam.

Potem usiadł, tuż przy oknie, i odłożywszy brewiarz, popatrzył na mnie.

– Jeżeli mam być szczery – zaczął – to ja przez całe lata zachodziłem w głowę, czy pewnego dnia przyjedzie tu ktoś taki jak pan, i oto pan tutaj jest.

– Czekałem przeszło dwadzieścia lat, aż w końcu się odważyłem.

– Czyli od dawna wie pan o tym, co się tu wydarzyło? A mnie się wydawało, że dobrze strzegliśmy tajemnicy – powiedział.

– O, proszę się nie obawiać, przez te dwadzieścia lat żyłem w całkowitej nieświadomości.

– A więc o niczym pan nie wie?

– Nie, nie mam pojęcia.

– Zatem dlaczego pan tu przyjechał?

– Ekscelencjo – zacząłem – kiedy przyjechałem do Rzymu, miałem dwadzieścia cztery lata i wydaje mi się, że niektórzy watykańscy duchowni patrzyli na mnie z politowaniem, bo nikogo tam nie znałem, byłem kompletnym żółtodziobem. Czasami udało mi się gdzieś wyjść z tym czy innym biskupem. Próbowali mi wtedy tłumaczyć, jak działa Watykan. Kiedy jednak kolacja dobiegała końca, mówili: „Może pan właściwie pytać o wszystkie sprawy Watykanu i zawsze otrzyma odpowiedź, jednak jednego tematu nie wolno panu poruszać, mianowicie sprawy Saint Lucia".

Arcybiskup spojrzał na mnie zaskoczony, potem pochylił się nad stolikiem i wybuchnął śmiechem niczym chłopak, któremu udał się kawał. Jedna z zakonnic przyniosła nam espresso, tak doskonałe, jak gdyby przyrządzono je we Włoszech. Pierwszego dnia wizyty nie wiedziałem jeszcze, że cudowna matka przełożona, która tak troskliwie się nami zajęła, wszystko, absolutnie wszystko sprowadzała statkiem prosto z Apulii. Nigdzie poza Włochami nie kosztowałem tak doskonałej kuchni włoskiej jak w tym klasztorze na południowych Karaibach.

– Trzymał się pan tego zakazu czy próbował się jednak czegoś dowiedzieć? – zapytał.

– Próbowałem nieśmiało parę razy. W trakcie mojej dwudziestoletniej pracy w Watykanie poznałem na przykład wiceszefa zespołu organizującego zagraniczne wizyty papieża. Zapytałem go kiedyś, czy pamięta sprawę Saint Lucia. Od razu się zorientował, do czego zmierzam. Szybko przyswoiłem sobie zasadę, że tutejsze wydarzenia mają pozostać tajemnicą aż do jego śmierci, to znaczy do śmierci Jana Pawła II.

– Tak, mnie to samo powiedział i ja się tego trzymałem. Jeszcze nigdy w życiu nie rozmawiałem o tym z żadnym reporterem. Pan jest pierwszy.

– Od czasu do czasu pojawiały się jakieś pogłoski – kontynuowałem. – Roberto Tucci, odpowiadający wówczas za pielgrzymki papieskie, na wspomnienie o tym miejscu zawsze się uśmiechał. Po przyjeździe na wyspę był bardzo zaskoczony, kiedy tutejsi mieszkańcy zaśpiewali akurat hymn jego rodzinnego Neapolu, pieśń *Santa Lucia*. Jednak w Rzymie tylko szeptano, że tu, na Saint Lucia, miał miejsce cud.

– Doprawdy? – odparł. – Cud, jaki cud?

– Polski ksiądz, który chwalił się, że jest dobrym znajomym papieskiego sekretarza, snuł kiedyś przypuszczenia, że jakiś niewidomy odzyskał tutaj wzrok.

– Niewidomy? – zdziwił się biskup Felix i parsknął śmiechem. Znów śmiał się tak serdecznie, jakby usłyszał właśnie dobry dowcip, ja natomiast spoglądałem na niego zdezorientowany. Nie mógł się powstrzymać.

– Niewidomy – powtarzał. – A to dobre.

Potem, żeby złapać oddech, upił łyk kawy.

– I co? Uwierzył pan w ten cud?

– Sam nie wiem, ale ta sprawa towarzyszyła mi przez ponad dwadzieścia lat. Kiedy kupiłem mojemu synowi globus, to pierwszym miejscem, jakiego poszukałem, była wyspa Saint Lucia. I rzeczywiście ją znalazłem. Siedząc w pokoju dziecięcym zastanawiałem się znowu nad tym, co tam się wydarzyło? Byłem z papieżem na Kubie, w Meksyku, a więc całkiem blisko, z moją żoną byłem też na Dominikanie. I na wszystkich lotniskach zawsze sprawdzałem, czy są połączenia z Saint Lucia. Pokusa, by po prostu tutaj przylecieć, była ogromna, jednak nie wiedziałem, czego właściwie mam szukać, a równocześnie zdawałem sobie sprawę, że nie mogę liczyć na pomoc Ekscelencji ze względu na nakaz milczenia na ten temat. Teraz Karol Wojtyła już nie żyje.

W zamyśleniu spojrzał na stolik.

– Kilka dni po jego śmierci po raz pierwszy podziękowałem podczas sprawowania mszy świętej za to, co tu się stało. Nigdy wcześniej nie wspominałem o tym w kościele ani słowem. – Wydawało się, że przez moment biskup jest gdzieś daleko stąd. W końcu znów spojrzał na mnie. – Wie pan, nad czym się zastanawiałem przez cały ten czas? Dlaczego akurat tutaj, akurat w mojej diecezji, dlaczego tu u mnie? Właśnie w diecezji czarnoskórego biskupa. Karol Wojtyła objechał cały świat dookoła, odwiedził ponad sto krajów, a potem zjawił się u nas, zaledwie na kilka godzin, na jedno popołudnie i wieczór, i akurat wtedy wydarzyło się coś takiego. – Popatrzył w dal, jak gdyby przed oczami duszy znów widział wydarzenia z przeszłości. – A wie pan, co w tym najdziwniejszego?

– Nie.

– Papież nie miał o tym pojęcia, nie zdawał sobie sprawy z tego, co tu się stało. Dopiero kiedy poleciałem do Rzymu i opowiedziałem mu wszystko, usłyszał o tym po raz pierwszy. Miałem jednak wrażenie, że wtedy tu u nas szukał owej kobiety, jak gdyby wiedział, że będzie w kościele i że musi do niej podejść. Choć kto wie, może tylko tak mi się wydawało.

Zdjęcie ze śladem Boga

Sięgnął po brewiarz i energicznie podniósł się z sofy.

– Proszę teraz ze mną pójść. Pokażę panu, gdzie to się stało.

Zeszliśmy do ogrodu. Stał w nim samochód. Biskup sam prowadził.

– Większość biskupów na świecie ma swojego szofera – zauważyłem.

Znów się roześmiał.

– A ja nie tylko od zawsze sam prowadzę, ale i sam myję swój samochód. Sam także prałem swoje rzeczy i sam sobie gotowałem. Na Karaibach biskup musi się wykazać elastycznością. Poza tym samochód nie jest moją własnością, lecz diecezji, ja go tylko użytkuję. W końcu już tutaj nie mieszkam.

Auto podskakiwało na szutrowej drodze.

– Ekscelencja już tu nie mieszka? W takim razie gdzie? Przecież Ekscelencja jest biskupem seniorem tej wyspy.

– Jeden biskup na wyspę wystarczy. Wróciłem do siebie na Dominikę, sąsiednią wyspę.

– I tam cieszy się Ekscelencja urokami emerytury? – dopytywałem.

– Tam jestem znów zwyczajnym proboszczem. Dziś każdy duchowny jest na wagę złota.

Skręciliśmy przy pałacu gubernatora. Saint Lucia jest wprawdzie suwerennym państwem, jednak głową państwa nadal pozostaje królowa angielska. Zjechaliśmy w dół do miasteczka Castries. Przy nabrzeżu cumował olśniewający bielą statek wycieczkowy. Wąskie uliczki stanowiły kwintesencję karaibskiej atmosfery – ze wszystkich straganów dobiegały dźwięki piosenek Boba Marleya, mijały nas dziewczęta w krótkich, kolorowych spódniczkach, pod palmami rezydowali rastafarianie, palący coś, co nie wyglądało na legalne. Pokazałem ich biskupowi, który uśmiechnął się na ten widok.

– Niech mnie pan o to nie pyta. Nigdy nie udało mi się pojąć idei rastafarianizmu. Oni wierzą, że ich bogiem jest akurat Hajle Sellassje I. A wie pan, że on wcale tego nie chciał? Kiedy tysiące napalonych młodzieńców zapragnęło odwiedzić go w Etiopii, po prostu nie wpuścił ich do kraju. To, co palą, nazywane jest tu *ganja*, można ją kupić wszędzie.

Zaparkował samochód na ulicy, a ja tego wieczoru miałem możliwość przekonać się, jak działa autentyczny katolicki duszpasterz. Biskup nie był w stanie zrobić jednego kroku, żeby ktoś go nie zatrzymał, nie chwycił za rękaw, wołając: *His Grace*, jak gdyby witając dawno niewidzianego dobrego przyjaciela. Jednak największe wrażenie zrobiło na mnie to, że znał wszystkich mieszkańców osobiście, znał imiona ich dzieci, pytał o Mary, Josepha, Franklina czy Barbarę. Wiedział, czy mają pracę, czy też muszą żebrać o kawałek chleba. Wiedział, gdzie mieszkają i czy żyją jeszcze ich dziadkowie. Widać, że musiał wcześniej bywać w tysiącach domów, znał swoją diecezję nie tylko ze statystyk, znał swoich parafian osobiście, kochał ich, a oni to czuli. Wszystkim tym ludziom, którzy go otaczali, przedstawiał także i mnie:

– On jest z Rzymu – co wywoływało niemałe zdumienie.

– O, aż z Rzymu!

Musieliśmy przy tym zjeść strasznie dużo pasty kokosowej, będącej tutejszym słodkim przysmakiem. W końcu biskup chciał mnie już zabrać do kościoła, ale wszyscy, którzy go rozpoznali, ruszyli za nami. W tej chwili dostrzegłem coś osobliwego: widziałem, jakim szczęściem napełniają go wszyscy ci ludzie, mimo to nietrudno też było dostrzec, że ta popularność jest dla niego krępująca. Był wprawdzie bardzo miły i uśmiechnięty, wypytywał o wszystkich przyjaciół i znajomych, jednak sympatia tych tak licznych osób nie sprawiała mu przyjemności. Tymczasem ulica całkowicie się zakorkowała, samochody nie mogły przejechać dalej, bo co rusz ktoś wykrzykiwał:

– Hej, tu jest *His Grace...*

Na dobre utknęliśmy w tłumie.

– To wszystko przez pana. Nie mogę tu za często przychodzić. Ludzie muszą wreszcie przyzwyczaić się do nowego biskupa. Czuję się bardzo niezręcznie.

Przeszliśmy do kościoła, a tłum podążał w ślad za nami z nabożnością i w milczeniu. Zatrzymał się w kruchcie. Wisiał tu na ścianie portret obecnego biskupa Castries, następcy Kelvina Feliksa, białego – dopiero teraz zrozumiałem istotę tego, co działo się przed chwilą na ulicy. Do tych ludzi wrócił na jeden dzień ich czarnoskóry ojciec, a biskupa konsternowało, że nadal tak go traktują, gdyż najwidoczniej mieszkańcy tej czarnej wyspy nigdy nie zaakceptowali jego białego następcy. A przynajmniej tak to wyglądało w moich oczach.

Jeszcze nigdy nie widziałem takiego kościoła jak na Saint Lucia. Przypominał odwrócony do góry dnem drewniany okręt, osadzony na szarych ścianach wzniesionych z wulkanicznych skał. Drewniana konstrukcja mieniła się mnóstwem kolorów, słychać było szum wentylatorów, a wszystkie okna były otwarte na oścież. To był kiedyś jego dom, dom biskupa Kelvina Feliksa, i miałem wrażenie, że jest nim nadal. Sprawdzał, czy wszystkie ławki stoją równo, lustrował boczne ołtarze.

– Nawet pan sobie nie wyobraża, jaki cyrk tu miałem, kiedy z okazji wizyty papieskiej chciałem przenieść ołtarz główny. Pewnie lepiej by było, gdybym nic tu nie ruszał, ale w końcu udało mi się postawić na swoim.

Przeszliśmy główną nawą i stanęliśmy przed ołtarzem. Biskup wolno zwrócił się w lewą stronę, aż nagle znieruchomiał.

– Tutaj – powiedział. – Ten cud zdarzył się właśnie tutaj. Ona stała w tym miejscu z dzieckiem na ręku, po prawej stronie ołtarza.

– Kto?

– Pani Mary Jeremies. Stała tu z grupą chorych i niepełnosprawnych na wózkach. Na ręku trzymała dziecko.

W ławkach klęczało teraz kilka osób, które spoglądały na biskupa z radosnym zaskoczeniem. Ludzie z ulicy zatrzymali się przy wejściu, czekając najwyraźniej, aż biskup znów do nich wyjdzie i zamieni jeszcze parę słów. Wziął mnie pod ramię.

– Proszę, usiądźmy, nie mogę zbyt długo stać, bo dokucza mi ból w nodze.

Spojrzał na mnie, jak gdyby chciał coś wyznać.

– Tamtego dnia wydarzyło się coś niezwykłego. Znajdowałem się tuż przy papieżu, szedłem obok niego. Kiedy wkroczył do tej wypchanej po brzegi świątyni, którą widział przecież po raz pierwszy, stało się coś, czego do dziś nie potrafię wytłumaczyć. Miałem wrażenie, że wie, dokąd ma iść. Miałem wrażenie, że wie o kimś, kto tam na niego czeka. Jak po sznurku doszedł prosto do pani Jeremies. Wiele razy zastanawiałem się nad tym, czy może tak mi się wtedy tylko wydawało, jednak takie właśnie miałem odczucie. Dokąd on idzie, kogo szuka? A on, jak gdyby dobrze wiedział, podszedł do pani Jeremies. Nie wiem, może to wrażenie narodziło się we mnie po fakcie, gdy dotarło do mnie, co tam zaszło. Znałem Mary Jeremies, bo śpiewała w chórze kościelnym. Trzymała na rękach dziecko, które wyglądało na ciężko chore, nie ruszało się, leżało jak nieżywe. Nigdy wcześniej nie widziałem tego chłopca, ale moja pracownica z kancelarii parafialnej jest krewną tutejszego pediatry. To ona opowiedziała mi kiedyś o chorym dziecku pani Jeremies. Papież położył dłoń na jego główce, ucałował je, a potem rozmawiał przez chwilę z matką. Fotograf papieski Arturo Mari uwiecznił ten moment cudu na zdjęciu (fot. 16).

– Co się potem wydarzyło?

– Papież poszedł dalej, to była bardzo krótka wizyta w katedrze. Zjechaliśmy do portu, na miejsce, gdzie odbywają się masowe nabożeństwa. Po mszy kończącej ten krótki pobyt na wyspie odprowadziłem papieża do jego samolotu i odleciał. Nikt nawet nie pomyślał, że podczas jego obecności mogłoby się wydarzyć coś nadprzyrodzonego. Cieszyłem się, że pielgrzymka zakończyła się sukcesem, że wszystko przebiegło gładko i sprawnie. A wiadomość o cudzie wcale nie dotarła najpierw do mnie. O rozmiarach tego cudu w jakiś zagadkowy sposób dowiedział się jako pierwszy człowiek skrajnie negatywnie nastawiony do Kościoła.

– W takim razie jedźmy do niego – zaproponowałem.

Położył mi dłoń na ramieniu.

– Byłoby lepiej, gdyby pojechał pan sam. Myślę, że będzie wolał porozmawiać tylko z panem, bez udziału jakiegokolwiek przedstawiciela Kościoła. Wydaje mi się, że by sobie tego nie życzył.

Opisał mi, jak mam do niego trafić.

Castries wyrosło na zgliszczach, jakie pozostawili po sobie Francuzi i Anglicy, tocząc spór o prawo własności do wyspy. Saint Lucia czternaście razy zmieniała właściciela, jej żyzna i zasobna w wodę pitną ziemia i fantastyczny, naturalny port w Castries stanowiły łakomy kąsek dla obu potęg, wykorzystujących ją do celów militarnych lub zakładających na niej uprawy trzciny cukrowej. Tak częste zmiany zarządcy doprowadziły między innymi do tego, że dziś mówi się tu po angielsku i w *patois*, jamajskim dialekcie wywodzącym się z francuskiego. Czarnoskórych niewolników sprowadzili tu przede wszystkim Brytyjczycy, aby pracowali przy produkcji pożądanego w Londynie cukru kandyzowanego. Francuzi również szybko dostrzegli potencjał tej wyspy, przy czym dla nich szczególnie cenne były liczne plaże, do których statki mogły przybijać dużo łatwiej niż do skalistych nabrzeży sąsiedniej Dominiki. Saint Lucia do dziś wydaje się prawdziwym rajem na ziemi, plantacje bananów ciągną się kilometrami, doskonale udają się też tutaj pomarańcze i grejpfruty. Na wyspie jest tyle owoców, że nikomu nie chce się nawet schylać po pomarańcze czy pomelo, które opadły z drzew. Na plantacjach widać ich stosy przeznaczone do wyrzucenia, chociaż w sklepach w Europie osiągają wysoką cenę. Ta sprawa przyprawia biskupa o ból głowy. Kiedy jechaliśmy wzdłuż jednej z plantacji grejpfrutów, biskup, widząc leżące co rusz na ziemi i powoli gnijące owoce, bardzo się denerwował.

– Dlaczego ich nie pozbierają i nie dadzą chociaż tym najbiedniejszym?

Ponieważ na wyspie jeden grejpfrut ma wartość ledwie paru centów, nikomu nie opłaca się ich zbierać.

Każdemu poszukującemu sensu życia zaleciłbym, by raz w życiu spędził parę dni na Saint Lucia. Tutaj bowiem wszystkie pryncypia, do których jesteśmy przyzwyczajeni, są postawione na głowie. Najlepiej można się o tym przekonać, podróżując samochodem z Castries na południe wzdłuż osłoniętego przed wiatrem zachodniego wybrzeża. Ciągną się tam jedna za drugą bajeczne zatoczki usiane rafami koralowymi. Usytuowano na ich brzegach zbytkowne hotele, w których swoje ciężko zapracowane pieniądze wydają zestresowani Europejczycy i Amerykanie, pragnący choć raz nacieszyć się prawdziwym luksusem. Na leżakach wylegują się kobiety i mężczyźni, maszerujący na co dzień do pracy, by poświęcać swój czas czemuś, czego tak naprawdę wcale nie lubią. Na tej samej plaży czarnoskórzy chłopcy, mieszkańcy wyspy, grają w piłkę nożną; kiedy się zgrzeją, wskakują do wody, kiedy zgłodnieją, łowią langusty, których mnóstwo jest przy brzegu. Gdyby ktoś wybrał się na nocne nurkowanie, miałby okazję zobaczyć na dnie istne ich mrowie. Najbardziej dochodowym interesem owych młodzieńców jest więc wypożyczanie masek i płetw do nurkowania. Od czasu do czasu, za jednego albo dwa dolary, sprzedadzą też orzech kokosowy, który właśnie zerwali, albo kilka bananów. A kiedy potrzebują nowej piłki, produkują na sprzedaż naszyjniki z najładniejszych muszelek, jakie znajdą. Oczywiście nigdy nie będzie ich stać na luksusowe wakacje na plaży, ale oni przecież mają tę luksusową plażę na co dzień i za darmo. Patrząc na nich, za każdym razem czułem irytację. Przecież oni powinni iść na jakieś studia, wyuczyć się jakiegoś zawodu, a potem ciężko pracować, żeby mieć za co opłacić prąd i ogrzewanie, i jeszcze kredyt za dom i samochód, powinni też odkładać coś, żeby kiedyś w przyszłości pozwolić sobie na wakacje w równie pięknym miejscu. Tymczasem mnóstwo mężczyzn na Saint Lucia w ogóle daruje sobie chodzenie do pracy, kleci z desek jakąś chałupkę i wcale nie potrzebuje ogrzewania. Owoców i ryb mają zawsze pod dostatkiem, auto jest im zbędne, wiosłują tylko w swoich plastikowych kajakach pomiędzy rafami koralowymi. A turyści, żeby takie rafy zobaczyć, muszą zapłacić pięćset dolarów albo i więcej. Widząc tych podśpiewujących rastafarian płynących kajakiem w stronę zachodzącego słońca po całym dniu spędzonym na plaży, po całym dniu, kiedy nie robili nic poza napawaniem się pięknem świata, nie byłem wcale taki pewien, czy ich los naprawdę jest bardziej żałosny od losu tych sączących whisky turystów, myślących tylko o tym, że ich pobyt w tym pięknym miejscu niebawem dobiegnie końca.

Świadkowie rzeczy niepojętych

Miasto powstało wzdłuż głównej ulicy biegnącej przed katedrą. Są tu małe sklepiki, parę fast foodów, kilka supermarketów. Na jednym końcu ulicy znajduje się port, na drugim zaś szpital, naprzeciw którego mieści się gabinet lekarski doktora Simmonsa, bardzo zasłużonego dla Saint Lucia, ponieważ przed trzydziestu laty podjął tu pracę jako pierwszy w historii tej wyspy pediatra. Jego niewielka poczekalnia pęka w szwach, zatroskane matki trzymają na kolanach przestraszone maluchy. Asystentka doktora dała mi do zrozumienia, żebym zaczekał, aż przyjęci zostaną wszyscy pacjenci. Na rozwiązanie zagadki czekałem dwadzieścia lat, więc mogłem poczekać jeszcze i tych parę godzin. Po jakimś czasie gabinet lekarski opuściła ostatnia matka, ciągnąc za sobą pochlipującego malca. Doktor miał teraz czas dla mnie. W porównaniu z ludnością Saint Lucia karnacja doktora Simmonsa wydała mi się nadzwyczaj jasna, a w porównaniu z biskupem Feliksem lekarz wyglądał wręcz jak opalony biały. Praktykuje w maleńkim gabinecie, na którego ścianach wiszą rysunki dzieci, wyrażających w ten sposób podziękowania za wyleczenie, i gdzie poza kartami pacjentów i kilkoma zabawkami na biurku nie ma nic więcej.

Szczupły doktor Simmons w kolorowej batikowej koszuli wystającej spod lekarskiego kitla nadawałby się idealnie do roli pokładowego lekarza w jakimś pogodnym filmie o tropikach. Na biurku leżała na samym wierzchu karta pacjenta Kevina Jeremiesa urodzonego w 1984 roku. Lekarz przeglądał ją przez chwilę, potem podniósł głowę i spojrzał na mnie.

– Jest pan pierwszą osobą, która pyta mnie o to wydarzenie, co bardzo mnie dziwi, bo nie ma wątpliwości, że to najosobliwszy przypadek w całym moim życiu. Chcę jednak, żeby pan wiedział, że nie jestem katolikiem i nie wierzę, że papież jest kimś bardziej nadzwyczajnym niż pan czy ja. Powiem panu coś jeszcze. Właściwie nie wierzę w cuda. Jestem naukowcem. Tego, co stało się z Kevinem Jeremiesem, nie da się jednak wyjaśnić od strony medycznej. Albo mówiąc inaczej, to, co stało się z tym chłopcem, z naukowego punktu widzenia nie miało prawa się zdarzyć, jego wyzdrowienie w ogóle nie wchodziło w rachubę. Z perspektywy naukowca to, co się stało, było po prostu niemożliwe. Tylko tyle gotów jestem przyznać. Co jednak naprawdę się wydarzyło? Czy to był cud? Tego nie wiem. Mogę tylko raz jeszcze powtórzyć, że to nie miało prawa się stać. Jednak dlaczego się stało? Nie mam zielonego pojęcia. Ale przyznaję, kiedy o tym usłyszałem, od razu pomyślałem: to cud, i to w samym sercu slumsów.

Kevin Jeremies trafia po raz pierwszy do szpitala w Castries w wieku szesnastu miesięcy. Cierpi na ciężką niewydolność oddechową.

– Skrajnie niepokoiło to, że dziecko nie było w stanie o własnych siłach ani usiąść, ani nawet przewrócić się na bok. Badania wykazały nieuleczalne i nieodwracalne uszkodzenia mózgu, które powstały prawdopodobnie przy narodzinach. Chłopiec cierpiał na szereg schorzeń, musieliśmy zatrzymać go na oddziale, ponieważ miał ogromne trudności z oddychaniem. Kevin mieszkał w slumsach, co nasuwało uzasadnione obawy, że nie dostawał dostatecznej ilości pożywienia i żył w mało higienicznych warunkach. Muszę panu powiedzieć, że nie dawałem mu zbyt wielu szans na godną egzystencję.

Doktora Simmonsa martwił przede wszystkim rozległy paraliż.

– Taki paraliż mógł być spowodowany wyłącznie uszkodzeniem mózgu. Stopniowa, powolna poprawa była możliwa z czasem, sukcesem byłoby już, gdyby chłopcu udawało się samodzielnie podnieść. Jednak oddychanie należało przez cały czas wspomagać. Leżał więc całymi dniami nieruchomo na plecach. A to, co się stało potem, było po prostu niemożliwością. Przecież uszkodzenia mózgu nie znikają ot tak, w jednej chwili. To niemożliwe. Owszem, jego stan zdrowia mógł się stopniowo poprawiać, ale nie tak błyskawicznie – wyzdrowieć w jednej sekundzie, i to wyzdrowieć trwale, tak by nie trzeba było już więcej wracać do szpitala? Wiem jednak, że tak właśnie było. Jeżeli zapyta mnie pan, co musi uczynić lekarz, żeby pomóc takiemu dziecku w takim tempie, to powiem, że musi być cudotwórcą.

– Widział pan kiedyś dom, w którym zdarzył się ten cud?

– Nie, jeszcze tam nie byłem. Ale wiem, gdzie mieszka ta rodzina. W slumsach przy cmentarzu francuskim. Biskup Felix z pewnością wskaże panu drogę.

Miejsce, w którym jakoby wydarzył się jeden z najbardziej zdumiewających cudów za pontyfikatu Jana Pawła II, znajduje się na peryferiach Castries, w okolicy, w której Francuzi grzebali niegdyś swoich zmarłych, składając ich w okazałych kamiennych grobowcach. Biskup Felix nie potrafi ukryć, że ta wizyta jest dla niego bardzo krępująca, wciąż bowiem wstydzi się, że mieszkańcy jego dawnej diecezji nadal muszą bytować w takich warunkach. Na dróżkach byłego cmentarza rozbrzmiewa głośno reggae. Na zwietrzałych płytach nagrobnych można jeszcze odcyfrować nazwiska ludzi, mieszkańców miasta sprzed trzystu lat, którzy wierzyli, że na tym cmentarzu zaznają wiecznego spokoju. Dziś natomiast stoją tu drewniane chatki wciśnięte pomiędzy grobowce. Wzgórze jest dosyć strome, a chaty przypominają wronie gniazda osadzone na kamiennych nagrobkach. Biskup wspina się po ścieżce oczyszczonej przez tropikalny deszcz, który zmył wszystkie śmieci. Przystaje co jakiś czas; droga jest dla niego właściwie zbyt stroma, pytam więc, czy nie wolałby zostać na dole, jednak nic nie wskazuje na to, że chciałby się poddać. Omijamy zużyte torby foliowe, rozbite butelki, ekskrementy. Czy niepojęty Bóg naprawdę chciał, aby cud dokonał się akurat w takim miejscu?

Pani Mary Jeremies wychodzi nam naprzeciw. Włożyła swoją najładniejszą, białą sukienkę. O naszej wizycie powiadomiły ją siostry od Matki Teresy opiekujące się w slumsach najbiedniejszymi z biednych. Prowadzi nas do kamiennych schodków. Na dole widać rozciągnięte sznury na bieliznę, obok pod rodzinną chatą znajduje się jeszcze otwarta szopa. Kevin Jeremies w niedzielnym garniturze i jego szykownie wystylizowana dziewczyna siedzą właśnie przed starym monitorem i wysyłają e-maile. Stojący pod stołem komputer wygląda, jakby dłuższy czas przeleżał na śmietniku, jednak nadal chyba działa. Tylko skąd mają prąd? Pani Jeremies prowadzi nas teraz na górę do drewnianej chałupki, gdzie na skleconym ze skrzynek stole ustawiła poczęstunek – butelki z wodą i sokiem. Panuje niemiłosierny skwar, choć okna są szeroko otwarte. Wszędzie wiszą plakaty z Janem Pawłem II. Pani Jeremies zaczyna swoją opowieść, a ja nagle sobie zdaję sprawę, jak wielki czuję szacunek dla tego starego, czarnoskórego biskupa. Łatwo było dostrzec, że czuł się winny temu wszystkiemu, postrzegał tutejsze warunki jako swoją porażkę; jak gdyby w jego mocy było uratowanie i uchronienie tej wyspy i kobiet, takich jak Mary Jeremies, przed poniżającą nędzą. Nie miały nawet najmniejszej szansy na dobre życie, także na życie zgodne z zasadami Kościoła. Mogły jedynie próbować przetrwać, sprzedając się możliwie najdrożej pierwszemu lepszemu mężczyźnie, byleby tylko zapewnić bezpieczeństwo sobie i swoim dzieciom. Wyspa, która w oczach turystów jawi się rajem na ziemi, w rzeczywistości wcale nim nie jest. O ile młodzi mężczyźni mogą tu sobie pozwolić na beztroskie życie z dnia na dzień, to kobiety na Saint Lucia takiej możliwości nie miały nigdy. Mój podziw dla polegujących na plażach młodzieńców szybko stopniał, prawdę o życiu na tej wyspie dostrzegłem dopiero w losie Mary Jeremies. Przyszła na świat w ubogiej rodzinie, nie mogąc jednak pozostać w ciasnym domu rodziców, jako bardzo młoda dziewczyna zamieszkała z mężczyzną. Miała sześcioro dzieci z różnymi partnerami, najmłodszy był właśnie Kevin.

– Miałam już piątkę dzieci i kiedy urodził się Kevin, wiedziałam, że coś z nim jest nie tak. Od samego początku nie potrafił prawidłowo oddychać, był za słaby, żeby nabrać powietrza; robiłam co w mojej mocy, żeby go wykarmić, ale on nie potrafił się trzymać prosto, nie potrafił przełykać. Chodziłam więc cały czas do szpitala, do doktora Simmonsa, dziecko dostawało tam tlen. Ale doktor nie dawał mi wielkiej nadziei, Kevin wciąż leżał na plecach, często siniał na twarzy, wtedy znów wiozłam go do szpitala i tak miesiąc w miesiąc. Kiedy przywoziłam dziecko, po oczach lekarzy widziałam, że nie są w stanie mu naprawdę pomóc. Kiedy więc usłyszałam, że przyjeżdża papież, uszyłam sobie ładną sukienkę. Chciałam wziąć udział we mszy świętej nad morzem, miałam śpiewać z kościelnym chórem. Ale potem miałam ten sen.

– Jaki sen? – zapytałem tę sympatyczną kobietę, która co chwila dolewała wody do mojej szklanki.

– Śniło mi się, że na Saint Lucia przybędzie człowiek, który pomoże Kevinowi. Nic więcej się nie dowiedziałam, tylko tyle. Nie wiedziałem, od kogo albo dlaczego. Powiedziałam potem do mężczyzny, z którym wtedy byłam: „Jedzie tutaj człowiek, który pomoże Kevinowi". Nie pamiętam już, kiedy to było dokładnie, może parę dni, a może dwa tygodnie przed wizytą papieża. Zresztą nie rozumiałam, o co chodzi z papieżem. Nie chciałam iść do kościoła, gdzie czekali na niego inni chorzy. Ja chciałam zaśpiewać, taki był mój zamiar, a Kevin miał zostać w domu pod opieką rodzeństwa. Potem jednak, sama nie wiem skąd, przyszło mi do głowy: „A może to papież jest tym człowiekiem, który ma przybyć?". Nie byłam pewna, mimo to powiedziałam proboszczowi, że nie przyjdę na mszę i nie będę śpiewać, bo chcę pójść z Kevinem do papieża. Tylko że nie wiedziałam, jak to zrobić, nie miałam zaproszenia. W diecezji powiedzieli mi, że zaproszenia dostaną ci, którzy się wcześniej zgłosili, tylko oni wejdą do kościoła, kiedy przyjedzie papież. Mimo to poszłam tam. Rozmawiałam z policjantami i księżmi, na rękach trzymałam Kevina, który ledwie oddychał. Znów zsiniał. Wreszcie udało mi się przedrzeć do środka. Jeszcze nigdy nie byłam w tym kościele. Razem z innymi kobietami czekałam potem przy ołtarzu na przyjazd papieża. A on przeszedł środkiem kościoła i podszedł dokładnie do mnie. Byłam tak zaskoczona, że nie mogłam się ruszyć, i przez cały czas myślałam: „O Boże, on naprawdę przyszedł do ciebie, a ty nawet się nie zastanowiłaś, co masz mu powiedzieć". On tymczasem po prostu stanął przede mną. Pocałował Kevina i pobłogosławił go. A ja wydukałam tylko: „Dziękuję". Potem wróciłam do domu. Przez całą drogę śpiewałam, już nie byłam smutna. Było późno, więc położyłam synka do łóżka i pogłaskałam go. Potem modliłam się i modliłam, bo znów myślałam sobie, że to może właśnie papież był tym człowiekiem, który miał przybyć. Ale w nocy jego stan wcale się nie poprawił, nadal oddychał z trudem, a ja zastanawiałam się, czy nie zawieźć go znowu do szpitala. Potem usnął. Następnego dnia rano zeszłam na dół, pod chatę, tam gdzie pan był na początku. Rozwieszałam pranie, kiedy usłyszałam wołanie dzieci: „Mamo, mamo, chodź tutaj! Kevin wyszedł z łóżka i pobiegł do ciebie". Myślałam, że się wygłupiają, ale potem zobaczyłam Kevina, który biegł do mnie, a kiedy chciałam go chwycić w ramiona, pobiegł schodkami na górę, jak gdyby bawił się ze mną w berka. Padłam na kolana i zaczęłam się modlić: „Jakie to szczęście doświadczyć takiego cudu". Znajomi poinformowali w końcu doktora Simmonsa. Nie mógł w to uwierzyć, powiedziałam mu wtedy przez telefon, że Kevin nagle po prostu zaczął chodzić, ale on nie mógł w to uwierzyć.

Oczy Mary Jeremies błyszczały, kiedy odprowadzała nas na dół. Kevin też nam towarzyszył, a przed pożegnaniem wziął mnie na bok i zapytał:

– Niech mi pan opowie o papieżu, jaki to był człowiek?

– Próbuję to zgłębić od długiego czasu – odpowiedziałem mu. – Jednego jestem pewien. On nigdy nie wątpił, że Bóg potrafi czynić rzeczy niepojęte.

Gniewny człowiek z Watykanu

NEAPOL, MARZEC 2004 ROKU. Oficer karabinierów przesuwał leżący przed nim na biurku błyszczący nabój. Dostał go pocztą razem z listem z pogróżkami jako kolejne ostrzeżenie. Nic nadzwyczajnego dla kogoś walczącego z neapolitańską kamorrą. W ciągu dwóch lat, podczas których prowadziłem dziennikarskie śledztwo w sprawie afery *cheque to cheque*, dotyczącej prania brudnych pieniędzy, poznałem wielu takich oficerów. Prowadząc wojnę z kamorrą, odwalali kawał ciężkiej roboty. A to naprawdę była wojna, w której rocznie ginęły nie dwie i nie dwadzieścia, ale dwieście osób. Pamiętam, jak kiedyś usłyszałem więźnia awanturującego się w swojej celi nieopodal korytarza; oficer powiedział do mnie z uśmiechem:

— Twój papież znów się postarał, teraz kamorra naprawdę się go boi. Ten typ z celi, którego tu słyszysz, bardzo się żalił. Gangsterzy potrafią niejednego naprawdę nieźle urządzić, a teraz papież do boju z nimi wysyła jeszcze świętych.

— Słucham?

— Gdy przyłapaliśmy tego oprycha z kamorry z kilogramem kokainy, on mi powiedział: „Panie oficerze, no to czym mamy się zajmować? Nie chcecie, żebyśmy robili interesy, nie chcecie, żebyśmy dawali ludziom pracę, nie chcecie, żebyśmy się bronili — a teraz jeszcze sam papież

wysyła przeciw nam świętego. To niesprawiedliwe". –
I dodał ze śmiechem: – Prawie współczuję biedaczkom.

– Nic z tego nie rozumiem.

– Gniewny człowiek z Watykanu znów uderzył.

Uśmiechnąłem się mimowolnie. A więc nadal w południowych Włoszech tak go nazywano. „Gniewny człowiek" – ale jak mało gniewu w nim teraz pozostało. Ten
opadły z sił papież o drżących rękach siedział na placu
św. Piotra, a jego wzrok zdawał się mówić wszystkim pielgrzymom i widzom na całym świecie: „Wybaczcie, nie
mam już sił, jedyną rzeczą, jaką jeszcze mogę uczynić, to
pokazać wam, że moje życie od dawna jest w rękach Boga". Jednak mimo jego obecnej słabości Włosi z południa,
a zwłaszcza ci, którzy wciąż toczyli wojnę z mafią, nie za-
pomnieli o silnym i gniewnym papieżu, który przemawiał
do nich w Agrygencie 9 maja 1993 roku. Wtedy dosłownie krzyczał na gangsterów. Podczas mszy rugał ich, wołając: „Zwracam się teraz do odpowiedzialnych", a miał na
myśli przywódców mafii. „Nawróćcie się! Pewnego dnia
przyjdzie sąd Boży!" (fot. 20). Potem zaś nastąpiło coś
niezwykłego. Kilku mafijnych bossów, na czele z Carmi-
nem Alfierim, przywódcą kamorry, człowiekiem, którego
majątek szacowany jest na 1,2 miliarda dolarów, jednym
z najbogatszych ludzi na świecie, postanowiło posłuchać
wezwania papieża. Alfieri zaczął w więzieniu sypać. Według mafijnego kodeksu popełnił najcięższe przestępstwo
– zdradę, i wiedział, że może to oznaczać wyrok śmierci
dla wielu członków jego rodziny. Mimo to zdecydował
się zeznawać. Wyjaśnił, jak funkcjonuje kamorra. Zemsta

mafii była potworna. Gangsterzy dokonali egzekucji jego syna Antonia, następnie zabili brata mafiosa, dwóch bratanków i zięcia Vincenza Giuliana. Ten okrutny boss Alfieri, kierujący organizacją, która tylko w latach 1983–1993 zamordowała przeszło pięćset osób, ukorzył się, słysząc słowa człowieka z prowincjonalnych Wadowic, Karola Wojtyły. Ukorzył się przed jego pustymi rękami, przed jego bezsilnością i przed jego wiarą.

Choć karabinierzy nie przyznawali się do tego otwarcie, zazdrościli papieżowi tego sukcesu. W końcu robili przecież wszystko, by wycisnąć coś z Alfieriego, by wywrzeć na niego presję. W 1992 roku udało im się go aresztować, jednak to papież zdołał przełamać impas. To papież doprowadził do tego, że mafioso zdecydował się wpędzić kamorrę w prawdziwe tarapaty. Na podstawie zeznań Carmina Alfieriego za kratki trafiło ponad czterystu gangsterów. Była to zasługa gniewnego człowieka z Watykanu i wiem, że karabinierzy nieraz zastanawiali się, co też takiego ma w sobie ten papież, czego im brakowało. Jak to się stało, że głos Karola Wojtyły, którego poglądy nierzadko budziły złośliwe uśmieszki, zdziałał więcej niż gigantyczna machina wymiaru sprawiedliwości i policji razem wziętych?

– O jakiego świętego chodzi? – wciąż nic nie mogłem zrozumieć.

– Papież dokonał cudu.

– Cudów dokonuje tylko Bóg – zaprotestowałem.

– OK, w takim razie dobry Bóg wyświadczył mu przysługę w postaci cudu, tak czy inaczej uzdrowił śmiertelnie chorego księdza, a potem...

– Co potem?

– Potem właśnie tego księdza napuścił na kamorrę. I jak myślisz, co na to gangsterzy?

Nie mogłem tego pojąć. Włoska mafia, zarówno sycylijsko-amerykańska *cosa nostra*, jak i neapolitańska kamorra, zawsze była silnie związana z Kościołem. Postrzegała się przy tym nie jako organizacja przestępcza, lecz jako alternatywa legalnego aparatu państwa. Dla bezrobotnego w Neapolu było całkiem normalne, że w poszukiwaniu pracy zamiast do państwowego urzędu zwracał się do kamorry. Ten sam mechanizm działał, gdy się szukało miejsca w szpitalu, stażu dla dzieci albo niedrogiego lokum. Problem z kamorrą nie polega na tym, że jest ona organizacją przestępczą, lecz że stanowi element kultury południowych Włoch i jest skuteczna wtedy, gdy ludzie zostają pozostawieni przez państwo samym sobie. Ojciec, któremu skrzywdzono córkę, nie zwróci się po pomoc do policji, lecz do kamorry. Jednak z Kościołem, z tym, co święte, mafiosi wolą unikać konfrontacji, mają swoich zaufanych kapłanów, wielu z nich regularnie się spowiada i organizuje procesje przeznaczone dla członków kamorry. Jedną z najsłynniejszych była procesja mafijna organizowana w dniu świętego Onufrego w Vibo Valentia, miejscowości położonej na południe od Neapolu. Mafijni bossowie rościli sobie tam prawo do niesienia figury świętego, dopóki nie doszło do interwencji ze strony biskupa Miletu. Teraz figurę świętego Onufrego mogą nieść wyłącznie obywatele o nieposzlakowanej opinii.

– Jesteś pewien? – zapytałem ponownie. – Mówisz, że papież dokonał cudu i uzdrowił człowieka, którego następnie posłał na front w wojnie z kamorrą? Bohatera?

– Tak – potwierdził. – Dokładnie tak było. Nie pytaj mnie jednak, kto to jest. Gangsterzy nie chcą powiedzieć, tylko lamentują, że ten ksiądz psuje im interes. Starzec z Watykanu znowu uderzył. Ale czy on złości się tak tylko na mafię?

– Daj spokój. Na swoich ludzi potrafi złościć się jeszcze bardziej. – I opowiedziałem mu o pewnym dniu w Afryce, którego do końca życia nie zapomni chyba żaden z jego podwładnych. Papieski fotograf Arturo Mari jeszcze nigdy nie zrobił tak pięknych zdjęć (fot. 18). Pewien biskup chciał zaprezentować nowo wybudowany na afrykańskiej pustyni kościół, jednak Karol Wojtyła w drodze do niego dostrzegł jakąś nędzną chatkę. Poszedł do niej, a ze środka wyjrzał jej kompletnie zaskoczony właściciel. Arturo Mari stał akurat obok papieża: „Jan Paweł II wziął leżącą przed chatą skrzynkę, taką na owoce, i ustawił do góry dnem jak stół. Powiedział potem kierowcy, żeby przyniósł z samochodu napoje, zdeponowane tam dla niego i biskupa. Kierowca wrócił z jedną buteleczką soku pomarańczowego. Z chaty wyjrzało teraz nieśmiało jedno dziecko, potem drugie, potem trzecie, w końcu było ich tam siedmioro. Papież dał im gestem znać, żeby podeszły bliżej, a one po chwili obskoczyły go ze wszystkich stron, bawiąc się jego białą sutanną. On brał je na ręce, pozwalał, by przebiegały mu pod nogami. Po krótkiej chwili sutanna była całkowicie zabrudzona. Dał dzieciom do picia sok, a ich ojciec opowiedział mu, jak każdego dnia usiłuje zarobić chociaż dolara, żeby nie umarli z głodu". Papież opróżnił kieszeń i to samo kazał zrobić biskupowi, po czym to, co mieli przy sobie, dali właścicielowi chaty. W drodze powrotnej Wojtyła zbeształ biskupa: "Proszę zatroszczyć się o swoich wiernych, a gdyby potrzebował ksiądz biskup pomocy, to proszę się zwrócić bezpośrednio do mnie". Oto cały Karol Wojtyła, który już w 1984 roku założył Fundację Jana Pawła II na rzecz Sahelu w Afryce.

– Bywa, że potrafi bardzo się rozgniewać na swoich podwładnych, jeżeli ci niedostatecznie troszczą się o innych, ponieważ kocha ludzi bardziej niż samego siebie. Możesz się o tym przekonać codziennie na placu św. Piotra – powtórzyłem mojemu rozmówcy. – Ale ty naprawdę nic nie wiesz o tym księdzu, który doświadczył cudu?

Obiecał, że się dowie.

Kto to jest?

Kiedy wróciłem do Rzymu, przejrzałem listy osób zaproszonych na audiencje, sprawdzając przede wszystkim nazwiska wszystkich duchownych z prowincji neapolitańskiej, którzy w ostatnim czasie byli z wizytą u papieża. Bez skutku. W końcu pozostała tylko jedna możliwość: ten człowiek musiał być bardzo chory, ale po spotkaniu z papieżem w jakiś niewyjaśniony sposób rzekomo odzyskał zdrowie. Należało więc poszukać chorych kapłanów z Neapolu i okolic. Wszyscy chorzy biorący udział w papieskich audiencjach, a szczególnie osoby duchowne, mają prawo do miejsca w specjalnym sektorze na placu św. Piotra albo w auli Pawła VI, do którego papież podchodzi po skończonej audiencji. Jednak w roku 2004 nie był już w stanie poruszać się samodzielnie, więc po audiencji chorych przywożono do niego. Sprawdziłem każde nazwisko, znalazłem nawet paru księży z Neapolu, jednak wszyscy byli albo zupełnie zdrowi, albo ich stan zdrowia po audiencji nie uległ zmianie. Poszedłem więc do papieskiego fotografa Artura Mariego z pytaniem, czy nie pamięta może jakiejś grupy księży z Neapolu, którzy uczestniczyli w prywatnej audiencji u papieża, wśród których byłby także chory kapłan. Jednak wiedział tyle co ja.

Było oczywiście możliwe, że ów ksiądz był wprawdzie bardzo ciężko chory, jednak jego choroba pozostawała na zewnątrz niewidoczna. Mógł więc nie rezerwować miejsca w sektorze dla chorych. Raz jeszcze sprawdziłem więc nazwiska księży z Neapolu. I nic.

Do licha, pomyślałem, albo ten oficer źle zrozumiał gangsterów i nie ma żadnego bohaterskiego księdza, albo kamorra uwierzyła w cudownego kapłana, który w rzeczywistości wcale nie istnieje. A może całkiem po prostu jeszcze go nie odnalazłem? Zadzwoniłem do mojego zaprzyjaźnionego karabiniera i zapytałem, czy udało mu się czegoś dowiedzieć, ale on nic dla mnie nie miał.

– Przykro mi. Nic więcej nie wiem, ale możesz mi wierzyć, to prawdziwa historia. Połowa kamorry wiesza psy na tym świętym. Tyle że oni nie pisną nam ani słowem, o kogo chodzi.

Pozostała mi teraz tylko jedna szansa – Francesco, jedyny gangster z kamorry, którego znałem na tyle dobrze, żeby go o to zapytać. Francesco zawrócił ze złej drogi i został objęty programem ochrony świadków. Wydawało mi się wtedy, że świadkowie koronni żyją w ciągłym strachu przed zemstą mafii, bytując w jakichś opancerzonych kryjówkach, gdzie strzeże ich cała armia uzbrojonych po zęby żołnierzy. Tymczasem kiedy spotkałem się z Franceskiem po raz pierwszy, drzemał ubrany w jakiś schodzony dres, chrapiąc głośno na sofie przed telewizorem w mieszkaniu jednego z oficerów, zjadłszy wcześniej syty obiad. Ze względów bezpieczeństwa mieszkał w koszarach karabinierów. Nocował w pokoju przesłuchań albo w celi aresztu, chyba że akurat była zajęta, śniadania jadał z karabinierami w ich pokojach służbowych, pochłaniając ogromne ilości słodkich rogalików, a wieczorami razem z dyżurującym funkcjonariuszem oglądał telewizję. Na obiad szedł na górę do mieszkania „Mascialla", jednego z podoficerów, którego bardzo atrakcyjna małżonka potrafiła znakomicie gotować. A kiedy się nudził, grywał z karabinierami w karty. Od czasu do czasu bywał wzywany przez inny komisariat, by rozpoznać podejrzanych, co prawie nigdy się nie udawało, albo by po raz setny opowiedzieć o szczegółach swojej pracy w kartelach. Pobyt w koszarach zaowocował więc sporą nadwagą, ale i obciążającymi mafiosów zeznaniami w wielu procesach, choć był tylko płotką. Za to moja żona, Kerstin, poznała kiedyś naprawdę grubą rybę, objętego programem ochrony świadków bossa mafii sycylijskiej i mordercę, którego obecne życie było dużo trudniejsze do prześwietlenia.

Francesco zajmował się praniem brudnych pieniędzy, a jego sposób był tak prosty, że ciągle się obawiałem, iż bardzo prędko znajdzie naśladowców. Za pośrednictwem internetu załatwiał sobie blankiety certyfikatów bankowych. Taki certyfikat zawierał zapewnienie dużego banku, że właściciel dokumentu posiada zdeponowane na jakimś koncie, najczęściej gdzieś w krajach arabskich albo na Kajmanach, gigantyczne sumy pieniędzy, na przykład pięćset milionów dolarów. Zadanie Francesca polegało na tym, by sprawić sobie najpierw szykowny garnitur i szykowne auto, a następnie odbyć kilka wizyt w małych oddziałach banków, najczęściej w Niemczech. Francesco wkraczał do takiego oddziału i wynajmował tam skrytkę, zupełnie legalnie. Pracownik banku wydawał mu pokwitowanie, gdzie widniała informacja, że w tejże skrytce złożono certyfikat bankowy dowodzący, że wynajmujący skrytkę ma gdzieś na świecie zdeponowane środki pieniężne w wysokości pięciuset milionów dolarów. Taki był punkt wyjścia. I na tym też kończyło się zadanie Francesca. Z takim pokwitowaniem gangsterzy udawali się do dużego oddziału banku. Występowali o kredyt na skromną sumkę jednego albo dwóch milionów dolarów – drobiazg przy zabezpieczeniu na pół miliarda. Otrzymawszy wnioskowaną kwotę, znikali bez śladu. Duży bank nabierał prędzej czy później podejrzeń i kontaktował się ze swoim oddziałem, pytając, czy rzeczywiście w jednej z jego skrytek znajduje się certyfikat z gwarancją na tak olbrzymią sumę. Pracownicy filii odpowiadali twierdząco, przemilczając jednak przeważnie fakt, że jeszcze nigdy dotąd nie widzieli takiego certyfikatu i wcale nie mieli pewności, co dokładnie znajduje się w skrytce. Po paru miesiącach robiło się naprawdę gorąco i duży bank chciał zobaczyć wreszcie certyfikat. Wtedy wszystko stawało się jasne. Duży bank wyrzucał pracownikom filii, że mogli być tak naiwni. Dali się nabrać i uwierzyli, że zabezpieczenie jest autentyczne. Filia przyznawała wówczas, że wynajęła skrytkę, nie wiedząc, czy zdeponowane w niej papiery są prawdziwe czy nie. W tym wszystkim mnie najbardziej zdumiewało, że poszkodowane banki wolały pogodzić się z paromilionową stratą, aniżeli oficjalnie przyznać, że padły ofiarą oszustwa. Prawie nigdy nie składały bowiem doniesienia o przestępstwie, sprawcy pozostawali bezkarni, a pieniądze zasilały kasę kamorry.

Żona Francesca dawno od niego odeszła, a rodzice już nie żyli, więc były gangster nie bardzo wiedział, co ma dalej z sobą począć. Kiedy więc kolejnym razem wpadłem do Neapolu, nadal pochrapywał na sofie karabiniera. Zaczekałem, aż sam się obudzi, a następnie, zrobiwszy mu w kuchni kawę, oznajmiłem, czego chcę.

– Cud? – chciał się upewnić.

– Tak – odparłem. – Ksiądz, którego szukam, doznał ponoć cudu. Prawdopodobnie był wcześniej bardzo chory, a po wizycie u papieża ozdrowiał.

– I kamorra o tym wie?

– Tak, jestem najzupełniej pewien, że wiedzą o tym człowieku.

– I niekoniecznie go kochają. W końcu kto chciałby zadrzeć ze świętym? – stęknął Francesco.

– Może mógłbyś się czegoś więcej dowiedzieć – poprosiłem, wiedząc dobrze, jak mi odpowie: potokiem zapewnień, że przecież nie ma już nic wspólnego z gangsterami, że nikogo już tam nie zna i z nikim nie gada, że zaczął nowe życie, że przeszedł na stronę obywateli o czystym sumieniu i że nigdy, przenigdy nie będzie się już kontaktował z kamorrą. Oczywiście to wszystko bzdura. Dla ludzi w sytuacji Francesca prawdziwe odcięcie się od przeszłości, prawdziwe zerwanie z kamorrą było niemożliwe, choćby dążył do tego z całych sił. Jego plan, by już nigdy więcej nie mieć nic wspólnego z ludźmi kamorry, był niewykonalny, ponieważ należał do niej jego brat, podobnie jak wszystkie ciotki, dorabiające sobie do emerytury staniem na czatach, i wszyscy jego bratankowie i bratanice. To dlatego musiał mieszkać w komisariacie – która rodzina przyjmie z powrotem pod swój dach świadka koronnego, czyli po prostu zdrajcę?

Po wysłuchaniu litanii pobożnych życzeń poprosiłem więc Francesca raz jeszcze:

– Tak, kochany, wiem, jak krystalicznie czyste jest teraz twoje sumienie, uczyń mi jednak tę przysługę i dowiedz się czegoś na ten temat.

Mruknął tylko coś pod nosem, a ja wyszedłem. Odwiedziłem w Neapolu paru przyjaciół i następnego wieczoru wróciłem do Rzymu. Wcześniej zahaczyłem jednak o koszary. Francesco w swoim brudnawym dresie siedział w otwartej na oścież celi, przeglądając jakiś świerszczyk. Potem rzucił okiem na przyniesione przeze mnie pudełko drogich ciasteczek i karton papierosów. Jedną z wielu rzeczy, jakich musiałem się dowiedzieć we Włoszech, było to, że gangsterzy z Południa nie piją. Gdybym miał przynieść coś niemieckiemu przestępcy, musiałaby to być butelka dobrego koniaku albo whisky. W kręgach kamorry było inaczej, tu dużo większym powodzeniem cieszyły się luksusowe ciasteczka.

Usiadłem, położyłem obok upominki i spojrzałem na niego wyczekująco.

– I co?

– Papież dokonał cudu, rzeczywiście tak było. To był cud, wielki cud.

– OK. A gdzie jest ten ksiądz?

Pokręcił głową.

– Nie mam pojęcia, to chyba jakaś delikatna sprawa, bo chłopcy od mokrej roboty nie chcą zadzierać z księdzem.

– Wiesz coś jeszcze?

– Nie.

Wziąłem więc z powrotem papierosy, sięgnąłem też po ciastka i szykowałem się do wyjścia.

Wstał powoli, a właściwie zwlókł się ciężko z pryczy.

– I jak będzie? – zapytałem.

Wziął ode mnie karton z papierosami i ciastka.

– Ten ksiądz, którego szukasz, jeździł na wózku. Po tym, jak papież dokonał cudu, wrócił do Neapolu. O własnych siłach.

Kolejne tygodnie należały do najbardziej frustrujących w całym 2004 roku. Wiedziałem nareszcie, kogo mam szukać, i bardzo się starałem. Sprawdziłem każdego księdza na wózku, który w ciągu ostatnich kilku miesięcy trafił na audiencję u papieża. Nawet kiedy inni, słysząc o moich poszukiwaniach, stukali się w czoło, ja musiałem sprawdzić każdy przypadek. Jednak wszystkie rozmowy wyglądały podobnie: telefonowałem na parafię takiego kapłana, który był niedawno na audiencji papieskiej, z pytaniem o samopoczucie, próbując też dowiedzieć się dyskretnie, czy aby jego stan zdrowia nie poprawił się w gwałtowny sposób. Większość księżowskich gospodyń lub pracownic kancelarii parafialnych dochodziła przy tym do wniosku, że jestem stuknięty.

– Chce pan wiedzieć, czy *monsignore* nadal jeździ na wózku? Oczywiście. A pan myślał, że na czym? Na motorze?

Sprawdziłem każdego. I nic.

Leo i papież

W tym pamiętnym roku chodziłem regularnie na audiencje Jana Pawła II; było wzruszające, jak bardzo się one zmieniły. Przez wiele lat papież był nauczycielem, objaśniał Pismo Święte, opowiadał o swoich pielgrzymkach i mówił o niesprawiedliwości dziejącej się w wielu miejscach na świecie. Teraz tylko siedział w milczeniu niczym modlitwa przemieniona w skałę. Pozwolono mi przyprowadzać syna, który nie chodził jeszcze wtedy do szkoły, więc od czasu do czasu zabierałem go z sobą. Któregoś dnia papież zobaczył mnie z dzieckiem i skinął do nas, żebyśmy się zbliżyli. Podszedłem więc z pięcioletnim wówczas Leonardem do tego człowieka o woskowej twarzy, a kiedy stanę-

liśmy przed nim, uniósł ręce i popatrzył na mnie wzrokiem, z którego wyczytałem: „Nie dam rady sam posadzić
go sobie na kolanach, pomóż mi!". Podniosłem więc Leo
i Karol Wojtyła, najmocniej jak potrafił, oplótł ramionami mojego chichoczącego synka i ucałował go (fot. 17).
Niesamowite było, jak ożywiły się zmęczone oczy papieża,
kiedy tylko wziął na kolana tego malca. Jak gdyby trzymał w ramionach kwintesencję życia. Uścisnął Leonarda
i trzymał go przy piersi, jak gdyby ten mały chłopczyk
dodawał staremu papieżowi otuchy. Tamtego dnia długo
na mnie patrzył, a jego spojrzenie pozostaje w mojej pamięci do dzisiaj. Nie było to surowe spojrzenie papieża
z pierwszych lat, gdy zdarzyło mi się napisać coś niepo-
chlebnego na temat Kościoła; nie było to już także łobu-
zerskie spojrzenie papieża uwielbiającego różne psikusy
ani też spojrzenie wyrażające bezwarunkową wolę wy-
trwania przy swoich przekonaniach. Takiego go zapamiętałem. Kiedy z okazji setnej pielgrzymki podejmował
nas – wszystkich, którzy towarzyszyli mu w podróżach
– u siebie w Watykanie, jego niebieskie oczy zdawały się
jeszcze mówić: „Nie zwracaj uwagi na moją drżącą rękę
i ociężały chód, zwróć uwagę na moją wolę, która wciąż
jest niezłomna".

Teraz jego wzrok wyrażał co innego: „Bądź dobrym ojcem dla tego dziecka, troszcz się o nie. Będziesz się musiał
obejść bez moich upomnień. Teraz twoja kolej, mój czas
już minął. Ja mogę teraz jeszcze tylko powierzyć ci zadanie, abyś postępował zgodnie z moim nauczaniem, ja nie
mam już sił. Kolej na ciebie". Jednak w jego oczach kryło

się coś jeszcze, jak gdyby ten śmiertelnie chory człowiek chciał dodać mi otuchy. Jego dłonie głaszczące mojego synka zdawały się wyrażać to, co powtarzał od dnia swojego wyboru: „Nie lękajcie się!". Nie wiem, czy kiedykolwiek otrzymałem więcej niż wtedy.

Po powrocie do domu Leo, idąc do swojego pokoju, powiedział:

— Dał mi buziaka, a ja namaluję teraz dla niego ładny obrazek.

Zanieśliśmy potem ten rysunek do Watykanu, a papież jak gdyby na pamiątkę zapisał na nim jego imię. To chyba również jedna z tych cech, które czyniły go tak wyjątkowym. Wiem bowiem, że żadne z arcydzieł Michała Anioła czy Rafaela, w ogóle żadne z watykańskich dzieł sztuki, nie mogło się równać w oczach Karola Wojtyły z obrazkiem namalowanym przez dziecko. Nieraz widywałem go w Loggiach Rafaela, jednak żadne z tych wiekowych, doskonałych malowideł nie wzbudzało w nim takiego zainteresowania, jak każdy pojedynczy dziecięcy rysunek, jakich tysiące dostawał podczas audiencji. Często rozmawiał też poważnie z małym autorem na temat jego dzieła. Pytał:

— A tu na obrazku kto to jest?

— No, to ty jesteś — odpowiadało dziecko.

— Ach tak, to jest papież, a to tutaj to kościół? Tak, gdzie papież, tam musi być i kościół.

— No właśnie — odpowiadał mały artysta.

Mam też jeszcze w pamięci, jak swój rysunek objaśniał mój syn:

– To jest takie duże bim-bom w Rzymie, taki kościół, który robi bim-bom.

– Ach, to jest bazylika, teraz wszystko jasne – odpowiedział papież, jak gdyby rozmowa z dziećmi była najważniejszą rzeczą w całym jego życiu. Widząc taką scenę, za każdym razem myślałem, że wielkiego człowieka można poznać po tym, że nigdy nie zapomina o tych najmniejszych.

Dlaczego ja?

Wypytywałem w tamtym czasie stałych uczestników papieskich audiencji, czy nie pamiętają pewnego poruszającego się na wózku inwalidzkim księdza z Neapolu. Bezskutecznie. Szef watykańskiej prefektury James Michael Harvey, który uczestniczył we wszystkich audiencjach, zasadniczo nie rozmawiał z nikim na podobne tematy, podobnie jak organizator papieskich spotkań z wiernymi, ksiądz Leonardo Sapienza, który także nie chciał mi udzielić żadnych informacji. Z wolna ogarniało mnie uczucie, że szukam ducha. Zatelefonowałem więc do koszar karabinierów, po chwili jakiś poirytowany żołnierz przywołał w końcu do telefonu Francesca, niezadowolonego, że odrywam go od telewizora. Huknąłem mu do słuchawki, że podał mi nieprawdziwe informacje i że w ostatnim czasie na audiencji u papieża nie było żadnego księdza na wózku. On mi na to odpowiedział, że i tak jest już za późno, bo ksiądz zniknął, jest w Afryce. Nie uwierzyłem w jego słowa, sądząc, że teraz chce jeszcze tego fikcyjnego księdza wysłać daleko od Włoch.

Wzburzony zadzwoniłem chwilę później do oficera karabinierów.

– Tego antymafijnego księdza nigdy nie było, prawda? Albo kamorra wam to wmówiła, albo wy sami go sobie wymyśliliście. – W odpowiedzi musiałem wysłuchać mnóstwa kąśliwych uwag pod swoim adresem.

– Człowieku, nie myślałem, że taki kiepski z ciebie dziennikarz. Czym ty się właściwie cały czas zajmujesz? Chyba leżeniem do góry brzuchem. Za to twoja konkurencja już dawno go odszukała.

– Co? – nie mogłem uwierzyć.

– Nazywają go *don* A., więc pewnie jest to jakiś *don* Antonio czy *don* Andrea, czy jeszcze inaczej. W każdym razie on nie chce mówić o tym cudzie, a przynajmniej nie teraz, jak powiedział twoim kolegom po fachu, zanim wyjechał do Afryki. Tym razem się spóźniłeś, twoi koledzy cię ubiegli. Aha, i na początku jeździł na wózku, ale potem nagle znów zaczął chodzić. Kto wie, może kiedyś wróci, ale ty możesz już sobie darować.

A więc przegrałem. Poszukiwany przeze mnie człowiek wyjechał. Nie odważyłem się we właściwym czasie wyjąć asa z rękawa i przegrałem. Jednak mimo że było już za późno, chciałem się przynajmniej dowiedzieć, kim on był. W tym celu postanowiłem wykorzystać kontakt, z którego korzystałem tylko w wyjątkowych okolicznościach. Zwróciłem się do duchownego, który tak jak ja pochodził z Westfalii, gdzie pracował najpierw jako proboszcz, a potem został ważną szychą w Watykanie. Jadaliśmy czasem wspólnie obiad. Wiedziałem, że nie mogę przesadzać: gdybym próbował wyciągać z niego zbyt wiele informacji, przestałby się ze mną umawiać. Tym razem musiałem jednak się dowiedzieć, co się stało. Spotykaliśmy się zawsze w pewnej przestronnej restauracji na wzgórzu Janikulum w pobliżu Watykanu.

Zapytałem go otwarcie, czy słyszał o kapłanie przykutym do wózka inwalidzkiego, który doświadczył cudu, a potem nagle wyjechał do Afryki. Spojrzał na mnie skonsternowany.

– Co za bzdura. Nie ma nikogo takiego.

– Ale ja jestem pewien, że tak było. On musi istnieć.

– W takim razie powiedz mi jeszcze raz, kiedy miało dojść do tego cudu?

– W pierwszym tygodniu marca, jestem tego absolutnie pewien.

– W pierwszym tygodniu marca? Na pewno?

– Tak, na sto procent.

Popatrzył na mnie, a potem wybuchnął gromkim śmiechem. Jego siwe, perfekcyjnie ostrzyżone włosy lekko się rozwichrzyły.

– Trafiłeś jak kulą w płot – powiedział w końcu. – Totalnie.

– Jak to? – zdziwiłem się.

– Pomyśl przez chwilę, włącz raz wyjątkowo zdrowy rozsądek. Co wydarzyło się w tym roku w pierwszym tygodniu marca?

– Nie mam pojęcia – odpowiedziałem zdenerwowany.

– Nie wiem.

– No to zajrzyj do notatek. Przecież wtedy odbywały się rekolekcje, więc twoja stuprocentowa informacja jest błędna. Podczas tygodnia rekolekcji, wyjątkowego w całym roku, odwołuje się wszystkie spotkania. Papież nie mógł wtedy, nawet gdyby chciał, przyjąć u siebie, pobłogosławić i jeszcze uzdrowić księdza z Neapolu. To wykluczone.

Miał rację. Moja zbudowana na przypuszczeniach i nieprecyzyjnych informacjach teoria legła w gruzach. Jeżeli w ciągu całego roku był taki czas, kiedy papież nie mógł pobłogosławić żadnego chorego na wózku, to właśnie w owym tygodniu rekolekcji. Było to całkowicie wykluczone, ponieważ wszystkie, absolutnie wszystkie spotkania były wtedy odwołane. Dla watykanistów miało to tę zaletę, że można wtedy było wyjechać na wakacje. W tym czasie papież modlił się razem z pozostałymi członkami Kurii.

– Sam widzisz – odezwał się mój informator. – To jakaś bzdura. Nie było żadnego cudu z księdzem z Neapolu.

Minęły miesiące. Od czasu do czasu wykładałem gościnnie dziennikarstwo na papieskim uniwersytecie Sacro Cuore, mieszczącym się nieopodal Piazza Navona w Rzymie. Po którymś z kursów siedziałem ze studentami w stołówce, kiedy jeden z nich, czarnoskóry Afrykanin, który zamierzał zostać rzecznikiem diecezji, zaczął opowiadać o pewnym cudzie.

– Papież przez tydzień był razem z biskupem, a potem dokonał cudu. Pewien ksiądz z Neapolu, który od dawna jeździł na wózku, odzyskał władzę w nogach.

Na wieść o cudzie zapanował przy stole ogólny entuzjazm, ja tymczasem po dłuższej chwili powiedziałem:

– Wydaje mi się, że to nieprawda. Próbowałem kiedyś zbadać tę sprawę, obawiam się jednak, że to tylko plotka krążąca od jakiegoś czasu w Watykanie.

– To pańska opinia – odpowiedział nieco urażony czarnoskóry student. – Mnie opowiedział o tym biskup, a nie jakiś mitoman.

Przeprosiłem go – być może po prostu nie szukałem z należytą starannością.

Wróciłem z uczelni do domu. A więc ta plotka przeniknęła już nawet do studentów, każdy, kto miał coś wspólnego z Watykanem, słyszał już tę legendę o księdzu walczącym z kamorrą, który doznał cudownego uzdrowienia. Jednak legenda to tylko legenda. Jedyną rzeczą, która nie dawała mi spokoju, był pewien szczegół. Dlaczego ten student twierdził, że o cudzie opowiedział biskup, który „przez tydzień był razem z papieżem"? Żaden biskup nie spędzał z papieżem tyle czasu. Zaparkowałem właśnie skuter przed bramą domu, kiedy nagle przyszło mi do głowy, że przecież był taki tydzień, tydzień rekolekcji. To było jak olśnienie. Pognałem po schodach na górę. To wtedy miał zdarzyć się cud. Włączyłem komputer. Każdego roku rekolekcje dla papieża przygotowywał inny biskup. Kto to był w marcu 2004 roku? Bingo! Biskup Bruno Forte, ze starego miasta w Neapolu.

Kilka dni później siedziałem naprzeciw szczupłego, wysportowanego, krzepkiego *don* Alessandra Overy (fot. 19), mężczyzny o kanciastej, wyrazistej twarzy, który przyglądał mi się w zamyśleniu.

– Wiesz, co najbardziej nie daje mi spokoju? – zapytał. – Pytanie: dlaczego ja? Odprawiałem niedawno mszę żałobną, zmarł ojciec i mąż, był młodszy ode mnie. Pozostawił żonę i dzieci. Po mnie nikt nie zostanie i nadal żyję, ale dlaczego akurat ja?

– Wydaje mi się, że takie pytanie zadaje sobie każdy, kto doświadczy cudu.

– Jak mnie właściwie znalazłeś? – zaciekawił się.

– Wciąż szukałem nie tam, gdzie trzeba, bo tropiłem księdza, który jeździł na wózku inwalidzkim.

– Ja niestety spędziłem na nim sporo czasu.

– I który na wózku był u papieża.

– Nigdy nie zobaczyłem papieża. Kiedy przyjechałem do niego do Watykanu, w Wielką Sobotę, żeby podziękować mu za to, czego doświadczyłem, on nagle zachorował. Nigdy nie zobaczyłem go na własne oczy.

– A ja po prostu nie mogłem sobie wyobrazić, więc w ogóle o tym nie pomyślałem, że mogłoby dojść do cudownego uzdrowienia za sprawą Jana Pawła II, choć nie był obecny w miejscu, w którym cud się dokonał.

– To dzięki biskupowi Brunonowi Fortemu.

– Tak, wiem – odpowiedziałem. – W końcu trafiłem i na jego ślad.

– Biskup Forte prowadził wtedy rekolekcje dla papieża i powiedział mu, że mam raka. Papież obiecał, że będzie się za mnie modlił, i już następnego dnia dokonało się coś niesamowitego. Biskup przyjechał do mnie zaraz po rekolekcjach, leżałem wtedy w szpitalu w Modenie. Chciał osobiście mi przekazać, że papież będzie się za mnie modlił. To było niedługo przed pobraniem tkanki kostnej z mojej miednicy. Żartowałem jeszcze z lekarzem: „Proszę niczego nie zepsuć, bo sam papież się za mnie modli". Chcieli pobrać tylko jedną próbkę, żeby sprawdzić, jak mają sobie radzić z moją chorobą. Już od miesięcy z powodu silnych bólów przyjmowałem morfinę i jeździłem na wózku. Ale niedługo po tym, jak zrobili badanie, okazało się, że choroba zniknęła. A ja mogłem o własnych siłach wsiąść do samochodu i wrócić do domu.

– A co na to lekarze? – chciałem wiedzieć.

– Nie mogli wyjść ze zdumienia. Przecież już wcześniej zdiagnozowano u mnie przerzuty. Lekarze wciąż powtarzali, że to niemożliwe, żebym nagle wyzdrowiał, ponieważ biopsja nie ma nic wspólnego z tym wyzdrowieniem. Pobrali tylko jedną próbkę kości z miednicy, z miejsca, w którym przerzuty niszczyły kości i wywoływały ból nie do zniesienia. Nie byli w stanie się uspokoić, wciąż mi tłumaczyli, że pobranie tkanki, ta biopsja, nie ma nic wspólnego z zanikiem choroby. Rozumiesz, według lekarzy nie mogłem tak po prostu wyzdrowieć.

Alessandro Overa wychował się w Quartieri Spagnoli, najgorszej ze wszystkich dzielnic Neapolu, leżącej w bezpośrednim sąsiedztwie starego miasta, mateczniku kamorry. Zwiedzając ją po raz pierwszy w latach osiemdziesiątych, jeszcze jako uczeń z małego niemieckiego miasteczka, nie wierzyłem własnym oczom. W tamtych czasach dojazdy do ulic, na których rządziła kamorra, były zamurowane. W połowie ulicy stał nielegalnie wzniesiony mur i jedynie po bokach pozostawiono wolne przesmyki, przez które przechodzili piesi albo przejeżdżały motocykle mafijnych szwadronów śmierci. Taka blokada uniemożliwiała wjazd samochodom policyjnym i ściganie gangsterów, uciekających na motorach po napadzie na bank albo innym przestępstwie. Co jakiś czas miasto burzyło te mury, ale już w nocy mafia ponownie je odbudowywała. Policjanci uczestniczący w akcjach burzenia dostawali później pogróżki albo podpalano im samochody, więc po jakimś czasie odstąpiono od tej metody. Neapol był wtedy podzielony na coś w rodzaju stref – była elegancka strefa nadmorska, gdzie spacerowali turyści, były dzielnice, w których się pracowało, oraz część miasta odgrodzona ochronnym murem, w której rządy sprawowało nie państwo włoskie, ale kamorra – i właśnie do tej strefy należała dzielnica Quartieri Spagnoli.

Rodzina *don* Alessandra była uboga, bardzo uboga. Pamiętam, że kiedy opowiadał mi o swoim dzieciństwie, ja jego słowa zrozumiałem zupełnie opacznie.

– Kiedy mój ojciec przychodził do szkoły – zaczął, a ja, chcąc zwrócić uwagę, że sam jestem już ojcem, wpadłem mu w słowo:

– Ja też muszę codziennie odprowadzać syna do szkoły, rzymskie ulice są zbyt niebezpieczne.

Don Alessandro wybuchnął śmiechem.

– Ale przecież mój ojciec nie odprowadzał mnie wcale do szkoły, on przychodził, żeby mnie stamtąd zabrać. My, dzieci, wychowywaliśmy się w szkole albo na szkolnym podwórzu i ojciec musiał mnie tam szukać. Musiałem iść z nim do baru i razem z nim pracować. Bar nie należał do nas, ojciec był tam po prostu zatrudniony. Kiedy był duży ruch, zmywałem filiżanki po kawie. Miałem wtedy może jakieś dziesięć lat.

Został ministrantem, pomagał w kościele parafialnym i z wolna zaczęło się w nim rodzić pragnienie zostania księdzem, a przede wszystkim pragnienie, by przeżyć.

– W Quartieri Spagnoli nietrudno trafić na strzelaninę albo zostać zabitym, nawet jeśli nic nie łączy cię z kamorrą. Można też zrezygnować z prawdziwego życia, umrzeć wewnętrznie. Moim problemem była szkoła. Nie udało mi się jej ukończyć, a mimo to chciałem zostać duchownym. Kiedy dowiadywałem się o warunki, wszyscy mówili: bez matury nie ma szans.

Alessandro postanowił rozmówić się z rodzicami, byli przerażeni, kiedy wyznał, co zamierza.

– Dla nich to była zdrada. Mieli poczucie, że zostawiam ich na łaskę losu. Mój ojciec chciał otworzyć własny bar, a ja miałem mu w nim pomagać. Musiałem odejść z domu, nie chcieli mnie więcej widzieć. Od tamtej pory już nigdy nie spędziłem ani jednej nocy w rodzinnym domu.

Jego podanie do seminarium ponownie odrzucono. Nie może zostać przyjęty, dopóki nie ukończy nauki. W końcu udaje mu się zamieszkać w internacie, gdzie się również stołuje, i chodzi do szkoły. Zdaje maturę i wreszcie wstępuje do seminarium. Kończy je z wyróżnieniem.

– A potem wysłali mnie do mojej rodzinnej parafii w Quartieri Spagnoli. To był bardzo ciężki okres. Pamiętam, jak musiałem udzielić sakramentu namaszczenia chorych jednemu z bossów kamorry, który postrzelony leżał na ulicy i w końcu zmarł. Kiedy przyszli do mnie, żeby wyłudzić haracz, powiedziałem, że nie mogę im oddać pieniędzy należących do Kościoła. Skończyło się na tym, że musiałem konsekrować dla nich kaplicę.

Don Alessandro walczy wtedy przede wszystkim o dzieci i młodzież:

– Wielu z nich stwierdza: „No jasne, że kocham Jezusa, ale co ty mi możesz dać? Jak będę stał na czatach dla kamorry, to dostanę pięćset euro, to dobry interes. A Jezus co? Co on mi może dać?". Tak mówią mi te dzieciaki.

Żeby im pomóc, *don* Alessandro zaczął organizować obozy letnie. Nad Zatokę Neapolitańską zjeżdżają bogacze z całego świata, żeby pławić się w morzu u wybrzeży Capri czy Amalfi, i nie mają pojęcia, że dzieciaki z przemysłowej dzielnicy Neapolu nigdy nie widziały morza.

– Większość tutejszych dzieci nie umie pływać, nigdy nie były na plaży. Kupiłem więc wielkie gumowe baseny, porozstawiałem dookoła i urządziłem obóz letni, żeby dzieciaki mogły się popluskać. Kamorra wszystko mi ukradła, rozkładane baseny, pompy, wszystko.

Potem Alessandro Overa zachorował. Rozpoznanie – nowotwór jąder. Walczył z chorobą i kiedy po pięciu latach wydawało się, że wygrał, usłyszał tę koszmarną diagnozę. Nowotwór najprawdopodobniej się rozprzestrzenił, lekarze wykryli przerzuty do kości. *Don* Alessandro ma tak silne bóle, że nie jest w stanie chodzić, musi jeździć na wózku i brać morfinę. Lekarze potrzebują próbki zaatakowanej przez raka tkanki kostnej, jedzie więc do klinki w Modenie. W tym samym czasie jego przyjaciel z młodości, biskup Bruno Forte, prowadzi rekolekcje dla papieża Jana Pawła II i opowiada mu o ciężkim losie *don* Alessandra. Papież obiecuje modlić się za niego.

– Kiedy lekarze pobrali próbkę, okazało się, że ich obawy były niestety uzasadnione i kości rzeczywiście zostały zaatakowane i zniszczone. Tylko że zaraz potem zdarzyło się coś niesamowitego. Nagle bóle ustąpiły. To było niepojęte, po roku spędzonym na wózku inwalidzkim mogłem nagle wstać i chodzić. Bóle po prostu zniknęły. Nie musiałem już brać morfiny. Lekarze nie mogli wyjść ze zdumienia, coś takiego było przecież niemożliwe. Niestety potem ktoś się dowiedział, że zostałem uzdrowiony. A ja obiecałem, że nie będę o tym opowiadał. No i wyjechałem do Afryki.

Teraz *don* Alessandro walczy o lepszy byt dla swoich parafian w Neapolu, w jednej z najtrudniejszych parafii na świecie, nieopodal nowego matecznika kamorry, w Casorii, w północnej części prowincji neapolitańskiej.

– Nie boję się – powiedział mi na pożegnanie. – Dorastałem blisko kamorry. Wiem, jak działają.

W jego kancelarii, dokładnie naprzeciwko biurka, wisi ogromny portret Jana Pawła II.

– Zawsze na niego patrzę. I każdego dnia pytam: dlaczego ja?

W rękach Boga

WATYKAN, KWIECIEŃ 2005 ROKU. Każdego dnia cały Watykan czekał na cud. Zazwyczaj ludzi oczekujących, że wydarzy się coś wywołanego przez siły nadprzyrodzone, jak choćby koniec świata, zbywa się śmiechem. Jednak wtedy nikt nie miał wątpliwości, że ten wielki cud to tylko kwestia czasu. W końcu Jan Paweł II nigdy nie krył, jak ważne w jego życiu są właśnie cuda. Na jego polecenie zbadano więcej cudów niż za urzędowania wszystkich jego poprzedników razem wziętych. Jeżeli zatem istniał Bóg miłosierny i jeżeli ów Bóg dokonywał tylu cudów na tym świecie, to nie mogło być nawet cienia wątpliwości, że dusza zmarłego papieża zwróci się do Niego, by na ziemi wciąż działy się rzeczy cudowne.

Tymczasem pewien cud odmienił Watykan w zupełnie nieoczekiwany sposób. Do grobu papieża Jana Pawła II pielgrzymowały nieprzebrane rzesze ludzi z całego świata. Watykan nie był na to nawet w najmniejszym stopniu przygotowany, nawet w najśmielszych wyobrażeniach nie spodziewano się takiego najazdu. Na lewo od bazyliki wydzielono naprędce osobny korytarz umożliwiający milionom wiernych dostęp do krypty. Grupy pielgrzymów gromadziły się już nocą i czekały na otwarcie świątyni, by móc pomodlić się przy grobie człowieka z Wadowic. Liczba przybyłych już dawno przekroczyła wyobrażenia watykańskich urzędników – każdego dnia do grobu papieża docierało dwanaście tysięcy osób, co w skali roku dawało prawie cztery miliony wiernych. Przez kilka dni kwietnia 2005 roku grób Karola Wojtyły stał się najczęściej odwiedzanym miejscem stolicy Włoch. Rzym zyskał nieoczekiwanie nowy atut. Z kolei dla Watykanu taki stan rzeczy oznaczał epokowy przełom, początek nowej ery.

Powrót nadziei

Wydawało się, że cały świat ruszył z pielgrzymką do Rzymu. Siadałem czasem przy bramie Arco delle Campane, przylegającej do bazyliki, gdzie tłumy modlące się przed chwilą przy grobie papieża wychodziły z krypty. Najbardziej niesamowite było to, że do grobu Wojtyły pielgrzymowały teraz setki tysięcy ludzi, którzy za jego życia niewiele sobie robili z jego nauczania. Mam jeszcze przed oczami obraz mszy odprawianej przez Jana Pawła II w 1998 roku w Wiedniu. Organizatorzy uznali, że w katolickiej Austrii na pewno powtórzy się sukces z 1983 roku, kiedy na spotkanie z Ojcem Świętym przybyło prawie czterysta tysięcy osób. Jednak piętnaście lat później zamiast oczekiwanych tłumów na Heldenplatz przyszło zaledwie pięćdziesiąt tysięcy wiernych – katastrofa. Ten sam scenariusz powtórzył się w USA. Nie wierzyłem więc własnym oczom, widząc teraz wychodzące z krypty grupy amerykańskich pielgrzymów. Dobrze pamiętam podróż papieża do St. Louis w 1999 roku. Dla wizerunku Watykanu miażdżący był przede wszystkim przejazd przez centrum miasta, gdzie ludzi bardziej interesowały wystawy sklepowe niż papież. Ojciec Święty przejeżdżał wzdłuż barierek, za którymi przechodnie po prostu szli w swoją stronę, nawet nie przystając i nie spoglądając w jego stronę.

Ale to już przeszłość. Teraz wszyscy czuli jakieś magiczne przyciąganie płynące z miejsca, w którym Karol Wojtyła został pochowany. Rozmawiałem z wieloma pielgrzymami. Wszyscy doznali małego cudu ze strony Jana Pawła II, wszyscy mieli do niego bardzo osobisty stosunek. Wynikało to może z tego, że jeszcze nigdy w historii Kościoła nie było papieża, który spotkał się z tak wielką liczbą ludzi, który tak wielu podał rękę, który tak wielu pobłogosławił. Pielgrzymi przybywali, by mu podziękować za to, że wytrwali w małżeństwie albo że po długich latach starań doczekali się dziecka. Rozmawiając z nimi, za każdym razem myślałem: „Oni wszyscy nauczyli się od Karola Wojtyły tego, co dla niego było najważniejsze: że nasze życie ostatecznie spoczywa w rękach Boga i że możemy temu Bogu zaufać". „Nie lękajcie się!". Tak często słyszałem te słowa: *Non abbiate paura* – i co zadziwiające, on naprawdę urzeczywistnił ten cud. Wychodzący z krypty ludzie, którzy przed chwilą modlili się przy nim, wydawali się naprawdę trochę mniej zalęknieni, jak gdyby trochę bardziej zawierzyli Bogu, do którego należało ich życie, ponieważ ten papież z Polski w zagadkowy sposób ich czymś obdarował. Udało mu się wlać w serca milionów ludzi nadzieję. Duchowni z Watykanu nie mogli wyjść ze zdumienia, że to właśnie Karol Wojtyła pojednał większą część katolików z ich własnym Kościołem.

Pamiętam jeszcze, jak siedząc wtedy na trybunie obok Francesca, powiedziałem:

– A co jeżeli teraz on będzie dokonywał cudów?

Ksiądz Jarek Cielecki, który siedział obok nas, nie miał co do tego żadnych wątpliwości:

– Na pewno tak będzie. To tylko kwestia czasu.

Kardynał Joachim Meisner określił to kiedyś w następujący sposób: „Święci dopiero w niebie stają się prawdziwymi rewolucjonistami". Jeżeli więc istniało niebo, to teraz nadeszła w nim kolej na Wojtyłę.

Oczywiście nikt nie miał pojęcia, kiedy nadejdą wieści o pierwszym cudzie, dokonanym przez Boga za sprawą przebywającego w niebie Wojtyły. Nie było żadnych wątpliwości co do sposobu jego ujawnienia – za pośrednictwem wikariatu generalnego w Rzymie i za sprawą postulatora procesu beatyfikacyjnego księdza Sławomira Odera. Ponieważ papież zmarł jako biskup Rzymu, to diecezja rzymska była odpowiedzialna za rozpatrywanie wszystkich dowodów w procesie beatyfikacyjnym. Po śmierci Jana Pawła II ruszyło więc w jego sprawie to niesamowite postępowanie, jakie otwiera się przed każdą beatyfikacją lub kanonizacją. Takiego dochodzenia nie musi nigdy prowadzić żaden świecki śledczy ani prokurator, ponieważ tu bada się życie osoby zmarłej. Policyjne dochodzenie jest umarzane z chwilą śmierci podejrzanego. W świetle ziemskich wyobrażeń prowadzenie dochodzenia wobec osoby zmarłej mija się z celem, nawet gdyby się okazało, że była ona faktycznym sprawcą, ponieważ nie można jej już ukarać. Każde świeckie dochodzenie kończy się zatem przy grobie. Natomiast w przypadku beatyfikacji dochodzenie właśnie w tym miejscu dopiero się rozpoczyna. Śledczy kierują się przy tym konkretnym podejrzeniem, a dokładniej kwestią, czy dusza Karola Wojtyły trafiła przed oblicze Boga w niewyobrażalnym dla nas niebie, w niepojętym raju? Czy dusza zmarłego papieża udała się do Boga, a znalazłszy się przy Nim, o ile to w ogóle możliwe, zwróciła się do tego nieogarnionego Stwórcy z prośbą: „Ta kobieta albo ten mężczyzna tam na ziemi błaga mnie o pomoc, proszę Cię, Panie, pomóż jej lub jemu"? Czy naprawdę tak było? Czy Bóg czynił cudami „wyjątki", które wybranym, bardzo nielicznym ludziom ratowały życie? A jeżeli tak było, to dlaczego miałaby się tym zajmować dusza papieża? Jeżeli doznawała teraz niebiańskiej radości, jak mogła prosić o to, by jakiś inny cnotliwy człowiek nadal pozostawał na ziemi, narażając się na liczne pokusy i wątpliwe przyjemności, zamiast równie szybko dostać się do tego tak upragnionego raju? Może jednak on lub ona mieli jeszcze na ziemi coś do zrobienia? Czy zatem dusza zmarłego papieża naprawdę mogła interweniować w ludzkich sprawach u samego Boga?

Dochodzeniem zajął się papieski postulator w procesie beatyfikacyjnym Sławomir Oder, gdy papież Benedykt XVI już 13 maja 2005 roku, zaledwie miesiąc po śmierci swojego poprzednika, polecił, by proces ów ruszył najszybciej, jak to tylko możliwe. Nowy papież odstąpił też w tym przypadku od zasady co najmniej pięcioletniego okresu oczekiwania, jaki powinien upłynąć od chwili śmierci kandydata, by mógł się rozpocząć jego proces beatyfikacyjny.

Dochodzenie Watykanu

Z perspektywy Kościoła istnieje bardzo prosta metoda na ustalenie, czy dusza zmarłego stanęła przez obliczem Boga, by o coś Go poprosić – cud. Naukową oceną cudu zajmuje się komisja Kościoła katolickiego, której przewodzi papieski lekarz, kardiolog Patrizio Polisca. Dla niego kryterium cudu jest bardzo proste – musi się znaleźć jakiś niewytłumaczalny przypadek, który z medycznego punktu widzenia nie powinien był mieć miejsca. A tu wraz z postępem nauki odpada coraz więcej chorób. Jeszcze kilkadziesiąt lat temu za cud uznawało się wyzdrowienie po zachorowaniu na niektóre nowotwory. Dziś istnieje wiele metod uchronienia przed śmiercią pacjentów, nawet ciężko chorych na raka. Z tego też powodu papieska komisja medyczna, uczestnicząca w procesach beatyfikacyjnych lub kanonizacyjnych, bardzo niechętnie zajmuje się tego rodzaju przypadkami.

Zgodnie z obecnym stanem wiedzy istnieją jednak sytuacje, które łatwo rozstrzygnąć – choroby nieuleczalne oraz zaniknięcie lub pojawienie się jakiegoś organu lub jego fragmentu. W świetle dzisiejszych wyników badań naukowych choroby takie jak stwardnienie rozsiane czy choroba Parkinsona kwalifikowane są jako nieuleczalne. Wykluczone jest także, by pacjent ze zdiagnozowaną wrodzoną i nieuleczalną wadą serca obudził się pewnego dnia z sercem zdrowym. W obu tych przypadkach komisja skłonna jest rozpatrywać kwestię cudu. Doktor Patrizio Polisca zawsze podkreślał przy tym, że nie on decyduje o tym, czy dany cud istotnie miał miejsce.

– Moim zadaniem jest rozpatrzenie, czy w danej sprawie może chodzić o przypadek nie do wyjaśnienia z medycznego punktu widzenia – powtarzał zawsze doktor Polisca.

Zupełnie inną zagadkę ma do rozwiązania komisja teologiczna. Do niej należy rozpatrzenie, czy dusza zmarłego została powołana do świętości i czy na pewno chodzi właśnie o tę duszę. W tej kwestii zawsze dochodziło do sporów. Jeżeli pacjent cierpiący na nieuleczalną chorobę nagle powracał do zdrowia, ale w trakcie choroby prosił w modlitwie o wstawiennictwo kilku zmarłych, jego sprawa była umarzana, ponieważ nie można było dokładnie stwierdzić, która ze zmarłych osób wyprosiła u Boga cud. Jedynie w przypadku, kiedy można było jednoznacznie uznać, że pacjent modlił się do jednego zmarłego i do nikogo innego, komisja mogła rozpocząć pracę. Bardzo rzadko zdarza się, że to Kościół natyka się na jakiś domniemany cud, jednak wtedy badania w ogóle nie wchodzą w grę.

W procesie beatyfikacyjnym Jana Pawła II również zaistniało takie niezwykłe zdarzenie będące dowodem cudu, jednak nie udało się stwierdzić, kogo dokładnie chora poprosiła o wstawiennictwo. Dlatego trzeba było tę sprawę zarzucić. Chyba żadnego innego przypadku nie zbadałem tak dokładnie jak cudu z Padwy, ponieważ wydawał mi się niezwykle spektakularny. Zrobił on też ogromne wrażenie na rzymskich śledczych, bowiem wszyscy lekarze bez zająknięcia powtarzali, że to cud. Pewna młoda kobieta cierpiała w czasie ciąży na małowodzie, pękł pęcherz płodowy. Wypełniony wodą stanowi on elastyczną powłokę zabezpieczającą dziecko w czasie ciąży, bez tej ochrony mogłoby ono wcześniej czy później zostać zgniecione przez ciało matki. Wszyscy lekarze, z którymi rozmawiałem o tym przypadku, mówili, że dziecko jest w stanie przeżyć tylko przy niewielkim i krótkotrwałym uszkodzeniu pęcherza. Natomiast w tym wypadku ciągnący się przez wiele tygodni ciąży drastyczny brak wód płodowych stanowił według lekarzy ogromne zagrożenie dla życia matki. Musiała stale przyjmować antybiotyki, ponieważ istniało zagrożenie, że obumierający płód mógłby śmiertelnie zatruć jej organizm. Dziecku zaś groziło, że jeśli się urodzi, będzie zniekształcone. Wydarzyło się jednak coś niezwykłego: pęcherz ponownie napełnił się wodami płodowymi, choć pękł w bardzo niekorzystnym miejscu – na samym dole. Dziecko przyszło na świat bez żadnych istotnych deformacji. Chłopczyk miał jedynie lekko odkształcony duży palec u nogi, jak gdyby Bóg chciał dać ludziom jakąś wskazówkę. W Brazylii, gdzie miał miejsce podobny przypadek uznany przez Kościół za cud, nowo narodzone dziecko miało dokładnie taką samą deformację palca. Mimo to przypadek z Padwy, którego w opinii lekarzy nie można było wyjaśnić z medycznego punktu widzenia, dla Watykanu nie znaczył nic. Co prawda kobieta, przebywając w szpitalu, myślała od czasu do czasu o Janie Pawle II i o swoim pobycie w Paryżu podczas Światowych Dni Młodzieży, jednak z całą pewnością nie zwracała się do niego z modlitwą o pomoc.

Biuro prowadzącego dochodzenie księdza Sławomira Odera otrzymało zgłoszenia dwustu czterdziestu ośmiu domniemanych cudów.

Następnie do postulatora dotarła wiadomość z Francji: znaleziono jednoznaczny cud potrzebny do przeprowadzenia beatyfikacji. To niezwykłe wydarzenie rozegrało się w nocy z 2 na 3 czerwca 2005 roku. Papież Jan Paweł II zmarł zaledwie dwa miesiące wcześniej. Nie kazał więc zbyt długo czekać. Zresztą nikt z hierarchów nie spodziewał się niczego innego po papieżu, który jak żaden jego poprzednik wspierał z wielką mocą badania dotyczące cudów właśnie.

Papieski cud

W nocy 3 czerwca 2005 roku francuska zakonnica Marie Simon Pierre Normand, należąca do Zgromadzenia Małych Sióstr Macierzyństwa Katolickiego, przeżyła w swojej celi klasztoru w Aix-en-Provence coś wyjątkowego. O tym, co jej się przytrafiło, opowie podczas konferencji prasowej w Rzymie w roku 2008 oraz w roku 2010 w Aix-en-Provence:

– Położyłam się wieczorem, a o 4.30 obudziłam się zaskoczona tym, że w ogóle udało mi się usnąć. Natychmiast też zauważyłam, że stało się coś niezwykłego.

Zakonnica doświadczyła czegoś uznanego za niemożliwe, uzdrowienia z choroby Parkinsona. Poza przypadkiem siostry Marie Simon Pierre nie istnieje żaden inny udokumentowany przypadek wyleczenia z tej choroby.

Wychowywała się jako jedno z pięciorga dzieci w rodzinie mieszkającej pod Cambrai w północnej Francji. Przystępując do sakramentu bierzmowania, postanowiła zostać w przyszłości zakonnicą. Decyzja dojrzewała w niej przez kilka lat, ostatecznie podjęła ją, gdy pomagała w Lourdes chorym pielgrzymom. Wiedziała już także, do którego klasztoru chce wstąpić. Marie Simon Normand wybrała Zgromadzenie Małych Sióstr Macierzyństwa Katolickiego. Napisze o nich później: „Zwróciłam na nie uwagę, bo z ich twarzy nigdy nie znikał uśmiech, a ja wciąż zastanawiałam się, co napełnia je taką radością". Wstąpiła do klasztoru mimo sprzeciwu rodziców. W 2001 roku przyszedł cios: lekarze zdiagnozowali u niej chorobę Parkinsona. Zaatakowane były lewa ręka i lewa noga.

– Na początku oglądałam papieża Jana Pawła II jeszcze w telewizji, był jak bliski przyjaciel, ale potem było coraz gorzej. Patrząc na papieża, myślałam: „Ciebie też to czeka w przyszłości" – opowiadała dziennikarzom francuskiej agencji KTO. Choroba zakonnicy się rozwijała, drżenia kończyn stawały się coraz gwałtowniejsze. – Zaatakowana została już moja lewa ręka. Jakoś poradziłabym sobie z tym, gdybym nie była leworęczna.

Choroba nasila się. Siostra Marie Simon Pierre prawie nie może już chodzić, nie jest też w stanie pisać. Zakonnicę dręczy też stała bezsenność. Nadal jednak uczestniczy we wspólnych modlitwach w klasztorze. W roku 2005 jej stan jeszcze bardziej się pogarsza. W dniach, kiedy papież leży na łożu śmierci, siostry modlą się wspólnie.

– To było dla mnie bardzo intensywne przeżycie, papież był dla mnie jak przyjaciel. Chociaż wiedziałam, że wkrótce znajdzie się w niebie, czułam, że jest przy mnie – opowiadała. Po śmierci Jana Pawła II zakonnice kierują do niego nowennę, czyli modlitwę odmawianą przez dziewięć kolejnych dni, prosząc go o pomoc dla siostry Marie Simon Pierre. – Modląc się, miałam za każdym razem wrażenie, że gdzieś w głębi słyszę słowa: „Jeżeli wierzysz, ujrzysz wspaniałość Boga". – Jednak jej stan był coraz poważniejszy. – Drugiego czerwca czułam się tak źle, że poprosiłam matkę przełożoną o zwolnienie ze wszystkich prac i obowiązków. Po prostu nie mogłam już dłużej. Matka przełożona poprosiła mnie, żebym napisała na karteczce imię Jana Pawła II, spróbowałam to zrobić, ale wyszły mi tylko jakieś bazgroły. Stałyśmy obie długo wpatrzone w ten kawałek papieru. Następnie matka przełożona powiedziała mi, że Jan Paweł II jeszcze nie powiedział ostatniego słowa. Zapytałam, czy mogę odejść.

W nocy 3 czerwca dokonuje się cud. Po przebudzeniu zakonnica może po raz pierwszy od długiego czasu przejść pięćdziesiąt metrów, jej chód jest pewny. Bez najmniejszych trudności może też napisać imię Jana Pawła II. Zwraca się do lekarzy, prowadzących jej przypadek od

2001 roku. Zostają oni skonfrontowani z niezwykłą zagadką, pierwszym w historii medycyny wyzdrowieniem z choroby Parkinsona.

W Watykanie od samego początku było jasne, że przypadek siostry Marie Simon Pierre musi najpierw zostać gruntownie prześwietlony. Komisja pod przewodnictwem doktora Patrizia Poliski dochodzi do jednoznacznego wniosku: wydarzył się sensacyjny cud, jedyny znany przypadek pełnego wyzdrowienia z nieuleczalnej choroby. Czy to będący w niebie papież uwolnił tę zakonnicę od choroby, na którą sam przez wiele lat cierpiał? Kościół katolicki nie ma co do tego żadnych wątpliwości.

Rozmarzony papież

Watykan, koniec lutego 2011 roku. W ten pierwszy ciepły dzień tego roku zamierzałem pojechać do domu skuterem wzdłuż kolumnady przy Bazylice św. Piotra, kiedy na białym kamiennym chodniku przed pałacem Kongregacji Spraw Kanonizacyjnych na placu św. Piotra dostrzegłem mojego przyjaciela, fotografa Francesca. Siedział tam w swojej czarnej kurtce, z przymkniętymi oczami, niczym jaszczurka wygrzewająca się w pierwszych promieniach słońca. Zatrzymałem się więc i podszedłem do niego. Uściskał mnie na powitanie i obaj usiedliśmy. Odkąd omal nie zginęliśmy, lecąc helikopterem do Krakowa, łączyła nas jakaś bliska więź, nigdy nie zdarzyło mi się przejechać obok niego bez przywitania.

– Słyszałeś? Oni naprawdę go beatyfikują.

Pokiwał głową.

– Akurat Wojtyłę. Taka beatyfikacja to jak jazda religijną limuzyną, chociaż on wolał jeździć fiatem.

Minęła chwila, zanim załapałem dowcip, po czym wybuchnąłem śmiechem. Karol Wojtyła często nas nabierał, a najlepiej udało mu się to kiedyś w Castel Gandolfo. Siedzieliśmy wtedy na przepięknym placu przed pałacem, zapłaciwszy wcześniej krocie za kawę i colę, i czekaliśmy na wyjście papieża. Wszyscy wiedzieliśmy, że podczas wakacji opuszczał czasem pałac, żeby się przejść. Od czasu do czasu przez bramę przejeżdżały wielkie luksusowe samochody. Zrywaliśmy się wtedy na nogi, próbując wypatrzyć papieża, ale w środku zawsze siedział któryś z kardynałów lub biskupów. To było naprawdę ekscytujące przeżycie, kiedy te wszystkie cacka sunęły wolno na dziedziniec Castel Gandolfo. Nie tylko dlatego, że za każdym razem spodziewaliśmy się w którymś z nich papieża, ale również dlatego, że brama prowadząca na pałacowy dziedziniec była wyjątkowo wąska i trzeba naprawdę sporych umiejętności, żeby przejechać przez nią bez zadraśnięcia karoserii. Kiedy tylko kolejna limuzyna wyjeżdżała z pałacu, fotografowie natychmiast naciskali migawki. W takim luksusowym aucie siedział często sekretarz stanu Angelo Sodano, korzystający z niebieskiego mercedesa S. On zresztą w ogóle nie widział problemu w luksusowym stylu życia. Z okazji objęcia urzędu sekretarza zatrudnił na przykład orkiestrę w pełnym składzie, która miała dać koncert na jego cześć w watykańskich ogrodach. Mimo że warowaliśmy przed pałacem niczym psy myśliwskie i na wszelki wypadek druga ekipa czekała ulokowana przy bocznym wyjściu z Castel Gandolfo, nigdy nie udało nam się nakryć wychodzącego papieża.

Zaczęliśmy już podejrzewać, że może zrezygnował ze spacerów, choć przeczyłyby temu jego zamiłowania. Kochał góry i nie do pomyślenia było, że mógłby spędzić wakacje, nie wchodząc przynajmniej na jeden szczyt. Tymczasem stojąc pod Castel Gandolfo, nigdy nie zwróciliśmy uwagi na mały samochód wjeżdżający i wyjeżdżający czasem z pałacu. Koło kierowcy siedział zawsze jakiś *monsignore* trzymający przed sobą rozłożoną gazetę. Nigdy nie przyszło nam do głowy, że ukrywał za nią twarz Jana Pawła II przycupniętego na tylnym siedzeniu. Jak widać, Karol Wojtyła wolał luksusowe limuzyny przeznaczyć dla swoich kardynałów.

– Zastanawiałeś się kiedykolwiek nad tym, że on może zostać świętym? – zapytałem Francesca.

Zachichotał.

– Karol Wojtyła świętym? A pamiętasz, jak mieliśmy o nim pisać gorzej?

„No pewnie – pomyślałem – jak mógłbym o tym zapomnieć". Któregoś dnia papież, bardzo wzburzony, podszedł do księdza Dziwisza, obok którego stało dwóch reporterów, i zwrócił się do nich:

– Źle o mnie piszecie. – Pomyśleliśmy wtedy wszyscy: „O rany, staruszek naprawdę się wkurzył". A on dodał: – Ale zasłużyłem sobie na to, żebyście pisali o mnie jeszcze gorzej.

Wybuchnęliśmy wtedy gromkim śmiechem i on także. Czy święty robi takie rzeczy?

– A pamiętasz jego potrzebę częstej spowiedzi? Uważał, że jest wielkim grzesznikiem.

– No jasne – odpowiedziałem. – Ale jeżeli Wojtyła był wielkim grzesznikiem, to my obaj na bank trafimy do piekła.

– A pamiętasz tego żebraka?

– Oczywiście.

Tą historią przez wiele miesięcy żył cały Watykan. Jakiś żebrak błąkał się przy kolumnadzie Berniniego, nikt nie wiedział o nim nic więcej poza tym, że żył z jałmużny i sypiał gdzieś w zakamarkach pomiędzy olbrzymimi gmachami stojącymi wokół bazyliki. Pewnego dnia przez plac św. Piotra szedł pewien biskup umówiony na spotkanie z papieżem. Kiedy spojrzał na żebraka, rozpoznał w nim byłego księdza ze swojej diecezji, który na skutek tragicznych przeżyć zszedł na manowce. Dotarłszy na górę do apartamentu Jana Pawła II, opowiedział mu o tym spotkaniu. Karol Wojtyła nie zwlekał ani chwili, kazał biskupowi zejść na plac i przyprowadzić owego księdza, żeby zjadł z nimi obiad. Biskup zaprosił więc dosyć zaniedbanego i kompletnie zaskoczonego człowieka na obiad do papieża. Ów przyjął zaproszenie i siedział potem przy stole w milczeniu. Nikt nie robił mu żadnych wyrzutów i nie zwracał się do niego ani słowem. Po prostu jedli razem posiłek. Po obiedzie, kiedy wszyscy zamierzali się rozejść, papież po raz pierwszy odezwał się do żebrzącego księdza.

– Mam prośbę, czy zgodziłby się ksiądz wysłuchać mojej spowiedzi?

I tak też się stało, żebrak wyspowiadał wielkiego papieża, jak gdyby był on zwyczajnym grzesznikiem.

– Nigdy nie chciał, żeby ludzie go podziwiali. Jak myślisz, czy w raju można sobie wziąć urlop? Jeżeli tak, to on z niego skorzysta. Nie spodoba mu się, że miliony ludzi czczą go jako błogosławionego. Gdyby mógł, pewnie by do tego nie dopuścił – stwierdził Francesco.

Zapalił papierosa.

– Sam nie wiem – odpowiedziałem. – Może masz rację. Zawsze kiedy chcieli, żeby został świętym, on się im podporządkowywał, ulegał im z tą swoją graniczącą z szaleństwem pokorą.

– A pamiętasz tego księdza z Wadowic? – przywołał kolejne wspomnienie Francesco.

– Mógłbym mu łeb ukręcić – odpowiedziałem.

Po raz ostatni Karol Wojtyła odwiedził swoje rodzinne Wadowice 16 czerwca 1999 roku. Biodro po nieudanej operacji było tak dalece niesprawne, że nie mógł już chodzić. Siedział więc przed kościołem w swoim rodzinnym miasteczku, a wtedy zdarzyło się coś magicznego. Wziął nas wszystkich w podróż po Wadowicach swojego dzieciństwa i młodości. Odmłodniał, kiedy przywoływał nazwiska polskich i żydowskich przyjaciół, kiedy mówił o szkole, uroczystościach patriotycznych i o kremówkach. Młodzi ludzie na wadowickim rynku słuchali z radością, jak wskrzesza te bliskie mu miejsca. Tamtego dnia siedział na podwyższeniu przed kościołem; patrzył ponad głowami wiernych na ulice i spacerował po nich w myślach. Kiedy tak podróżował w czasie, nagle pojawił się na wprost niego pewien młody ksiądz. Papież opowiadał o szczęśliwym okresie tuż przed wybuchem wojny. Młody kapłan przepychał się, by dotrzeć jak najbliżej rozmarzonego papieża. Rzadko miałem okazję usłyszeć tak wzruszające wspomnienia z życia Wojtyły, jak właśnie tego popołudnia, kiedy z taką radością wrócił do czasów dzieciństwa i młodości. Zastanawiałem się później, czy przeczuwał, że to ostatnie godziny, jakie będzie mu dane spędzić w swoich rodzinnych Wadowicach. Tymczasem młody ksiądz wzniósł przed papieżem obraz z Matką Boską. Jego gest mówił jednoznacznie: „No, dosyć tych osobistych wynurzeń, ucisz się i zachowuj, jak na świętego przystało, zajmij się swoimi obowiązkami i pobłogosław ten obraz. Ojciec Święty tym ma się zajmować. Gdybyś naprawdę nim był, to teraz to właśnie byś zrobił".

Karol Wojtyła usiłował przez pewien czas ignorować księdza. Wspominał, jaką radość sprawiały mu wycieczki w góry i jak w mroźne zimy zakładał drewniane chodaki, które wcale nie chroniły stóp przed zimnem. Tego późnego popołudnia pragnął wskrzesić tych wszystkich, którzy nie mieli szczęścia i nie przeżyli wojny, Żydów, którym się przyglądał, kiedy szli do synagogi, ludzi, których zamordowano w tchórzliwy sposób. Udało mu się przywołać wspomnienia miasta, wspomnienia rodziny, krewnych, przyjaciół z tamtych lat, jednak kiedy zaczął opowiadać o nauce łaciny, greki i o teatrze, ksiądz z obrazem ustawił się przed nim w apodyktycznej pozie, a z mikrofonu nagle rozległy się czyjeś słowa: „Rozpoczyna się obrzęd koronacji...". I Karol Wojtyła się poddał, przerwał swoją opowieść. Przysięgam, byłem wtedy gotów rozerwać tego księdza na strzępy. Dlaczego nie dał temu staremu człowiekowi jeszcze kilku minut, nie pozwolił mu po raz ostatni przywołać przeżyć z dzieciństwa i młodości i usłyszeć naszych reakcji na swoje słowa? Czy to zbyt wiele? Owszem, zbyt wiele. Wojtyła wrócił posłusznie do swojej roli. Pobłogosławił obraz, tłumy na rynku i odjechał na następne spotkanie w Krakowie. Już nigdy nie miał powrócić do Wadowic.

– Pochowają go na górze w bazylice. Słyszałeś o tym? Teraz, kiedy jest błogosławionym, spocznie w kaplicy św. Sebastiana – powiedział Francesco.

– Tak, tak, wiem i myślę, że mu się to spodoba. Będzie, już na wieki, miał widok na swoje Drzwi Święte – odpowiedziałem.

To tu, w Wigilię 1999 roku, klęczał ubrany w ten błyszczący nowoczesny ornat, który miał jak najmniej obciążać jego słabe barki, klęczał przed Drzwiami Świętymi obok *Piety* Michała Anioła, parę kroków od kaplicy, w której teraz szykowano dla niego miejsce. Udało mu się zrealizować prorocze słowa dawnego prymasa Polski kardynała Stefana Wyszyńskiego: „Wprowadzisz Kościół w trzecie tysiąclecie". Kardynał Wyszyński zmarł 28 maja 1981 roku, zaledwie dwa i pół roku po wyborze Wojtyły na papieża. Tuż przed śmiercią prymasa wiele wskazywało na to, że jego przepowiednia nie będzie miała szans na realizację. Bowiem Karol Wojtyła leżał wtedy w klinice Gemelli ciężko ranny po zamachu na jego życie z 13 maja. Wówczas wcale nie było takie pewne, że przeżyje jeszcze długich dziewiętnaście lat. On sam wątpił pewnie nieraz w spełnienie słów kardynała, jak choćby wtedy, gdy słyszał diagnozy o chorobie Parkinsona, raku jelita grubego czy infekcji wirusowej. Ale udało mu się. Chłopak z Wadowic klęczał przed Drzwiami Świętymi i świętował Wielki Jubileusz narodzin Chrystusa przed dwoma tysiącami lat.

Był z tego powodu bardzo szczęśliwy i wykorzystał Rok Jubileuszowy, czyniąc tyle dobra, na ile nie odważył się żaden z jego poprzedników. W Środę Popielcową prosił o wybaczenie za krzywdy wyrządzone Żydom przez chrześcijan. „Boże naszych ojców, który wybrałeś Abrahama i jego potomstwo, aby Twoje imię zostało zaniesione narodom: bolejemy głęboko nad postępowaniem tych, którzy w ciągu dziejów przysporzyli cierpień tym Twoim synom, a prosząc Cię o przebaczenie, pragniemy tworzyć trwałą więź prawdziwego braterstwa z ludem przymierza"[9]. Po tych słowach w wielu sprawach między chrześcijanami a Żydami zapanowało nareszcie porozumienie.

Francesco zamrugał oślepiony słonecznym światłem.

– Poza tym ze swojego grobu będzie mógł zobaczyć kawałek tego miejsca, w którym wywołał taką panikę wśród pielgrzymów: konfesjonał.

Uśmiechnąłem się na to wspomnienie. W Wielki Piątek zszedł ze swojego apartamentu do bazyliki i po prostu usiadł w jednym z konfesjonałów w roli spowiednika. Pracownicy bazyliki, zwani *San Petrini*, wyłowili spośród czekających pielgrzymów osoby, które chciały przystąpić do spowiedzi, zaprowadzili je pod konfesjonał i dopiero w ostatniej chwili poinformowali: „Będzie was spowiadał papież". Większość pobladła ze strachu, a ja zastanawiałem się później, czy w czasie spowiedzi byli do końca szczerzy

---

[9] *Wyznanie win popełnionych w stosunku do Izraela*, w: Jan Paweł II, *Dzieła zebrane*, dz. cyt., s. 857 (przyp. red.).

i wyznali papieżowi wszystkie swoje grzechy, czy też zataili te co pikantniejsze, by wyjawić je potem innemu duchownemu.

– Odwiedzisz go w kaplicy, w której go pochowają? – chciał wiedzieć Francesco.

– No jasne – odparłem.

– Ja też. W końcu to przez niego byliśmy przekonani, że zakończymy życie w katastrofie lotniczej. Ten śmigłowiec tak się wtedy kołysał, że naprawdę myślałem, że nie mamy już szans. A papież wcale się wtedy nie bał.

– A więc pójdziesz do niego i co mu powiesz?

– Nie mam pojęcia. Ale dobrze wiem, co on mi powie: „No i jak, Andreas, znowu napisałeś coś źle o mnie? Wiesz przecież, że zasłużyłem sobie na to, żebyś pisał o mnie jeszcze gorzej".

Indeks osób

ILUSTRACJE

1. Gra w piłkę z papieżem. Podczas spotkania z rodzinami w letniej siedzibie w Castel Gandolfo Jan Paweł II, jako pierwszy papież w historii, wolał pograć w piłkę z dzieckiem, niż biec na spotkanie z kościelnymi hierarchami.

2. Arcybiskup Piero Marini, od roku 1987 Mistrz Ceremonii papieża Jana Pawła II, idzie przed trumną zmarłego Karola Wojtyły. Również tego ostatniego dnia Marini stał u jego boku, a zaszczyt koncelebrowania mszy żałobnej z kardynałem Josephem Ratzingerem powierzył swojemu zastępcy Enricowi Viganò.

3. Zabawa w chowanego pod czerwoną peleryną papieża – i to podczas audiencji generalnej w szacownej auli Pawła VI. Do momentu objęcia Stolicy Apostolskiej przez Jana Pawła II surowe rygory podczas wizyt u Jego Świątobliwości obowiązywały także dzieci.

4. Karol Wojtyła zrewolucjonizował urząd głowy Kościoła. Jazda na nartach w widoczny
sposób sprawia papieżowi przyjemność w czasie trzydniowego pobytu w górach Ada-
mello pod Brescią. Goszczący papieża ówczesny prezydent Włoch Alessandro Pertini
przyglądał się temu z platformy pługu śnieżnego.

5. W opinii Kurii Rzymskiej papieżowi brakowało świętości. Zamiast trzymać się wielowiekowego protokołu i po wyborze na papieża, siedząc na tronie, odebrać hołd od klęczących kardynałów, Jan Paweł II wolał przyjąć ich na stojąco i objąć każdego serdecznie. „Przecież to moi bracia" – stwierdził.

6. Miejsce pracy papieskiego fotografa Artura Mariego: zawsze u boku papieża. Mari przez całe swoje życie zawodowe dokumentował działalność sześciu papieży. Od Piusa XII i Jana XXIII poprzez Pawła VI i Jana Pawła I aż do Jana Pawła II i obecnie Benedykta XVI.

7. Papież Jan Paweł II i jeden z jego najwierniejszych współpracowników, organizator papieskich pielgrzymek Roberto Tucci. Skromny jezuita, choć niewyświęcony wcześniej na biskupa, otrzymuje godność kardynała, mimo że bronił się przed tym rękami i nogami. Wolał pozostać zwykłym sługą Bożym.

8. Marzenie milionów katolików – choć raz w życiu dotknąć papieża. Jan Paweł II umożliwił to wielu wiernym. Karol Wojtyła odstawił do lamusa pompatyczny tron, zwany *sedia gestatoria*, na jakim przez tysiąc pięćset lat obnoszono wszystkich wcześniejszych papieży. Wolał sam podejść do wiernych.

9. Jan Paweł II i jego lekarz, profesor Francesco Crucitti, chirurg, który uratował rannemu w zamachu papieżowi życie podczas sześciogodzinnej operacji. Uważał, że jakaś „niewidzialna ręka" pokierowała kulą w ciele papieża, prowadząc ją z dala od wszystkich istotnych dla życia organów.

10. Papież w swojej prywatnej kaplicy w Pałacu Apostolskim. Do schowka w jego klęczniku zakonnice wkładały codziennie intencje osób z całego świata, które zwracały się do Jana Pawła II z prośbą o wstawiennictwo u Boga.

11. Czy to przypadek, czy cud? Papież błogosławi chorego na białaczkę Herona Badilla, a w tej samej chwili ponad ich głowami wzlatuje w niebo biały gołąb. Chłopiec w pełni wyzdrowiał.

12. Czy Jan Paweł II czynił cuda już za życia? Czy to zdjęcie dokumentuje przypadek cudownego uzdrowienia? Ugo Festa (siedzący na wózku inwalidzkim), cierpiący na stwardnienie rozsiane, przybył do papieża, trzymając na kolanach obraz Jezusa Miłosiernego. Niedługo po tym spotkaniu całkowicie wyzdrowiał.

13. Papież spotyka się w 1999 roku w Toruniu z księdzem Sławomirem Oderem, który po jego śmierci, jako postulator, poprowadzi proces beatyfikacyjny Karola Wojtyły. Ksiądz Oder jest przekonany, że Jan Paweł II to przewidział i dlatego wezwał go do siebie do Watykanu.

14. Jan Paweł II kochał góry ponad wszystko. „Maratończyk Boga" aż do późnej starości, kiedy tylko miał taką możliwość, godzinami po nich wędrował.

15. Papież Jan Paweł II w Sanktuarium Bożego Miłosierdzia w krakowskich Łagiewnikach. Karol Wojtyła umrze w chwili, kiedy będą się rozpoczynać uroczystości związane z Niedzielą Bożego Miłosierdzia, świętem, które wprowadził do liturgicznego kalendarza Kościoła.

16. Czy to zdjęcie naprawdę przedstawia moment cudu, jak uważa Kelvin Felix, biskup karaibskiej wyspy Saint Lucia? Jan Paweł II w katedrze w Castries błogosławi Kevina Jeremiesa, leżącego na rękach matki. Następnego dnia chłopczyk całkowicie wyzdrowiał.

17. Rodzinne spotkanie bliskich autora z Janem Pawłem II. Sześcioletni Leonardo z ojcem podczas prywatnej audiencji u papieża.

18. Zamiast na tronie wolał siedzieć wśród najuboższych. Nieprzewidziana wizyta: papież spostrzegł w drodze do nowo wybudowanego kościoła chatę ubogiej rodziny i przysiadł się do gospodarzy, a kierowca przyniósł z papieskiego auta napoje dla wszystkich. Papież, poruszony biedą Afrykańczyków, powołał do życia Fundację Jana Pawła II na rzecz Sahelu.

19. Bohater, który doświadczył cudu. *Don* Alessandro Overa walczy na peryferiach Neapolu z kamorrą. Choroba nowotworowa przykuła go do wózka inwalidzkiego, jednak pod wpływem modlitw Jana Pawła II choroba całkowicie ustąpiła.

20. Agrygent na Sycylii, maj 1993 roku. Tego dnia papież, mając do dyspozycji tylko dwie puste dłonie, powalił na kolana nawet mafię. Po jego apelu skierowanym do gangsterów, by zawrócili ze złej drogi, jeden z bossów neapolitańskiej kamorry, Carmine Alfieri, postanowił zeznawać, dzięki czemu za kraty trafiło ponad czterystu mafiosów.

Jan Paweł II papież